Lehr- und Arbeitsbuch
mit Audio-CD

S0-AZR-474

# Mittelpunkt
## neu C1.1

Deutsch als Fremdsprache für Fortgeschrittene

Lektion 1 – 6

Ilse Sander
Renate Köhl-Kuhn
Klaus F. Mautsch
Daniela Schmeiser
Heidrun Tremp Soares

Ernst Klett Sprachen
Stuttgart

## Symbole in Mittelpunkt neu C1.1

LB ① 5    Verweis auf CD und Tracknummer vom Lehrbuchteil

AB ⬤ 3    Verweis auf Tracknummer der CD vom Arbeitsbuchteil

ⓟ GI    prüfungsrelevanter Aufgabentyp: Goethe-Zertifikat C1

ⓟ DSH    prüfungsrelevanter Aufgabentyp: DSH

ⓟ telc    prüfungsrelevanter Aufgabentyp: telc Deutsch C1

ⓟ telc H    prüfungsrelevanter Aufgabentyp: telc Deutsch C1 Hochschule

ⓟ TestDaF    prüfungsrelevanter Aufgabentyp: TestDaF

⚷    Strategietraining

▶ G 4.1    Verweis auf den entsprechenden Abschnitt in der Referenzgrammatik im Anhang

AB: A2 ▶    Verweis im Lehrbuchteil auf die passende Übung im Arbeitsbuchteil

LB 8    Seitenverweis auf Mittelpunkt C1 Lehrbuch

AB 8    Seitenverweis auf Mittelpunkt C1 Arbeitsbuch

1. Auflage    1 ⁸ ⁷ ⁶   |   2020   19   18

© Ernst Klett Sprachen GmbH, Stuttgart 2013.
Alle Rechte vorbehalten.
Internetadresse: www.klett-sprachen.de/mittelpunkt-neu

**Autoren der Lektionen:** Ilse Sander, Renate Köhl-Kuhn, Klaus F. Mautsch, Daniela Schmeiser, Heidrun Tremp Soares; Albert Daniels, Stefanie Dengler, Christian Estermann, Monika Lanz, Wolfram Schlenker
**Autoren der Referenzgrammatik:** Carolin Renn, Ulrike Tallowitz
**Fachliche Beratung:** Barbara Ceruti

**Redaktion:** Angela Fitz-Lauterbach
**Layoutkonzeption:** Anastasia Raftaki, Nena und Andi Dietz, Stuttgart
**Gestaltung und Herstellung:** Anastasia Raftaki
**Gestaltung und Satz:** Jasmina Car, Barcelona
**Illustrationen:** Jani Spennhoff, Barcelona
**Umschlaggestaltung:** Annette Siegel
**Reproduktion:** Meyle + Müller GmbH + Co. KG, Pforzheim
**Druck und Bindung:** DRUCKEREI PLENK GmbH & Co. KG, Berchtesgaden
Printed in Germany

ISBN 978-3-12-676664-7

MIX
Paper from
responsible sources
FSC® C005370

# Arbeiten mit **Mittelpunkt neu C1**

**Mittelpunkt neu C1** ist eine gründliche Bearbeitung von Mittelpunkt C1. Dabei wurde der grundlegende Ansatz beibehalten. Alle Lernziele und Inhalte leiten sich konsequent aus den Kannbeschreibungen (Niveau C1) des Gemeinsamen Europäischen Referenzrahmens für Sprachen ab. Die Lernziele jeder Lerneinheit werden auf der jeweiligen Doppelseite rechts oben aufgeführt. Diese Form der Transparenz bietet Ihnen und den Kursleitern /-innen eine schnelle Orientierung und eine einfache Zuordnung der Aufgaben zu den Kannbeschreibungen.

**Mittelpunkt neu C1.1** und **C1.2** sind jeweils in sechs Lektionen mit Themen aus Alltag, Beruf, Kultur und Wissenschaft gegliedert, dabei wurden Themen und Inhalte aus Mittelpunkt C1 aktualisiert bzw. sprachlich bearbeitet und neue Themen aufgenommen. Jede Lektion ist wiederum in sechs Lerneinheiten A – F aufgeteilt. Diese übersichtliche Portionierung der Lernsequenzen ssoll Ihre Motivation als Lerner fördern und die Unterrichtsplanung erleichtern. Außerdem ermöglicht diese Aufteilung es, modulartig zu arbeiten und Lerneinheiten bei Bedarf wegzulassen.

Die Grammatikvermittlung in **Mittelpunkt neu C1** hat schwerpunktmäßig zum Ziel, Ihr Sprachbewusstsein als Lerner zu stärken und Sie für die verschiedenen Sprachebenen der deutschen Sprache zu sensibilisieren. Darauf aufbauend, sollen Sie in die Lage versetzt werden, anspruchsvollere Texte zu verstehen und selbst zu produzieren. Die behandelten Grammatikthemen sind auf jeweils zwei Seiten pro Lektion gebündelt. Anhand passender Textsorten erarbeiten Sie systematisch die jeweiligen Themen und üben diese gezielt im Arbeitsbuchteil.

▶ G 4.1  Passend erhalten Sie bei jeder Grammatikaufgabe einen Abschnittsverweis auf die entsprechende Erklärung in der Referenzgrammatik im Anhang des Buchs, hier z. B. auf den Abschnitt 4.1.

Der Arbeitsbuchteil ist notwendiger Bestandteil für den Unterricht. Denn hier werden die jeweilige Grammatik und der Lektionswortschatz kleinschrittig geübt und vertieft. Zudem werden im Arbeitsbuchteil – passend zu den Aufgaben im Lehrbuchteil – Strategien bewusst gemacht und geübt; solche Aufgaben sind mit einem Schlüssel gekennzeichnet. Am Ende jeder Lektion finden Sie darüber hinaus den Abschnitt „Aussprache" mit für die Kommunikation relevanten Ausspracheübungen. Eine CD mit diesen Übungen sowie weiteren Hörtexten im Arbeitsbuchteil ist in C1.1 integriert,

AB ⏺ 3  in diesem Fall wird auf die passende Tracknummer hingewiesen, hier z. B. auf Track 3.

AB: A 2  Der Zusammenhang von Lehr- und Arbeitsbuchteilteil wird durch klare Verweise im Lehrbuchteil verdeutlicht, hier wird z. B. auf die Übung 2 im Teil A der jeweiligen Lektion im Arbeitsbuchteil verwiesen.

Bei der Arbeit mit **Mittelpunkt neu C1** werden Sie zudem mit den Aufgabenformaten der C1-Prüfung des Goethe-Instituts (Goethe-Zertifikat C1), von telc (telc Deutsch C1, telc Deutsch C1 Hochschule) sowie von TestDaF und DSH vertraut gemacht. Die prüfungsrelevanten Aufgabentypen finden Sie immer wieder an passenden Stellen im Lehr- und Arbeitsbuchteil integriert und zur leichteren Übersicht gekennzeichnet:

Ⓟ GI　　Ⓟ DSH　　Ⓟ telc　　Ⓟ telc H　　Ⓟ TestDaF

Darüber hinaus finden Sie im Lehr- und Arbeitsbuch C1.2 eine Probeprüfung zum „Goethe-Zertifikat C1", die Ihnen eine Vorbereitung unter Prüfungsbedingungen ermöglicht.

LB ⏺ 5  Zum Lehrbuchteil gibt es zwei Audio-CDs. Bei den Hörtexten ist die passende CD samt Tracknummer angegeben, hier z. B. CD 1, Track 5.

LB 8  In C1.1 und C1.2 steht am Seitenende jeweils ein Hinweis darauf, wo man diese Seite in den Ganzbänden findet, hier z. B. auf Seite 8 im Lehrbuch.

Wir danken den vielen Kursleiterinnen und Kursleitern, die durch ihr Feedback zur Arbeit mit Mittelpunkt C1 dazu beigetragen haben, **Mittelpunkt neu C1** noch besser auf Ihre Bedürfnisse zuzuschneiden.

Viel Spaß und Erfolg bei der Arbeit mit **Mittelpunkt neu C1** wünschen Ihnen der Verlag und das Autorenteam!

# Inhaltsverzeichnis – Lehrbuchteil

# Netzwerke

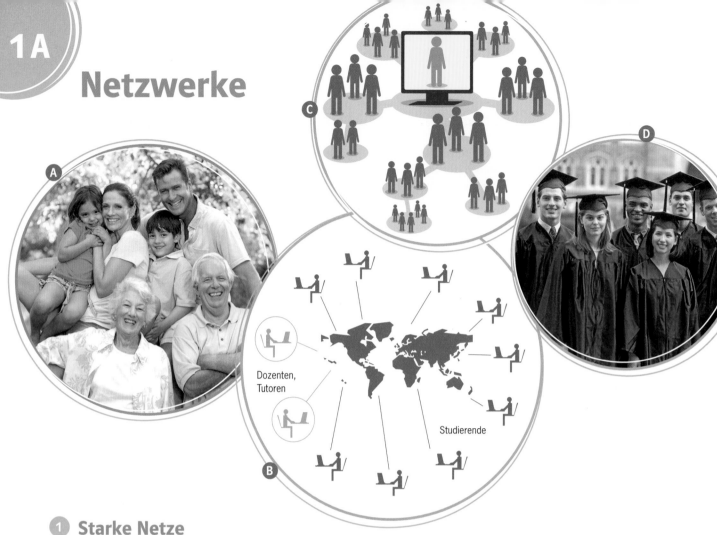

## 1 Starke Netze

Wählen Sie zu zweit ein Bild aus. Beschreiben Sie, was auf dem Bild dargestellt ist und welche Gedanken und Gefühle Sie damit verbinden. Besprechen Sie Ihre Ergebnisse im Kurs. **AB: A1**

> **Inhalt:** Auf dem Bild ist … dargestellt / ist … zu sehen / sieht man / erkenne ich / … |
> Die abgebildeten Personen …
> **Gedanken beim Betrachten:** Wenn ich das Schaubild / Bild betrachte, fällt mir auf… |
> Mit dem Bild verbinde / assoziiere ich … | Das Foto erinnert mich an …

**Bildbeschreibung**
Weitere Redemittel für die Bildbeschreibung finden Sie in Mittelpunkt neu B2, Lektion 4.

## 2 Gut vernetzt?

Lesen Sie folgende Aussagen. Welcher würden Sie zustimmen, welcher eher nicht, warum? Sprechen Sie mit einem Partner / einer Partnerin. Tauschen Sie sich dann im Kurs aus.

> Ich liebe das Risiko. Manchmal bin ich eher zu wagemutig. Aber ich habe ja mein ganz privates Sicherheitsnetz: Meine Familie. (Jörg, 20)

> Zu den wirklich guten Jobs kommt, wer die richtigen Leute kennt, und nicht, wer am besten für den Job geeignet ist. (Judith, 18)

> Ich halte immer noch Kontakt zu meinen Studienkollegen, sie können mir vielleicht einmal nützen. (Sebastian, 34)

> Bei meinem Online-Kurs merke ich, wie wichtig die Präsenzphasen sind. Der persönliche Kontakt ist einfach unersetzlich. (Maria, 42)

> In einer neuen Umgebung Kontakte zu knüpfen, ist fast unmöglich, wenn man den ganzen Tag arbeitet. (Beate, 38)

> Freundschaften über „Facebook" pflegen, superleicht! Leichter als im „wirklichen" Leben. (Sven, 17)

## ③ Mein persönliches Netzwerk

Zeichnen Sie Ihr (engeres/weiteres) Netzwerk und stellen Sie es im Kurs vor.

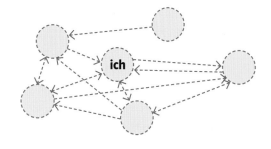

## ④ Neu auf dem Land – was nun?

LB ① 1 **a** Kerstin lebt seit Kurzem auf dem Land. Hören Sie, was sie von ihrer ersten Zeit in der neuen Umgebung erzählt. Machen Sie sich Notizen zu folgenden Fragen.

1. Warum ist sie umgezogen?
2. Warum ist sie aufs Land gezogen?

3. Welche Schwierigkeiten hatte sie am Anfang?
4. Welche Lösung hat sie gefunden?

**b** Kennen Sie ähnliche Situationen – persönlich oder aus Erzählungen? Berichten Sie im Kurs.

## ⑤ Neu in der Stadt – und was tun?

**a** Lesen Sie die Anzeigen auf der Pinnwand von new-in-town.com. Welche Anzeige weckt am ehesten Ihr Interesse: a. als Deutschlerner in Deutschland, b. als alleinstehende Person in Ihrem Heimatland und warum?

**b** Verfassen Sie eine Suchanzeige und hängen Sie sie im Kursraum auf. Lesen Sie dann die Anzeigen der anderen und antworten Sie auf die, die Ihren momentanen Interessen am ehesten entspricht. Die Tipps im Arbeitsbuch zur Gestaltung von Anzeigen können Ihnen helfen. **AB: A 2** ▶

# Netzwerken, was bringt das?

## ① Handbuch für Netzwerker

**a** Lesen Sie die Texte über drei Netzwerke aus einem Handbuch über modernes Networking. Was haben sie gemeinsam? Welches sind die Hauptunterschiede? `AB: B1–2`

**A**

### ASA (gemeinnütziges, politisch unabhängiges Netzwerk)

Weltweite Verbindung von Menschen, Projekten und Initiativen; Förderung nachhaltiger und sozial gerechter Entwicklung. Zielgruppe: Studierende und Berufstätige zwischen 21 und 30 Jahren.

**Ziel:** Entwicklungspolitisches Lernen durch Austausch und gleichberechtigte Zusammenarbeit.

**Aktivitäten:** Gewährung von Stipendien für dreimonatige Arbeits- und Studienaufenthalte in Afrika, Asien, Lateinamerika und Südosteuropa.

**Der ASA-Alumni-Bereich** richtet sich an ehemalige ASA-Teilnehmer/innen, die alte Kontakte auffrischen, Freunde wiederfinden oder Networking betreiben wollen. Es werden u. a. Arbeitsgruppen zu programm- und entwicklungspolitischen Themen, Regionalgruppen und Seminare angeboten.

www.asa-programm.de

**B**

### SIETAR Deutschland e.V.

Plattform für den interdisziplinären und fachlichen Austausch zu interkulturellen Themen in Wissenschaft, Wirtschaft und Gesellschaft.

**Ziele:** Verbesserung der Zusammenarbeit und des Zusammenlebens von Menschen aus verschiedenen Kulturen.

**Aktivitäten:**
- Förderung wissenschaftlicher Diskussionen und der Kommunikation zwischen Menschen aus verschiedenen Kulturen,
- Bereitstellung von multidisziplinärem Fachwissen und Fertigkeiten,
- Organisation von Tagungen, Kongressen, Fortbildungen und Seminaren,
- Herausgabe von Publikationen zur Schärfung des Bewusstseins für interkulturelle Themen.

www.sietar-deutschland.de

**C**

### Xing (AG)

Internetbasiertes Netzwerk für Geschäfts- und Fachleute, auf das Mitglieder weltweit zugreifen können, 2006: Börsengang, 2012: 12 Mio. Mitglieder.

**Ziele:** Förderung von Geschäftsbeziehungen, die auf Vertrauen basieren.

**Aktivitäten:** Praktische Umsetzung der Theorie „Jeder kennt jeden über sechs Ecken": Xing zeigt seinen Mitgliedern die Kontakte ihrer Kontakte an und ermöglicht ihnen den Ausbau und die Pflege ihres persönlichen Netzwerkes.

**Als Mitglied kann man:**
- Entscheidungsträger und Experten finden,
- Ansprechpartner von Unternehmen im deutschsprachigen Raum erreichen,
- ehemalige Kollegen und Kommilitonen finden,
- selbst gefunden werden.

www.xing.com

**b** Würden Sie sich persönlich für eines dieser Netzwerke interessieren? Warum / Warum nicht? Kennen Sie ähnliche Initiativen? Tauschen Sie sich im Kurs aus.

## ② Einstiegshilfe Netzwerk

LB ①
2–4

**a** Hören Sie ein Gespräch in „Radio-Uni" mit drei jungen Leuten. Welches Netzwerk in 1a hat wem geholfen? Notieren Sie A, B oder C unter den Fotos.

Thomas Weizel

Maria Blecher

Anne Streng

**Netzwerk:** ....................

b    Hören Sie das Radiogespräch in 2a noch einmal und machen Sie Notizen zu folgenden Punkten. [AB: B3–4]

| Name | Beruf/Tätigkeit | Wie hat das Netzwerk geholfen? |
| --- | --- | --- |
| Thomas Weizel | | |
| Maria Blecher | | |
| Anne Streng | | |

## ○ G 4.1 ③ Sprache im Mittelpunkt: Nominal- und Verbalstil – das Genitivattribut

a    Sie wollen einen Freund über die Netzwerke in 1a informieren. Ordnen Sie folgenden Sätzen die passenden Stichpunkte aus den Handbuchtexten in 1a zu.

1. ASA fördert nachhaltige und sozial gerechte Entwicklung.

   *Förderung nachhaltiger und sozial gerechter Entwicklung*

2. ASA: Stipendien für dreimonatige Arbeits- und Studienaufenthalte werden gewährt.

   ......................................................................................................................................

3. SIETAR: Die Zusammenarbeit und das Zusammenleben von Menschen aus unterschiedlichen Kulturen sollen

   verbessert werden.

   ......................................................................................................................................

4. SIETAR fördert wissenschaftliche Diskussionen und die Kommunikation zwischen Menschen aus verschiedenen Kulturen.

   ......................................................................................................................................

5. XING: Geschäftsbeziehungen, die auf Vertrauen basieren, sollen gefördert werden.

   ......................................................................................................................................

6. XING setzt die Theorie „Jeder kennt jeden über sechs Ecken" praktisch um.

   ......................................................................................................................................

b    Markieren Sie in den nominalen Ausdrücken in 3a die Genitiv-Attribute bzw. die Konstruktionen mit „von". Vergleichen Sie dann jeweils die nominale und die verbale Formulierung. Was fällt auf? Ergänzen Sie die Regeln. [AB: B5a–d]

> 1. Das Genitivattribut bzw. die Konstruktion mit „von" in nominalen Ausdrücken entspricht in der verbalen
>    Formulierung:
>    a. in Aktivsätzen der *Akkusativergänzung* ............ .    b. in Passivsätzen dem ...............................
> 2. Statt des Genitivs wird meist eine Konstruktion mit „von" gewählt, wenn das Subjekt oder die Ergänzung
>    ....................................... Artikel hat.
> 3. Wird das Nomen ohne Artikel durch ein ............................... näher bestimmt, verwendet man häufig
>    nicht die Konstruktion mit „von"; das Adjektiv trägt dann die Signalendung.

c    Markieren Sie zuerst in Text B in 1a die übrigen nominalen Konstruktionen und formulieren Sie sie dann verbal wie im Beispiel. [AB: B5e–6]

*Multidisziplinäres Fachwissen und Fertigkeiten werden bereitgestellt.*

*Tagungen, ...*

......................................................................................................................................

......................................................................................................................................

......................................................................................................................................

# 1C

## Netzwelten

### 1 Spielen im Netz

a  Was halten Sie von Computerspielen im Netz? Sprechen Sie im Kurs.

b  Lesen Sie die beiden Kommentare aus einer Fachzeitschrift für Erziehung. Welche Einstellung haben die Autoren zu Computerspielen im Netz? Unterstreichen Sie die relevanten Textstellen und notieren Sie positive und negative Aspekte. `AB: C1`

#### Online-Spiel als Lebensinhalt?

Langeweile in der freien Zeit? Kein Problem: Für viele junge Menschen sind Online-Computerspiele das Mittel der Wahl für die Freizeitgestaltung. Im Rahmen einer Studie über Videospiele gaben 60 % der befragten 13- bis 15-Jährigen an, mehr als 30 Stunden wöchentlich im Internet zu spielen. Doch dachte man bisher, dass es hauptsächlich Jugendliche sind, die so ihre Freizeit verbringen, stellte sich nun heraus, dass auch immer
5  mehr über 30-Jährige stundenlang am PC sitzen und spielen. Über 30 % dieser Gruppe verbringen sogar mehr als vier Stunden pro Tag damit, obwohl die meisten berufstätig sind.
Die Studie ergab zudem, dass auch die Anzahl weiblicher Dauerzockerinnen zunimmt. 80 % der befragten Frauen spielen mehr als drei Stunden am Tag, 10 % sogar über zehn Stunden täglich. Vier von fünf Befragten sind Mitglieder von Zusammenschlüssen wie Clans oder Gilden, die ihre Spielstrategien gemeinsam verfolgen.
10  Und jede Dritte betreibt die Online-Spiele wettkampfmäßig, indem sie in einer Liga gegen andere Spieler antritt. Es herrscht auf diese Weise eine Art sozialer Zwang, der dazu antreibt, immer weiter zu spielen. Schon allein daraus und natürlich auch aus der extrem hohen Anzahl von Spielern sowie dem ungeheuren Zeitaufwand sieht man, wie erheblich die Suchtgefahr ist, die solche Spiele mit sich bringen können. Bei vielen Spielern, die in eine solche virtuelle Gemeinschaft eintreten, beherrscht diese nach und nach ihr
15  ganzes Denken und Fühlen, und die reale Welt verliert dadurch immer mehr an Bedeutung. Dies kann so weit gehen, dass sie ihren Tagesablauf total dem Spielen unterordnen, Lernen und Schlafen, ja sogar manchmal das Essen vergessen. Wie ist es möglich, dass insbesondere betroffene Angehörige oder Freunde, aber auch die Gesellschaft hier nicht einschreiten?!

#### Computerspiele – Dosieren statt verdammen!

„Computerspiele machen einsam, dumm oder sogar gewalttätig." Dieses Pauschalurteil ist immer wieder zu hören und zu lesen. Andere halten diesem Urteil die zahlreichen positiven Effekte von Computerspielen entgegen. So haben Studien gezeigt, dass viele Spiele Intelligenz und Konzentration fördern; dies ist besonders bei den Online-Strategiespielen der Fall, bei denen man von Echtzeit-Schlachten bis zur
5  Wirtschaftssimulation strategisches Denken, schnelles Entscheiden und Reagieren trainieren kann – Eigenschaften, die auch im realen Leben wichtig sind. Selbst umstrittene Online-Spiele wie z. B. „World of Warcraft", das weltweit von über 10 Millionen Menschen gespielt wird, darunter rund eine halbe Million in Deutschland, sind auch durchaus positiv zu bewerten, denn damit lassen sich Kooperation, aber auch erfolgreiches Konkurrieren und taktisches Denken üben. Außerdem fördern sie Kreativität und Fantasie.
10  Obwohl diese Argumente zunächst überzeugend wirken, betonen Fachleute die negativen Auswirkungen von solchen Online-Massen-Spielen, weil gerade diese dazu verführen, in ein Paralleluniversum abzutauchen, das viel attraktiver scheint als das reale Leben. So hat jüngst der Drogenbeauftragte der Bundesregierung gewarnt, dass bereits 560.000 Menschen in Deutschland an Online-Sucht erkrankt seien, darunter besonders viele Jugendliche. Und Pessimisten sagen voraus, dass die Anzahl weiter steigen wird.

15 Im Gegensatz dazu führt der Zukunftsforscher Matthias Horx an: So wie viele Menschen heute Computerspiele für gefährlich hielten, habe das Lesen von Romanen im 16. bis 18. Jahrhundert als dekadent gegolten. Und zu Beginn der Kinofilme habe man ebenfalls behauptet, die Menschen verschwänden in Scheinwelten und könnten danach mit der Wirklichkeit nicht mehr umgehen. Deshalb solle man die neue Entwicklung nicht verteufeln. Es komme eine neue Technologie auf, man experimentiere damit und dann lernten

20 Menschen langsam, sinnvoll damit umzugehen. Dem Argument, dass Online-Spieler vereinsamten, hält er entgegen, dass diese Spiele sehr häufig in „realen Gruppen" gespielt würden, z. B. bei den sogenannten Lan-Parties, bei denen sich Jugendliche mit ihren PCs vernetzen und zusammen online spielen, also im Gegenteil den Gemeinschaftssinn stärkten.

Ein weiterer Aspekt, der überall diskutiert wird, ist, ob man aggressive oder gewalttätige Spiele verbieten

25 sollte. Gegen ein Verbot spreche jedoch die Tatsache, dass Verbotenes die Sache erst recht interessant macht. Gerade bei den gefährdeten Jugendlichen sei es wichtig, dass man ihnen andere attraktive Freizeitangebote mache. Gegen richtig dosiertes Spielen sei dann nichts einzuwenden.

|  | Positive Argumente | Negative Argumente |
|---|---|---|
| Text 1 |  |  |
| Text 2 |  |  |

c  Vergleichen Sie Ihre Ergebnisse im Kurs. Welche Ihrer Argumente aus 1a finden Sie wieder. Was ist neu für Sie?

## 2  Kommentare und ihr Stil

a  Lesen Sie die Beschreibung der Kommentarstile A, B und C und ordnen Sie die Sätze 1 bis 5 zu.

Je nach Anteil von reiner Meinungsäußerung oder sachlicher Argumentation unterscheidet man zwischen:

> A. Argumentations-Kommentar (Einerseits-Andererseits-Kommentar): Er erörtert das Für und Wider ausführlich, ohne unbedingt zu einem Ergebnis zu gelangen.
>
> B. Pro- und Contra-Kommentar: Er erörtert das Problem von allen Seiten, bleibt aber nicht dabei stehen, sondern zieht eine Schlussfolgerung.
>
> C. Geradeaus-Kommentar (auch Pamphletkommentar oder Kurzkommentar): Es geht nicht um Argumentation, sondern nur um die positive oder negative Meinung des Kommentators.

☐ C  1. Online-Spiele stärken den Gemeinschaftssinn.

☐  2. Gegner von Online-Spielen meinen, dass ein Verbot weiterhilft, Befürworter hingegen vertreten die Meinung, ein Verbot würde die Spiele nur umso interessanter machen.

☐  3. Online-Spiele sind auf jeden Fall schädlich. Verbieten ist die einzige Lösung!

☐  4. Die Wichtigkeit virtueller Welten wird immer mehr zunehmen, argumentieren die einen, die anderen halten das Ganze für eine vorübergehende Erscheinung. Die Entwicklungen im Web 2.0 werden zeigen, wer recht hat.

☐  5. Die einen meinen, Online-Spiele stärkten die kognitiven Fähigkeiten, die anderen vertreten die Ansicht, dies werde überschätzt. Ich kann mich dieser Auffassung nur voll anschließen, da einschlägige Tests ergeben haben, dass …

b  Welchem Kommentarstil würden Sie die beiden Kommentare aus 1b jeweils zuordnen? Sprechen Sie im Kurs.

ⓟ telc  c  Schreiben Sie nun einen eigenen Kommentar zum Thema „Computerspiele". Greifen Sie dazu Argumente aus den Texten in 1b auf. Entscheiden Sie sich für einen der Kommentarstile aus 2a. Die Tipps und Redemittel im Arbeitsbuch können Ihnen helfen. AB: C2 ▸

# Gemeinsam allein?

## 1 Immer vernetzt

a   Betrachten Sie die Zeichnungen oben. Auf welche Situationen beziehen sie sich? Was könnte die Frau auf Zeichnung B sagen?

b   Welche sozialen Medien bzw. Netzwerke kennen Sie? In welchen sind Sie aktiv? Warum / Warum nicht? Tauschen Sie sich in Gruppen und anschließend im Kurs aus.

## 2 Tausend Freunde und doch allein?

a   Lesen Sie die Überschrift und den Vorspann von einem Interview mit der Kulturwissenschaftlerin Sherry Turkle im Magazin der Süddeutschen Zeitung. Worum könnte es in dem Interview gehen?

> ### Verloren unter 100 Freunden
>
> Früher haben die Menschen miteinander gesprochen. Heute tippen, chatten und mailen sie. Smartphones, Computer und das Internet sind nicht schlecht. Es geht um den Platz, den wir ihnen in unserem Leben einräumen.

b   Lesen Sie nun das Interview und beantworten Sie die Fragen. Vergleichen Sie dann die Infos aus dem Interview mit Ihren Vermutungen in 2a. AB: D1a

1. Alleinsein: Welche Einstellung haben Jugendliche dazu, welche Prof. Turkle?
2. Was kritisieren Jugendliche an der Smartphone-Nutzung ihrer Eltern?
3. Warum schreiben Jugendliche eher SMS, als zu telefonieren, und was kritisiert Prof. Turkle daran?
4. Wie haben sich laut Prof. Turkle die persönlichen Kontakte verändert?
5. Welchen Einfluss hat intensive Internet-Nutzung auf Studenten?
6. Was kritisiert Prof. Turkle an Facebook und Google?
7. Welches Fazit zieht sie?

*Mrs Turkle, Sie galten lange als großer Freund jeder neuen Technologie – mittlerweile kritisieren Sie die Vereinsamung, die permanentes Starren auf das Smartphone mit sich bringt.*

(…) Jugendliche geraten in Panik, wenn sie es nicht dabeihaben. Sie sagen Sachen wie: „Ich habe mein iPhone verloren, es fühlt sich an, wie wenn jemand gestorben wäre, ich meinen Kopf verloren hätte."

Oder: „Auch wenn ich es nicht bei mir habe, spüre ich es vibrieren. Ich denke daran, wenn es im Schließfach ist." Die Technik ist bereits ein Teil von ihnen selbst geworden.

*Wie schafft so ein Ding das?*
Smartphones befriedigen drei Fantasien: dass wir uns immer sofort an jemanden wenden können, dass wir immer angehört werden und dass wir nie allein sind. Die Möglichkeit, nie allein sein zu müssen, verändert unsere Psyche. In dem Augenblick, in dem man allein ist, beginnt man sich zu ängstigen und greift nach dem Handy. Alleinsein ist zu einem Problem geworden, das behoben werden muss.

*Waren Sie oft allein als Kind?*
Ja, und es war großartig. Was wir Langeweile nennen, ist wichtig für unsere Entwicklung. Es ist die Zeit der Imagination, in der man an nichts Bestimmtes denkt, seine Vorstellung wandern lässt.

*Ohne 3.000 SMS pro Monat zu verschicken wie der durchschnittliche Teenager heute. Erwachsene sind aber auch nicht faul.*
Ja. Sie simsen in Geschäftssitzungen, während des Unterrichts und Vorträgen, eigentlich ständig – selbst bei Begräbnisfeierlichkeiten. Ich habe das bei der Beerdigung eines engen Freundes erlebt. Mehrere taten das, während der Musik, der Gedenkreden. Eine ältere Frau sagte mir danach, sie habe es nicht ausgehalten, ihr Handy so lange nicht zu benutzen. (…)
Viele Kinder, die ich interviewt habe, klagen darüber, dass das Smartphone der Eltern zum Konkurrenten geworden ist. Mütter und Väter, die „Harry Potter" vorlesen und gleichzeitig unter der Bettdecke SMS schreiben. Nicht von ihrem Smartphone aufblicken, wenn ihre Sprösslinge aus der Schule kommen.

*Die Jungen sind doch nicht besser. Sie vermeiden sogar das Telefonieren – weshalb eigentlich?*
Sie bevorzugen SMS, weil es weniger riskant ist. Sie sagen: „Ich kann die Info rausschicken, bin nicht involviert in den ganzen Rest." Sie brauchen dem anderen nicht gegenüberzutreten. Wer telefoniert, riskiert ein Gespräch. Es geht um Kontrolle und um den Auftritt. Einen Text kann ich nach meinem Belieben formulieren, den Facebook-Status nach meinem Gutdünken aktualisieren. Diese Generation ist daran gewöhnt, sich zu präsentieren. SMS, E-Mails, Posts – man kann sich so zeigen, wie man sein und gesehen werden möchte. Man kann redigieren, retuschieren, nicht nur die Messages, sondern auch sein Gesicht, seinen Körper.

*Das ist doch gut. Warum soll man sich mit Minderwertigkeitsgefühlen quälen?*
Was Freundschaft und Intimität von einem fordern, ist kompliziert. Beziehungen sind schwierig, chaotisch und verlangen einem etwas ab, gerade in der Adoleszenz. Die Technologie wird genutzt, das zu umgehen, um sich nicht mit den Problemen auseinandersetzen zu müssen. Die Jungen schätzen ein Kommunikationsmedium, in dem man Verlegenheit und Unbeholfenheit ausblenden kann. Man zieht sich zurück, bevor man abgelehnt wird.

*Aber sie haben doch auch reale Beziehungen, lieben einander …*
Natürlich ist es nicht so, dass niemand mehr Freunde hat, man einander nicht mehr persönlich sieht. Die vielen Schüler und Studenten, die ich interviewt habe, treffen sich gern, suchen die körperliche Nähe.

Aber sie reden nicht mehr so viel miteinander. Sie spielen Videospiele, simsen, kaufen online ein. (…)

*Verbringen Ihre besten Studenten auch so viel Zeit mit SMS, mit Facebook?*
Ja. Auch sie können sich kaum auf eine Sache konzentrieren. Sie schreiben schlechter als früher, und es fällt ihnen schwer, eine komplexe Idee bis zum Ende durchzudenken. Sie machen immer Multitasking. (…) Die neuen Studien zeigen eindeutig, dass sich beim Multitasking alles ein bisschen verschlechtert. Fatal ist, dass der Multitasker glaubt, er sei besser, weil er immer mehr auf einmal tut. Das Gegenteil ist der Fall. (…)
Wir haben unseren Kindern Facebook gegeben und gesagt: Habt Spaß damit. Und jetzt ist es, wie wenn wir ihnen eine Art Mini-Stasi gegeben hätten. Wo alles, was sie denken und tun, auf alle Ewigkeit im Besitz von Facebook ist und für welche Zwecke auch immer von Facebook genutzt werden kann. Google, eine Suchmaschine? Nein, eigentlich nicht, es verleibt sich alles ein, was je geschrieben wurde, und speichert die Spuren meiner Suche. Das ist nicht illegal – dass ich die Vereinbarung nicht gelesen habe, mein Fehler. (…)

*Was raten Sie uns, als Fazit Ihrer Untersuchungen?*
Darüber zu reden, wohin dies alles führt. Wir ängstigen uns wie junge Liebende, dass zu viel reden die Romantik verdirbt. Wir denken, das Internet sei erwachsen, bloß weil wir damit aufgewachsen sind. Aber es ist nicht erwachsen, es ist erst in seinen Anfängen. Wir haben eine Menge Zeit, uns zu überlegen, wie wir es nutzen, modifizieren und ausbauen.

*Peter Haffner (Interview)*

C  Nehmen Sie im Kurs Stellung zu den Kritikpunkten in 2b. Berichten Sie auch über eigene Erfahrungen. Die Redemittel im Arbeitsbuch helfen Ihnen. `AB: D1b`

# Wenn der Schwarm finanziert . . .

## 1 Die Crowd – der Schwarm

a Lesen Sie den Wörterbuchauszug. Was wird im Internet als „Schwarm" bezeichnet?

b Was stellen Sie sich unter „Crowdfunding" – Finanzierung von Projekten durch einen Schwarm – vor? Wie könnte das funktionieren?

**Schwarm** <-(e)s, Schwärme> *m.* → Crowd (engl.) ❶ eine große Menge von Tieren (Vögel, Fische, Bienen), die sich koordiniert bewegen ❷ Internet: große Gruppe von Menschen, die mithilfe von Kommunikation selbstorganisiert, zielgerichtet handeln kann

c Ordnen Sie die Erklärungen A bis F den Ausdrücken 1 bis 6 zu.

| | | |
|---|---|---|
| 1. ein Projekt veröffentlichen | A. eine Frist bestimmen | 1. ☐ |
| 2. ein Projekt umsetzen | B. mit eigenen Gedanken zu etwas beitragen | 2. ☐ |
| 3. ein Projekt scheitert | C. Spender informieren | 3. ☐ |
| 4. einen Zeitraum festlegen | D. ein Projekt ins Internet stellen | 4. ☐ |
| 5. Unterstützer auf dem Laufenden halten | E. ein Vorhaben hat keinen Erfolg | 5. ☐ |
| 6. Ideen einbringen | F. ein Projekt realisieren | 6. ☐ |

LB ① 5  d Hören Sie jetzt Teil 1 eines Radiointerviews zum Thema „Crowdfunding". Machen Sie Notizen zu folgenden Punkten und besprechen Sie sie dann im Kurs. AB: E1 ▶

1. Erklärung der Bezeichnung 3. Ablauf eines Projekts im Netz
2. Beispiele für Projekte 4. Gründe fürs Spenden

e Betrachten Sie die Zeichnungen oben und beschreiben Sie sie mithilfe Ihrer Notizen zu Punkt 3 in 1d.

LB ① 6  f Hören Sie nun Teil 2 des Radiointerviews und machen Sie Notizen zu Vor- und Nachteilen von „Crowdfunding".

Vorteile: ........................................................................................................................

Nachteile: ........................................................................................................................

## ❷ Crowdfunding – eine Pressekonferenz

Teilen Sie sich in zwei Gruppen und führen Sie eine Pressekonferenz durch.

**Vorbereitung:**

* **Gruppe 1:** Sie haben eine Projektidee und wollen diese über Crowdfunding finanzieren. Überlegen Sie in der Gruppe: Um welches Projekt handelt es sich? Überlegen Sie sich Ihr Projekt sehr genau. Welche Summe benötigen Sie? Was erhalten die Spender als Gegenleistung? Sammeln Sie Stichpunkte zu allen Ihnen wichtig erscheinenden Fragen und bereiten Sie eine Pressekonferenz vor, auf der Sie Ihr Projekt vorstellen.
* **Gruppe 2:** Sie sind Journalisten und sollen einen Artikel über das Crowdfunding-Projekt schreiben. Erstellen Sie hierzu einen Fragenkatalog. Sie dürfen auch knifflige oder gemeine Fragen stellen.

**Durchführung:**

* Spielen Sie die Pressekonferenz. Zwei Personen aus jeder Gruppe sind Beobachter, die zuhören und sich Notizen machen, wenn ihnen etwas inhaltlich oder sprachlich auffällt. Sind die Partner aufeinander eingegangen? Haben Sie zugehört? Wurde nachgefragt? Wurde mit Beispielen erläutert? Spielen Sie die Pressekonferenz ggf. noch einmal.
* Die Redemittel können Ihnen helfen.

> **Fragen einleiten:** Könnten Sie mir kurz erläutern / erklären, wie … | Ich hätte noch ein paar Fragen: … | Ich würde gern noch etwas darüber erfahren, … | Ich wüsste gern noch etwas mehr: … | Darf ich fragen, …
>
> **nachfragen:** Was ich nicht so ganz verstanden habe, ist Folgendes: … | Sie haben gesagt, dass … | … ist mir allerdings nicht ganz klar. Könnten Sie das noch einmal näher / an einem Beispiel erläutern? | Wie genau soll man das verstehen? | Wie ist das Verfahren im Einzelnen?
>
> **Verständnis bestätigen:** Ach so! | Ah, so war / ist / geht das also. | Jetzt ist es mir klar. | Das kann ich jetzt (in etwa / gut) nachvollziehen. | Das leuchtet mir ein. | Jetzt ist der Zusammenhang klar.

## ▶ G 4.3, 4.4 ❸ Sprache im Mittelpunkt: Wortbildung – Nomen aus Adjektiven

**a** Arbeiten Sie mit einem Wörterbuch. Wie heißen die Nomen zu den folgenden Adjektiven aus dem Radiointerview in 1 d / f? Ordnen Sie die Nomen in die Tabelle unten ein.

> gleich | originell | neu | heterogen | öffentlich | gewiss | deutsch | ausführlich | wichtig | einfach | technisch | sensibel | emotional | groß | gleichzeitig | direkt | kalt | langsam | bekannt | homogen | genau | gut | anonym | logisch | interessant | lang | gemeinnützig | gemeinsam | besonders | sicher

| -heit | -(ig)keit | -ik | -e | -ität | -ilität / -alität |
|---|---|---|---|---|---|
| *die Gleichheit* | | | | | *die Originalität* |

**b** Schauen Sie sich die Nomen in 3 a an. Was fällt auf? Ergänzen Sie die Regeln.

> 1. Einsilbige Adjektive mit „a", „o", „u" bilden oft Nomen mit der Endung „............". Das Nomen erhält einen ..................
>
> 2. Adjektive auf „-ig", „-lich" und „-sam" bilden Nomen meist mit der Endung „............".
>
> 3. Fremdwörter bilden Nomen häufig mit den Endungen „-ilität", „................", „................" und „................".

**c** Bilden Sie Nomen aus den folgenden Adjektiven. `AB: E2`

1. warm: ..................
2. aufmerksam: ..................
3. real: ..................
4. rot: ..................
5. fähig: ..................
6. virtuell: ..................
7. flexibel: ..................
8. gründlich: ..................
9. kurz: ..................

# Für immer im Netz

## 1 Bin ich ich oder ein anderer?

a Lesen Sie den Auszug aus der Kurzgeschichte „Der Ausweg" aus dem Buch „Ruhm" von Daniel Kehlmann.
Was hat die Geschichte mit „Ruhm" zu tun?

### Der Ausweg

Im Frühsommer seines neununddreißigsten Jahres wurde der Schauspieler Ralf Tanner sich selbst unwirklich.

Von einem Tag zum nächsten kamen keine Anrufe mehr. Langjährige Freunde verschwanden aus seinem Leben, berufliche Pläne zerschlugen sich grundlos, eine Frau, die er nach seinen Möglichkeiten geliebt hatte, behauptete, dass er sie am Telefon übel verspottet habe, und eine andere, Carla, war in der Lobby eines Hotels aufgetaucht, um ihm die schlimmste Szene seines Lebens zu machen: Dreimal, hatte sie geschrien, habe er sie einfach so versetzt! Die Menschen waren stehengeblieben und hatten grinsend zugesehen, ein paar hatten mit ihren Mobiltelefonen gefilmt, und schon in dem Moment, da Carla mit aller Kraft zugeschlagen hatte, hatte er gewusst, dass diese Sekunden ins Internet kommen und den Ruhm seiner besten Filme überstrahlen würden. Kurz darauf musste er einer Allergie wegen seinen Schäferhund weggeben, und in seinem Kummer schloss er sich ein und malte Bilder, die er keinem zu zeigen wagte. Er kaufte Fotobände, in denen die Muster auf den Flügeln zentralasiatischer Schmetterlinge abgebildet waren, und er las Bücher darüber, wie man Uhren fachgerecht auseinandernimmt und wieder zusammensetzt, ohne dass er es je über sich gebracht hätte, sich selbst an einer zu versuchen.

Er begann, mehrmals am Tag seinen Namen bei Google aufzurufen, korrigierte den von Fehlern strotzenden Wikipedia-Artikel über sich, kontrollierte die Rollenlisten in allerlei Datenbanken, übersetzte sich mühsam die Meinungen der Teilnehmer aus spanischen, italienischen und holländischen Diskussionsforen. Da stritten fremde Menschen darüber, ob er sich tatsächlich vor Jahren mit seinem Bruder entzweit habe, und er, der seinen Bruder nie hatte leiden können, las ihre Meinungen, als gäbe es die Chance, dass irgendwo darunter die Erklärung stand, was es mit seinem Leben auf sich hatte.

Auf YouTube fand er die Aufzeichnung eines Auftritts von einem ziemlich guten Ralf-Tanner-Imitator: einem Mann, der ihm täuschend ähnlich sah und dessen Stimme und Gesten fast die seinen waren. Rechts daneben bot das System weiter mit seinem Namen verknüpfte Videos an: Ausschnitte aus seinen Filmen, zwei Interviews und natürlich die Szene mit Carla in der Hotellobby. (…)

Daniel Kehlmann, Ruhm. Ein Roman in neun Geschichten. © 2009 by Rowohlt Verlag GmbH, Reinbek bei Hamburg.

b Besprechen Sie in Gruppen, was der erste Satz der Kurzgeschichte bedeuten könnte, und tauschen Sie sich dann im Kurs aus.

c   Welche Erfahrungen haben Sie oder Menschen aus Ihrer Umgebung mit persönlichen Informationen im Netz? Berichten Sie im Kurs.

d   Überlegen Sie in Gruppen, wie die Geschichte weitergehen könnte. Welche Rolle könnte der Imitator dabei spielen und was bedeutet der Titel „Ausweg"? Schreiben Sie eine kleine Geschichte.

e   Präsentieren Sie Ihre Geschichten im Kurs.   AB: F1

## 2  Nur noch kurz die Welt retten …

LB ① 7   a   Hören Sie den Song von Tim Bendzko. Welche Situation wird darin thematisiert? Sprechen Sie im Kurs.

b   Lesen Sie den Text des Songs und beantworten Sie die W-Fragen.

1. Wer spricht mit wem?
2. Was teilt die Person mit?
3. Warum heißt der Song „Nur noch kurz die Welt retten …"?

### Nur noch kurz die Welt retten

Ich wär so gern dabei gewesen, doch ich hab viel zu viel zu tun.
Lass uns später weiter reden.
Da draußen brauchen sie mich jetzt, die Situation wird unterschätzt.
Und vielleicht hängt unser Leben davon ab.
Ich weiß, es ist dir ernst, du kannst mich hier grad nicht entbehren,
nur keine Angst, ich bleib nicht allzu lange fern.

*Refrain:*
*Muss nur noch kurz die Welt retten, danach flieg ich zu dir.*
*Noch 148 Mails checken, wer weiß, was mir dann noch passiert, denn es passiert so viel.*
*Muss nur noch kurz die Welt retten und gleich danach bin ich wieder bei dir.*

Irgendwie bin ich spät dran, fang schon mal mit dem Essen an. Ich stoß dann später dazu.
Du fragst wieso, weshalb, warum, ich sag, wer sowas fragt, ist dumm.
Denn du scheinst wohl nicht zu wissen, was ich tu.
Ne ganz besondere Mission, lass mich dich mit Details verschonen.
Genug gesagt, genug Information.

*Refrain:*
*Muss nur noch kurz die Welt retten, danach flieg ich zu dir.*
*…*

Die Zeit läuft mir davon, zu warten wäre eine Schande für die ganze Weltbevölkerung.
Ich muss jetzt los, sonst gibt's die große Katastrophe, merkst du nicht, dass wir in Not sind.

*Refrain:*
*Ich muss jetzt echt die Welt retten. Danach flieg ich zu dir. …*
*Muss nur noch kurz die Welt retten, danach flieg ich zu dir.*
*Noch 148713 Mails checken, wer weiß, was mir dann noch passiert, denn es passiert so viel.*
*Muss nur noch kurz die Welt retten und gleich danach bin ich wieder bei dir.*

*Nur noch kurz die Welt retten. Bendzko, Tim / Brandis, Mo / Triebel, Simon.*
*EMI Music Publishing Germany GmbH & Co. KG, Hamburg. Freibank Musikverlag, Hamburg*

c   „Ständig erreichbar sein" ist für viele ein Muss. Wie stehen Sie dazu? Was sind Vor-, was Nachteile? Sprechen Sie im Kurs.

# Generationen

## ① Kontraste

a Wie würden Sie Generationen nach ihrem Alter eingrenzen? Ordnen Sie die Begriffe in den Zeitstrahl unten ein.

> Teenager | Hochbetagte | Rentner / Pensionäre | Heranwachsende | Kinder | Jugendliche | Senioren |
> Personen im mittleren Alter | junge Erwachsene

```
|-------|-------|-------|-------|-------|-------|-------|-------|-------|-------|
0      10      20      30      40      50      60      70      80      90     100
```

b Was unterscheidet, was verbindet Generationen? Sprechen Sie in drei Gruppen über je drei unterschiedliche Aspekte. Finden Sie Beispiele und stellen Sie Ihre Ergebnisse anschließend im Kurs vor.

> Aufgaben | Entwicklungsprozesse (gesellschaftlich / technisch / körperlich / geistig / …) | Ideale | Erfahrung |
> Interessen | Sprache | Wohnform

c Beschreiben Sie im Kurs, wer auf den Fotos oben jeweils zu sehen ist und was die Personen verbindet.

LB ① 8–11  d Hören Sie vier Monologe, in denen Vertreter verschiedener Generationen über ihr Leben reflektieren, und notieren Sie den jeweiligen Sprechanlass.

| Name | 1. Hannes Mayr | 2. Evelyn Dietz | 3. Paula Fink | 4. Ernst Gruber |
|---|---|---|---|---|
| Anlass | | | | |

e Hören Sie die Monologe in 1d noch einmal und notieren Sie Einzelheiten zur jeweiligen Lebenssituation. AB: A1

H. Mayr: ................................................................................................................................

E. Dietz: ................................................................................................................................

P. Fink: ................................................................................................................................

E. Gruber: ................................................................................................................................

f Bilden Sie Vierergruppen. Jeder stellt eine Person aus 1d vor. Ordnen Sie der Person ein oder mehrere Gefühle aus dem Kasten unten zu. Sprechen Sie anschließend über Besonderheiten, Ähnlichkeiten und Unterschiede. Ist „Ihre" Person ein typischer Vertreter seiner Generation? Warum / Warum nicht?

> Angst / Sorge | Erleichterung | Freude / Vorfreude | Erstaunen |
> Hoffnung | Stolz | Trauern / Nachtrauern | Zufriedenheit

## 2 Au-pair 50+

Lesen Sie den Textauszug aus einem Informationsblatt von „Au-pair 50+". Welche Aspekte finden Sie interessant? Tauschen Sie sich im Kurs aus. AB: A2

Au-pair 50+

Unsere Agentur bietet der Generation 50+ eine interessante Möglichkeit, etwas von der Welt zu sehen und eine andere Kultur von innen zu erfahren.

※ Aufenthaltsdauer nach Wunsch und Absprache.
※ Kost und Logis frei bei einer Familie im Land Ihrer Wahl.
※ Sie übernehmen als Ersatz-Oma / Opa vereinbarte Aufgaben: einkaufen, kochen, Kinderbetreuung, vorlesen, Hausaufgabenhilfe in Ihrer Muttersprache.
※ In Ihrer Freizeit lernen Sie Land und Leute kennen, besuchen in aller Ruhe

Museen und Sehenswürdigkeiten, nehmen an einem Sprachkurs teil o. Ä. Ihre Gastfamilie wird Sie mit nützlichen Tipps unterstützen.

Wir bringen Generationen zusammen, die sich gegenseitig etwas zu geben haben. Sie bringen Ihre Lebenserfahrung ein und gewinnen neue dazu. Einer unserer ersten „Au-pair 50+" sagt: „Das war die tollste Zeit, die ich je im

Ausland verbracht habe: endlich mal Zeit für ein Land – und das Gefühl, gebraucht zu werden und mit meiner Lebenserfahrung erwünscht zu sein. Die Familie hat auch profitiert. Die Kinder können besser Deutsch und hatten endlich mal lebendigen Kontakt zu unserer für sie doch fremden Kultur, auch wenn ihre Mutter darin aufgewachsen ist. Das kann ich nur weiterempfehlen."

## 3 Familie sucht ...

a Können Sie sich vorstellen, bei einer Familie in einem anderen Land zu wohnen und zu arbeiten? In welchem Alter? Welche Vorteile hätte so ein Aufenthalt für Sie?

b Bereiten Sie sich auf ein telefonisches Vorstellungsgespräch bei einer Gastfamilie vor. Teilen Sie sich dazu in drei Gruppen auf und überlegen Sie sich Fragen und Antworten. AB: A3a–b

> **Ein Interview durchführen**
>
> Wenn Sie in einem Interview nicht wissen, was Sie antworten sollen, können Sie z. B. die Frage des Vorsprechers wiederholen oder allgemeine Aussagen treffen, wie z. B. „Das ist ein schwieriges Thema.", „Darüber muss ich (kurz mal) nachdenken."
>
> Weitere Tipps finden Sie im Arbeitsbuch.

**Gruppe A:** Sie als Familie möchten sich ein Bild von beiden Bewerbern / Bewerberinnen (jung / 50+) machen.
• Überlegen Sie, welche Anforderungen die von Ihnen angebotene Au-pair-Stelle an die Bewerber stellt.
• Welche Eigenschaften sollte ein Bewerber mitbringen? Was wollen Sie ihn / sie unbedingt fragen?

**Gruppen B und C:** Sie als Bewerber (B: jung; C: 50+) interessieren sich für eine Au-pair-Tätigkeit und sind zu einem ersten Telefonat mit der Familie verabredet.
• Welche Motive haben Sie als Bewerber jung / 50+? Welche Vorteile hätte es für die Familie, gerade Sie anzustellen?
• Welche Leistungen sollten vertraglich festgehalten werden? Wie lange gilt der Vertrag? etc.

c Führen Sie das Vorstellungsgespräch und zeichnen Sie es ggf. auf. Tauschen Sie sich anschließend im Kurs aus. AB: A3c
• Wann gab es Gesprächspausen und warum? Wie war ihre Wirkung?
• Wie haben die Gesprächspartner reagiert?
• Welche Gesprächsstrategien wurden eingesetzt, welche funktionierten gut, welche weniger gut?

# Jugendliche heute

Mensch, seid ihr nett und höflich. Über euch kann man ja gar nicht meckern. Das ist wirklich unverschämt.

## 1 Typisch?

Betrachten Sie die Zeichnung. Welches Verhalten hat der Mann von den Jugendlichen erwartet? Warum? Was ist Ihrer Ansicht nach typisch für die Altersgruppe von 14 bis 18 Jahren?

## 2 Jugend heute

**a** Vermuten Sie, welche Werte Jugendlichen in Deutschland eher wichtig (= w) oder eher unwichtig (= u) sind? Wie sind Ihre Erfahrungen im Zusammenhang mit diesem Thema? Tauschen Sie sich im Kurs aus.

Kreativität ☐   Spaß / Genuss ☐   Eigenverantwortung ☐   Familie ☐   Karriere ☐

Disziplin ☐   Freundschaft ☐   Fleiß / Ehrgeiz ☐   Sicherheit ☐   Leistung ☐

**b** Lesen Sie folgende Aussagen. Welche könnten auf Jugendliche von heute zutreffen?

1. Im Gegensatz zu Medienberichten gibt es zurzeit keine allgemeine Entfremdung zwischen den Generationen und die Beziehungen sind nicht immer so konfliktbeladen, wie landläufig dargestellt.
2. Die Jugendlichen heute wollen zwar, dass man ihre Wünsche erfüllt, sind aber nicht bereit, Gegenleistungen zu erbringen, sondern möchten bedient werden.
3. Die Jugendlichen heute wollen mehr Spaß, sie bringen diese lustbetontere Lebensethik, im Unterschied zu früher, auch in das Berufsleben ein.
4. Jugendstudien haben ergeben, dass bei den Jugendlichen von heute Werte wie „Fleiß" und „Leistung" vergleichsweise hoch im Kurs stehen.
5. Bei den Jugendlichen spielt der Wunsch nach Freude an der Arbeit und nach Selbstentfaltung eine sehr wichtige Rolle.
6. Jugendliche zeigen in ihrer Freizeit mit Gleichaltrigen durchaus soziales Engagement.
7. Die Jugendlichen haben nicht genug Respekt vor den Erwachsenen.
8. Wenn Jugendliche sich zurückziehen, ist das auch auf das Verhalten der Erwachsenen zurückzuführen.

LB ① 12–15

**c** Hören Sie nun eine Talkshow zum sogenannten Generationenkonflikt und ordnen Sie die Aussagen in 2b vom Inhalt her den Teilnehmern der Talkshow zu.

| Frau Prof. Warig | Herr Dirschel | Frau Büren | Lisa Walz | Alex Rössler |

Aussage(n): ............   Aussage(n): ............   Aussage(n): ............   Aussage(n): ............   Aussage(n): ............

d Hören Sie die Talkshow in 2c noch einmal und notieren Sie in Stichworten zu folgenden Punkten die Meinungen der Teilnehmer. Nicht jeder äußert sich zu jedem Thema. AB: B1–5

| | 1. Eltern-Kind-Beziehungen | 2. Berufsleben | 3. Leistung | 4. Engagement |
|---|---|---|---|---|
| Frau Prof. Warig | | | | |
| Herr Dirschel | | | | |
| Frau Büren | | | | |
| Lisa Walz | | | | |
| Alex Rössler | | | | |

## ③ So fühlt Deutschlands Jugend – eine Studie des Sinus-Instituts

a Lesen Sie, wie in dem Spiegel-Online-Bericht zur Sinus-Jugendstudie die sieben Prototypen von Jugendlichen heute in Deutschland beschrieben werden. Gibt es ähnliche Typen auch in Ihrem Heimatland? Warum / Warum nicht? Sprechen Sie im Kurs. AB: B6

### So fühlt Deutschlands Jugend

„Wie ticken Jugendliche?", so lautete die Leitfrage und der Titel einer Untersuchung über das Lebensgefühl der deutschen Jugendlichen. Aus den Antworten haben die Forscher sieben Lebenswelten modelliert, die zeigen sollen, wie die Jugend in Deutschland im Jahr 2012 denkt und fühlt:

Die sogenannten **Prekären** schämen sich oft für die soziale Stellung ihrer Eltern. Sie nehmen wahr, dass sie ausgegrenzt werden, und würden sich gerne aus der eigenen Situation herausarbeiten, wissen aber nicht so richtig, wie sie das schaffen können. Die Studien-Autoren bescheinigen ihnen aber eine „Durchbeißermentalität".

Die **materialistischen Hedonisten** setzen vor allem auf Konsum, wollen sich nicht kontrollieren lassen, keine Autoritäten akzeptieren, streben nach einem „gechillten Leben". Oper, Theater, klassische Musik – die Hochkultur insgesamt lehnen sie eher ab. „Geld macht jeden glücklich", sagt einer der befragten Jugendlichen.

Die **experimentalistischen Hedonisten** wollen ihr Leben einfach genießen und möglichst kreativ gestalten. Sie distanzieren sich von der Masse, sie sind die Reserve der Subkultur. Die Forscher zitieren einen Jugendlichen etwa mit dem Satz: „Ich lasse mir von niemandem sagen, wie ich mein Leben leben soll, bisher hat das auch ganz gut geklappt."

Die **Adaptiv-Pragmatischen** sind sehr angepasst. Sie orientieren sich am Machbaren, planen voraus, streben nach Wohlstand, wollen eigentlich nichts ändern. Auf andere, die weniger leistungsbereit sind, schauen sie herab.

Die **Sozialökologischen** sind die, die sich am ehesten engagieren und andere von ihren Ansichten überzeugen wollen. Materialismus und Konsum sehen sie kritisch. „Ohne Geld würde unsere Welt viel schöner aussehen", sagt eine Jugendliche aus dieser Gruppe.

Die **Konservativ-Bürgerlichen** finden Selbstdisziplin wichtiger als Selbstentfaltung. Sie wollen, dass sich möglichst wenig ändert. Es geht ihnen darum, ihren Platz in der Erwachsenenwelt zu finden – ihr Traum ist die „Normalbiografie", wie die Forscher schreiben.

Die **Expeditiven** werden von den Forschern als flexibel, mobil und pragmatisch beschrieben. Es sind die Vorreiter unter den Jugendlichen, sie wollen etwas leisten und sich selbst verwirklichen; vor allem aber sich von der Masse abheben.

*Oliver Trenkamp und Frauke Lüpke-Narberhaus*

b Zu welchem Typ würden Sie sich zählen bzw. hätten Sie sich als Jugendlicher gezählt?

# Demografischer Wandel

## ① Entwicklung der Bevölkerung in Deutschland

a Betrachten Sie das Schaubild und erläutern Sie folgende Punkte. Die Redemittel unten helfen Ihnen. `AB: C1–2`

- Was ist das Thema des Schaubildes?
- Was fällt auf den ersten Blick besonders auf?
- Stellen Sie Vermutungen über die Gründe für die dargestellte Entwicklung in der Vergangenheit an.

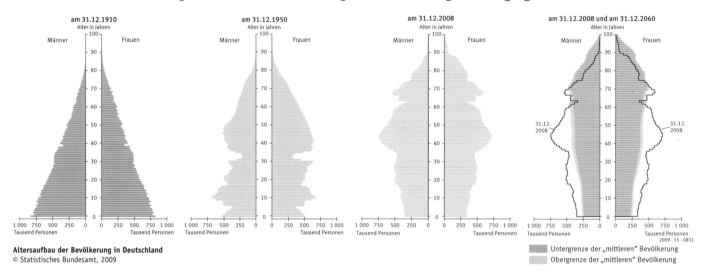

Altersaufbau der Bevölkerung in Deutschland
© Statistisches Bundesamt, 2009

---

**Thema benennen:** Das Schaubild zeigt / gibt Auskunft über … | In dem Schaubild wird … dargestellt.

**Quelle benennen:** Das Schaubild stammt … | Die Daten stammen …

**Entwicklungen beschreiben:** Aus dem Schaubild geht hervor, dass … zu-/abgenommen hat / gestiegen ist / gesunken ist. | Es ist zu beobachten, dass … | Betrachtet man die …, so stellt man fest, dass … | Vergleicht man die Zahlen von … mit …, dann zeigt sich…, dass … | Während 1910 …, … | Jahre später …

**Auffälligkeiten beschreiben:** Besonders auffallend ist … | Es ist auffällig, dass … | Eine dramatische / extreme Entwicklung zeigt sich … | Es ist deutlich zu erkennen, dass …

**mögliche Gründe nennen:** Für diese Tendenz ist / sind vermutlich … verantwortlich. | Angesichts dieser Entwicklung liegt die Schlussfolgerung nahe, dass … | Diese Entwicklung ist womöglich auf … zurückzuführen. | Eine mögliche Ursache dafür ist … / liegt in … / liegt darin, dass …

---

b Lesen Sie nun den Informationstext. Welche zusätzlichen Informationen liefert Ihnen der Text gegenüber dem Schaubild in 1a? Vergleichen Sie Ihre Ergebnisse. `AB: C3`

### 2060: Weniger Geburten und längeres Leben

Im Jahr 2060 wird ein Drittel der Deutschen über 60 Jahre alt sein. Umgekehrt wird der Anteil der jungen Menschen weiter abnehmen. Heute ist gut ein Fünftel der Deutschen jünger als 20 Jahre, 1950 waren es etwa 30 Prozent. Für 2060 prognostiziert das Statistische Bundesamt einen Anteil von nur noch 16 %. Der Altersaufbau wird sich dann innerhalb von ca. hundert Jahren umgekehrt haben: 2060 wird es mehr als doppelt so viele ältere wie junge Menschen geben, während 1950 noch doppelt so viele Menschen unter 20 wie über 60 Jahre alt waren.
Für die Prognose sind die Statistiker von zwei Annahmen

ausgegangen: Die Geburtenhäufigkeit liegt gleichbleibend niedrig bei 1,4 Kindern. Um die Bevölkerungszahl langfristig zu erhalten, müsste jede Frau jedoch durchschnittlich 2,1 Kinder bekommen. In Umfragen geben aber nur wenige junge Familien an, dass sie einmal drei Kinder haben werden. Die Einwohnerzahl – im Jahr 2012 bei etwa 82 Millionen – wird dadurch bis 2060 auf rund 70 Millionen zurückgegangen sein. Eine weitere Annahme ist, dass die Lebenserwartung weiter ansteigen wird. Sie liegt derzeit bei 77,9 Jahren für neu geborene Jungen beziehungsweise 82,9 Jahren für neu geborene Mädchen. 2060 wird sie voraussichtlich um jeweils weitere sieben Jahre angestiegen sein.

◗ G 3.2 **②** ## Sprache im Mittelpunkt: Futur I und II

a Markieren Sie im Informationstext in 1b die Futur-Formen.

b Lesen Sie die Sätze aus dem Text in 1b. In welchen Sätzen wird ein Geschehen / ein Zustand in der Zukunft (GZ) beschrieben, in welchen etwas, das zu einem bestimmten Zeitpunkt in der Zukunft schon abgeschlossen sein wird (Za). Kreuzen Sie an.

1. Im Jahr 2060 wird ein Drittel der Deutschen über 60 Jahre alt sein. `GZ` `Za`
2. Umgekehrt wird der Anteil der jungen Menschen weiter abnehmen. `GZ` `Za`
3. Der Altersaufbau wird sich dann innerhalb von ca. hundert Jahren umgekehrt haben. `GZ` `Za`
4. In Umfragen geben nur wenige junge Familien an, dass sie einmal drei Kinder haben werden. `GZ` `Za`
5. Die Einwohnerzahl wird bis 2060 auf rund 70 Millionen zurückgegangen sein. `GZ` `Za`
6. 2060 wird die Lebenserwartung voraussichtlich um jeweils weitere sieben Jahre angestiegen sein. `GZ` `Za`

c Lesen Sie die Sätze in 2b noch einmal. Was fällt auf? Ergänzen Sie die Regeln. `AB: C4–6` ▶

> Infinitiv | Partizip Perfekt | ~~werden~~ | werden | sein / haben | festen Absicht | sicheren Prognose | Vermutung

1. Das Futur verwendet man, um Zukünftiges auszudrücken:

   • Das Futur I drückt die Zukünftigkeit eines Geschehens oder eines Zustands aus. Man bildet es so: _werden_ +
   _......................._ .

   • Das Futur II drückt Zukünftiges aus, das man sich zu einem bestimmten Zeitpunkt als abgeschlossen vorstellt. Man bildet es so: _................._ + _................._ + _................._ .

2. Das Futur wird insbesondere verwendet zum Ausdruck:

   – einer _................................_ (z. B. Sätze 1 bis 3 und 5),

   – einer _................................_ (z. B. Satz 4),

   – einer _................................_ (Satz 6).

**Zukünftiges und Vermutungen ausdrücken**

Es gibt im Deutschen kein obligatorisches Futur. Man kann Zukünftiges auch mit dem Präsens (oder bei abgeschlossenen Handlungen in der Zukunft mit dem Perfekt) korrekt ausdrücken. Man verwendet das Futur in der Regel nur, wenn man den Zukunftsaspekt oder die feste Absicht besonders betonen oder Missverständnisse ausschließen will.

„werden" als Hilfsverb für die Vermutung steht in dieser Funktion meistens zusammen mit bestimmten Partikeln bzw. Adverbien (z. B. wohl, vermutlich, wahrscheinlich) und kann sich auf Gegenwärtiges oder Vergangenes beziehen.

**③** ## Eine Präsentation

a Bereiten Sie zu zweit eine Präsentation zum Thema „Weltweite Bevölkerungsentwicklung" vor.

   • Formulieren Sie eine allgemeine Einleitung zum Thema.
   • Schildern Sie die Situationen in den verschiedenen Regionen der Welt, gehen Sie dabei auch auf Ihr Heimatland ein.
   • Nennen Sie mögliche Gründe für die Situation bzw. die Entwicklung.
   • Überlegen Sie sich Konsequenzen bzw. mögliche Entwicklungen in der Zukunft.
   • Achten Sie auch auf die formalen Aspekte: Strukturierung, visuelle Hilfsmittel, Körpersprache.

b Führen Sie die Präsentation durch und tauschen Sie sich anschließend im Kurs aus: Was ist gut gelungen? Welche Elemente würden Sie für Ihre eigene Präsentation übernehmen? Warum? `AB: C7` ▶

| Anteil der über 60-Jährigen an der Bevölkerung | | | |
|---|---|---|---|
| Region | Jahr | Prozent | Gesamt |
| Welt | 2010 | 11,0 | 760 Mio |
| | 2050 | 21,8 | 2.031 Mio |
| | 2100 | 28,0 | 2.831 Mio |
| Afrika | 2010 | 5,5 | 56 Mio |
| | 2050 | 9,8 | 215 Mio |
| | 2100 | 20,0 | 716 Mio |
| Asien | 2010 | 9,9 | 414 Mio |
| | 2050 | 24,4 | 1.253 Mio |
| | 2100 | 32,1 | 1.473 Mio |
| Amerika | 2010 | 15,0 | 124 Mio |
| | 2050 | 25,0 | 309 Mio |
| | 2100 | 34,4 | 402 Mio |
| Europa | 2010 | 21,8 | 161 Mio |
| | 2050 | 33,6 | 242 Mio |
| | 2100 | 32,5 | 219 Mio |

Quelle: Vereinte Nationen, 2011

# Immer älter und was dann?

**1 Veränderungen für alle?**

Stellen Sie im Kurs Vermutungen darüber an, für welche Bereiche bzw. für welchen Personenkreis eine alternde Gesellschaft Veränderungen mit sich bringt. Handelt es sich aus Ihrer Sicht um Probleme oder eher um Chancen?

| Bereich / Personenkreis | Veränderung | Chance | Problem |
|---|---|---|---|
|  |  |  |  |

**2 Szenarien**

Lesen Sie den Online-Bericht über Veränderungen in einer alternden Gesellschaft und tauschen Sie sich im Anschluss über folgende Fragen aus. AB: D1 ▸

1. Welche möglichen oder bereits anstehenden Veränderungen nennt der Bericht?
2. Welche der daraus abgeleiteten Maßnahmen halten Sie für notwendig, welche vielleicht für übertrieben?
3. Welche Konsequenzen hat der demografische Wandel in Ihrem Heimatland?

◀ ▶                                   _ □ ✕

Lange Zeit hat der demografische Wandel Deutschlands kaum Erwähnung in den medialen, politischen oder ethischen Diskursen gefunden. Stattdessen wurde über die drohende Überbevölkerung der Erde und deren soziale und ökologische
5 Folgen diskutiert. Doch mittlerweile hat sich die gleichzeitig schrumpfende und alternde Bevölkerung zum Spitzenthema der öffentlichen Diskussion entwickelt. Denn alle Prognosen, die Deutschland betreffen, deuten darauf hin, dass aufgrund der äußerst niedrigen Geburtenrate zukünftig weniger Men-
10 schen leben werden und es gleichzeitig mehr ältere als junge Menschen geben wird.

Ein Anwachsen der Bevölkerungsgruppe der über 60-Jährigen beobachtet man heutzutage in allen Regio- nen der Welt. Das Thema „Alter(n)" entwickelt sich somit langfristig zu einem globalen Phänomen, aber Deutschland gehört, was die Alterung angeht, zur Spitzengruppe. Schließlich werden dort seit 1972 Jahr
15 für Jahr weniger Geburten als Todesfälle registriert. In der Folge rückt neben dem Problem der steigenden Ausgaben von Renten- und Krankenkassen immer mehr der Aspekt in den Vordergrund, dass Dörfer, Städte und Regionen, die wirtschaftlich wenig attraktiv sind, überaltern werden und zunehmend eine Entvölkerung stattfinden wird.
Letzteres löst insbesondere in Politik und Verwaltung Bestürzung aus: Nach wie vor gilt Wachstum nämlich
20 als gut, eine zurückgehende Wirtschaft, schrumpfende Märkte und Städte gleichen hingegen Horrorvisionen. Denn für die Gemeinden bedeuten weniger Einwohner u. a. einen geringeren Bedarf an Wohnungen sowie Infrastruktur. Städtebaulich ergibt sich daraus die Notwendigkeit zur Verringerung des Immobilienneubaus und des Rückbaus von Ortsteilen. Der Alterungsprozess der Gesellschaft erhöht aber auch in wirtschaftlich attraktiven Regionen den Handlungsdruck, da überall mehr altersgerechte Wohnungen gebraucht werden
25 und der öffentliche Raum sowie die Verkehrssysteme die Mobilität aller gewährleisten müssen. Man benötigt weniger Schulen und Kindertagesstätten (KiTa), dafür wünschen sich immer mehr ältere Menschen eine Be- treuung in einer KiTa-ähnlichen Einrichtung für Senioren. Und vermutlich fordert die Generation 60+ auch eine stärkere Berücksichtigung ihrer Interessen in Politik und Wirtschaft.
Neben den großen Herausforderungen für Kommunen und Gemeinden wird der demografische Wandel auch
30 große Veränderungen in der Berufswelt in Gang setzen. Denn ab 2013 werden in Deutschland jährlich mehr Menschen in Rente gehen als in das Berufsleben einsteigen. Eine Konsequenz aus dem sich abzeichnenden

Arbeitskräftemangel wird auf jeden Fall der spätere Eintritt aller Erwerbstätigen ins Rentenalter sein. Und weil die Unternehmen zunehmend nicht auf ältere Arbeitnehmer verzichten können, werden flexible Arbeitszeit- und Arbeitsortmodelle entwickelt werden müssen, damit Arbeitnehmer trotz schwindender körperlicher Kräfte lange arbeitsfähig bleiben. Damit verbunden ist auch eine Umgestaltung der Bildungsangebote: Den demografischen Veränderungen wird bereits durch Studienangebote, wie Integrierte Gerontologie oder Demografie, sowie Berufsbilder, wie das eines Demografieberaters, Rechnung getragen.

Ziel muss es sein, den demografischen Wandel als eine persönliche Bereicherung und ganzheitliche Herausforderung zu verstehen und ihn als Entwicklung zu begreifen, die jedem Einzelnen von uns eine erhöhte Chance auf Selbstverwirklichung gibt. Denn ansonsten wird uns der notwendige Strukturwandel nur schwer gelingen.

G 1.4 **3** ## Sprache im Mittelpunkt: Nominalisierung von „dass-" und Infinitivsätzen

a Den folgenden Sätzen entspricht jeweils eine bestimmte Textstelle im Bericht in 2. Notieren Sie sie.

1. Heutzutage beobachtet man in allen Regionen der Welt, dass die Bevölkerungsgruppe der über 60-Jährigen anwächst.

   *Ein Anwachsen der Bevölkerungsgruppe der über 60-Jährigen beobachtet man heutzutage in allen Regionen der Welt.*

2. Für die Gemeinden bedeuten weniger Einwohner, dass weniger Wohnungen sowie Infrastruktur gebraucht werden.

   ....................................................................................................................

3. Städtebaulich ergibt sich die Notwendigkeit, den Immobilienneubau zu verringern.

   ....................................................................................................................

4. Immer mehr ältere Menschen wünschen sich, in einer KiTa-ähnlichen Einrichtung für Senioren betreut zu werden.

   ....................................................................................................................

b Markieren Sie die Unterschiede in den verbalen und nominalen Konstruktionen in 3a und ergänzen Sie die Regeln. AB: D 2-5

1. Bei der Nominalisierung wird das konjugierte Verb des „dass-Satzes" bzw. der Infinitiv des Infinitivsatzes in ein ..................... umgewandelt (Satz 1 bis 4).

2. Dieses Nomen wird häufig mithilfe einer Genitiv-Konstruktion (Satz 1, 3) oder einer passenden Präposition (Satz 2) mit dem ..................... bzw. der Ergänzung des „dass-Satzes" oder des Infinitivsatzes verbunden.

**Tipp**

Nominalstrukturen verwendet man hauptsächlich im formellen Kontext, z. B. in der Wissenschaftssprache, in Sachtexten oder der Pressesprache. Die Texte werden dadurch kompakter.

Hinweise zur Genitiv-Konstruktion finden Sie in Lektion 1.

DSH c Markieren Sie die nominalen Ausdrücke in den folgenden Sätzen aus dem Bericht in 2 und formulieren Sie sie in „dass-Sätze" bzw. Infinitivsätze um. AB: D 6

1. Vermutlich fordert die Generation 60+ eine stärkere Berücksichtigung ihrer Interessen in Politik und Wirtschaft.

   Die Generation 60+ fordert vermutlich, dass ............................................................. .

   Die Generation 60+ fordert vermutlich, ..................................... zu .........................

2. Eine Konsequenz aus dem Arbeitskräftemangel wird der spätere Eintritt aller Erwerbstätigen ins Rentenalter sein.

   Eine Konsequenz aus dem Arbeitskräftemangel wird sein, dass .......................................

   ....................................................................................................................

3. Wir müssen den demografischen Wandel als eine Entwicklung begreifen, die jedem Einzelnen von uns eine erhöhte Chance auf Selbstverwirklichung gibt.

   Wir müssen den demografischen Wandel als eine Entwicklung begreifen, die jedem Einzelnen von uns eine erhöhte Chance gibt, ..................................... zu .........................

# Neues Miteinander

## 1 Alt und Jung: Geben und nehmen

a  Welche persönlichen Erfahrungen haben Sie mit dem Thema „Alt und Jung: Geben und nehmen"?

b  Lesen Sie die Berichte aus der Wochenendbeilage einer Tageszeitung. Über welche Form von Hilfe wird hier berichtet? Wie nützen sich Alt und Jung jeweils gegenseitig? AB: E1 ▶

**A**

Dr. Kurt Heine war früher bei einem großen Unternehmen als Geschäftsführer tätig. Obwohl er sich häufig danach gesehnt hat, mehr Zeit für sich zu haben und dem Stress für eine Weile zu entkommen, wünscht er sich nun seinen fordernden und interessanten Arbeitsalltag oft zurück. Und zum Glück gibt es Möglichkeiten, sich einen Teil des Arbeitslebens zurückzuholen. Die Lösung sind die sogenannten „Wirtschaftssenioren". Das Prinzip ist einfach: Junge Unternehmer, die mit einer guten Geschäftsidee und viel Tatendrang in die Selbstständigkeit starten wollen, brauchen in vielen Fällen Unterstützung, da ihnen meist unternehmerische Erfahrung fehlt. Dr. Heine wiederum hat davon eine Menge und möchte diese gern weitergeben. Der gemeinnützige Verein „Alt hilft Jung NRW e.V." bietet ihm nun dazu die Möglichkeit: Die jungen Unternehmer profitieren von seinem reichen Erfahrungsschatz und dem Netzwerk an Geschäftskontakten, das Dr. Heine über die Jahre aufgebaut hat. Er wiederum kann noch einmal einen aktiven und fordernden Arbeitsalltag erleben, ohne sich dabei zu viel Verantwortung oder Stress aufladen zu müssen.

**B**

Peter Müller erinnert sich noch gut: „Ich mochte es früher sehr gern, wenn wir meine Großeltern besucht haben, aber manchmal fand ich sie schon etwas seltsam. Trotzdem: Was mein Großvater alles wusste, das fand ich schon damals immer beeindruckend." Das sei auch einer der Gründe gewesen, warum Peter Müller – als er zum Studieren nach Rostock zog – in den offenen Treff des Mehrgenerationenhauses der Hansestadt ging: Er wollte Menschen wie seinen Großvater treffen und sehen, was sie zu berichten hatten. „Dort begegnen sich Menschen aller Generationen und unternehmen gemeinsam etwas", weiß der Student zu berichten.
Der Begriff der Mehrgenerationenhäuser kann, neben den offenen Treffs, auch Wohngemeinschaften bezeichnen, in denen Vertreter verschiedener Generationen leben und gemeinsam bestimmte Räumlichkeiten nutzen. Dabei können die Mitglieder dieser etwas ungewöhnlichen WG ein sehr unterschiedliches Verhältnis pflegen: Von sehr distanziert bis familiär ist alles vertreten. „Aber egal, ob Mehrgenerationenhaus oder Treff, das Prinzip ist immer das Gleiche: Die Jüngeren helfen den Älteren und umgekehrt. So lernt man, das Gegenüber besser zu verstehen, und stärkt damit den Zusammenhalt zwischen den Menschen", erklärt Peter Müller.

**C**

Nach fast vier Jahrzehnten als Grundschullehrerin wollte Ilse Bauer auch nach ihrem Renteneintritt weiterhin jungen Menschen unterstützend zur Seite stehen. Daher entschloss sie sich, sich ehrenamtlich zu engagieren. „Aber ich wollte auch etwas tun, was neue Herausforderungen für mich persönlich bereithält. Beim Flüchtlingsrat Leipzig e.V. fand ich hierzu eine Möglichkeit", erzählt die 69-Jährige. „Integration durch Bildung" ist der Name eines der Projekte des Vereins, in dem sich die Rentnerin betätigt. „Wir unterstützen mit diesem Projekt gezielt junge Migranten, die wegen ihres Alters oder mangelnder schulischer Bildung nicht im regulären Schulunterricht integriert werden können. Gleichzeitig bieten wir Schülern aus Regelschulen Hausaufgabenhilfe und Förderunterricht an. So ist zwischen den beiden Gruppen ein reger Austausch möglich", berichtet Ilse Bauer. „Ich finde es großartig, den jungen Leuten ihre Akklimatisierung hier in Deutschland erleichtern zu können. Und die positive Rückmeldung, die ich von vielen bekomme, bestätigt mich tagtäglich darin."

**D**

Katharina Neuner wohnt in einer WG mit zwei weiteren Studentinnen und zwei älteren, leicht pflegebedürftigen Singles. Wie kam es dazu? Als sie vor einem Jahr an ihrem neuen Studienort ungeduldig die Wohnungsanzeigen durchgeblättert hatte, hatte sie gespürt, dass sie bei diesem Wohnraumangebot der Agentur „Wohnen gegen Hilfe" gleich zwei Fliegen mit einer Klappe würde schlagen können: wohnen in einem Stadtviertel mit viel Altbau und Job neben dem Studium. Nun hat die Zweiundzwanzigjährige einen dauerhaften Job: Einkäufe, Behördengänge, Arztbesuche, Spaziergänge bei Wind und Wetter mit ihren hilfsbedürftigen Mitbewohnern oder deren Hund. Katharina Neuner: „So macht Geldverdienen richtig Spaß – im Kontakt mit Menschen, die meine Großeltern sein könnten, und mit Arbeiten, die ich oft gar nicht als Arbeit empfinde. Das liegt nicht zuletzt daran, dass sich unsere beiden Mitbewohner so dankbar zeigen. In einer Studenten-WG hätte ich z.T. dieselben Pflichten im Haushalt, aber jetzt verdiene ich sogar Geld damit. Das Ganze lässt sich wunderbar mit meinem Studium und allen Freizeitterminen verbinden. Ideal also."

 GI **c** Lesen Sie die Berichte in 1b noch einmal. In welchen der vier Texte gibt es Aussagen zu den Punkten 1 bis 5? Notieren Sie Stichworte.

| | Text A | Text B | Text C | Text D |
|---|---|---|---|---|
| **1. Konzept der Organisation** | | | | |
| **2. Aufgaben** | | | | |
| **3. Zielgruppe** | | | | |
| **4. finanzieller Vorteil** | | | | |
| **5. Weitergabe von Wissen** | | | | |

**d** Wie beurteilen Sie derartige Formen der gegenseitigen Unterstützung? Begründen Sie Ihre Auffassung.

**e** Welche Formen der gegenseitigen Unterstützung zwischen den Generationen kennen Sie aus Ihrem Heimatland?

**f** Tauschen Sie sich im Kurs darüber aus, ob sich für die Jugend verschiedener Länder eher Chancen oder Probleme aus der weltweit alternden Gesellschaft ergeben. Welche Chancen sehen Sie für sich persönlich, in Ihrer Heimat oder einer Wahlheimat, z. B. Deutschland?

## ② Zusammen wohnen

LB ①
16 – 21 **a** Hören Sie einen Radiobeitrag zum Thema „Mehrgenerationenhaus". In welchem Verhältnis stehen die Personen zueinander?

**b** Hören Sie den Radiobeitrag in 2a noch einmal. Was berichten die Personen über ihr Zusammenleben? Notieren Sie Stichworte. AB: E2–3 ▸

Lotte Koch: ....................................................   Helge Abing: ....................................................

Moritz Uhlig: ....................................................   Valerie Martin: ....................................................

Simone Uhlig: ....................................................   Paula Stein: ....................................................

**c** Lesen Sie noch einmal den Zeitungsbericht B in 1b und tauschen Sie sich im Kurs über folgende Fragen aus.

1. Wo sehen Sie Grenzen eines solchen Projekts? Warum?
2. Halten Sie so ein Wohnprojekt auch in Ihrer Kultur für realistisch? Warum / Warum nicht?
3. Welche generationenübergreifenden Wohnformen überwiegen in Ihrer Heimat?
4. Wird sich Ihrer Einschätzung nach daran in der Zukunft etwas ändern (müssen)? Warum / Warum nicht?

# Alt oder jung sein – wie ist das?

**1 Wenn ich einmal alt bin . . .**

a Lesen Sie zunächst nur die erste Strophe des Gedichts „Warnung" von Jenny Joseph. Welcher der markierten Begriffe ist wahrscheinlich der richtige?

b Lesen Sie nun das gesamte Gedicht und vergleichen Sie es mit Ihren Vermutungen aus 1a. **AB: F1**

---

**Warnung**

Wenn ich einmal alt bin,
Werde ich Lila / Grau tragen
Mit einem roten Hut,
Der nicht / gut dazu passt
Und mir nicht / sehr gut steht
Und ich werde meine Rente für Cognac / Tee
Und Sommerhandschuhe ausgeben
Und Schuhe aus Leder / Satin
Und sagen, „Wir haben kein Geld für Butter".

Ich werde mich auf den Bürgersteig setzen,
Wenn ich müde bin
Und Warenproben aus den Läden horten
Und Notfallknöpfe drücken
Und meinen Stock
An öffentlichen Geländern klappern lassen
Und mich entschädigen
Für die Ernsthaftigkeit meiner Jugend.

Ich kann schreckliche Hemden tragen
Und noch dicker werden
Und hintereinander
Drei Kilo Würstchen essen
Oder eine Woche lang
Nur trockenes Brot und saure Gurken

Und Kulis und Bleistifte und Bierdeckel
Und andere Dinge in Kisten horten.

Ich werde in meinen Hausschuhen
In den Regen rausgehen
Und die Blumen pflücken,
Die in anderer Leute Gärten wachsen
Und ich werde spucken lernen.

Aber jetzt müssen wir noch Kleidung haben,
Die uns trocken hält
Und unsere Miete bezahlen
Und dürfen auf der Straße nicht fluchen
Und müssen für unsere Kinder
Ein leuchtendes Beispiel sein.
Wir müssen zum Abendessen einladen
Und Zeitungen lesen.

Aber vielleicht sollte ich
Das Andere schon mal ausprobieren?
Damit die Leute, die mich kennen,
Nicht zu schockiert und überrascht sind,
Wenn ich plötzlich alt bin
Und anfange, Lila zu tragen.

Jenny Joseph

---

c Welche der Wörter rechts beschreiben eher den zukünftigen, welche eher den gegenwärtigen Gemütszustand?

befreit | pragmatisch | realistisch | entspannt | unter Druck stehend | authentisch | spontan | kindlich | erwachsen | vernünftig | direkt | glücklich

| gegenwärtiger Zustand | zukünftiger Zustand |
| --- | --- |
| pragmatisch | befreit |

d Tauschen Sie sich im Kurs über folgende Fragen aus und finden Sie dabei heraus, ob es zwischen Ihren Herkunftsländern Unterschiede gibt und wenn ja, worin sie bestehen.

• Welche Freiheiten hat man als alter Mensch? Warum? In welchem Alter hat man vergleichbare Freiheiten?

• Welchen Zwängen ist man, nach Meinung der Autorin, als Erwachsener ausgesetzt? Sind die genannten Zwänge in Ihrem Heimatland ähnlich?

## ② Gedichte selbst verfasst

a Schreiben Sie ein eigenes Gedicht mithilfe des folgenden Textgerüsts oder wählen Sie eine eigene Form.

| | | |
|---|---|---|
| 1. Strophe: | *Wenn ich einmal* | |
| 2. Strophe: | *Ich werde* | |
| 3. Strophe: | *Ich kann* | |
| 4. Strophe: | *Ich werde* | |
| 5. Strophe: | *Aber jetzt* | |
| 6. Strophe: | *Aber vielleicht* | |
| | *Damit* | |
| | *Wenn ich plötzlich* | |

b Tragen Sie Ihre Gedichte im Kurs vor.

## ③ Sinnsprüche über Alt und Jung

a Lesen Sie die Sinnsprüche. Was wird über die Jugend gesagt, was über das Alter?

**1** Vom Standpunkt der Jugend aus gesehen ist das Leben eine unendlich lange Zukunft, vom Standpunkt des Alters aus eine sehr kurze Vergangenheit. Man muss alt geworden sein, also lange gelebt haben, um zu erkennen, wie kurz das Leben ist. (Arthur Schopenhauer)

**2** Die Jugend spricht vom Alter wie von einem Unglück, das sie nie treffen kann. (Emanuel Wertheimer)

**3** Älter werden heißt, selbst ein neues Geschäft antreten; alle Verhältnisse verändern sich, und man muss entweder zu handeln ganz aufhören oder mit Willen und Bewusstsein das neue Rollenfach übernehmen. (Johann Wolfgang v. Goethe)

**4** Die Begeisterung ist das tägliche Brot der Jugend. Die Skepsis ist der tägliche Wein des Alters. (Pearl S. Buck)

**5** Alte haben gewöhnlich vergessen, dass sie jung gewesen sind, oder sie vergessen, dass sie alt sind, und Junge begreifen nie, dass sie alt werden können. (Kurt Tucholsky)

**6** Mit 20 hat jeder das Gesicht, das Gott ihm gegeben hat, mit 40 das Gesicht, das ihm das Leben gegeben hat, und mit 60 das Gesicht, das er verdient. (Albert Schweitzer)

**7** Alte Leute sind gefährlich; sie haben keine Angst vor der Zukunft. (George Bernard Shaw)

**8** Für die Jungen ist nichts besser als das Zukünftige, für die Alten nichts besser als das Vergangene. (Lisz Hirn)

**9** Wir Alten stehen euch Jungen nach. Wenn der Vater euch nicht gleich zu Willen ist, so sagt ihr ihm ins Gesicht: „Bist du nicht auch einmal jung gewesen." Der Vater aber kann zum unverständigen Sohn nicht sagen: „Du bist auch einmal alt gewesen." (Apollodoros, 2. Jh. v. Chr.)

b Welches Zitat gefällt Ihnen am besten? Warum? `AB: F2`

c Kennen Sie Sprüche und Redewendungen über Alt und / oder Jung aus Ihrer Heimat? Berichten Sie.

# Sagen und Meinen

## 1 Was sie sagen, was sie meinen

a Welche Gedanken passen zu welchen Personen in den Szenen oben?

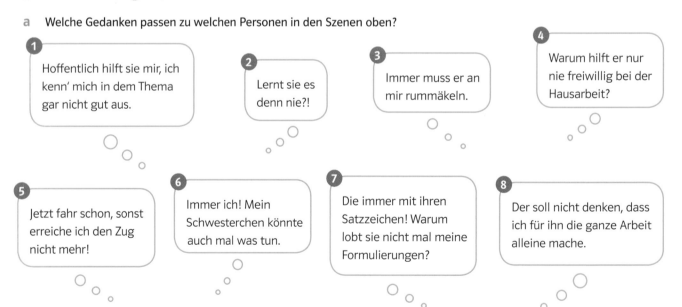

**1** Hoffentlich hilft sie mir, ich kenn' mich in dem Thema gar nicht gut aus.

**2** Lernt sie es denn nie?!

**3** Immer muss er an mir rummäkeln.

**4** Warum hilft er nur nie freiwillig bei der Hausarbeit?

**5** Jetzt fahr schon, sonst erreiche ich den Zug nicht mehr!

**6** Immer ich! Mein Schwesterchen könnte auch mal was tun.

**7** Die immer mit ihren Satzzeichen! Warum lobt sie nicht mal meine Formulierungen?

**8** Der soll nicht denken, dass ich für ihn die ganze Arbeit alleine mache.

b Bereiten Sie zu viert ähnliche Situationen vor und spielen Sie sie dann im Kurs vor.

- Sammeln Sie zuerst einige typische Situationen aus Ihrer Erfahrung, in denen Menschen etwas sagen, aber eigentlich etwas anderes meinen.
- Wählen Sie dann die zwei Situationen aus, die Sie am aussagekräftigsten finden.
- Verfassen Sie zwei Minidialoge und spielen Sie sie anschließend im Kurs vor.

c Sprechen Sie im Kurs darüber, was in den Dialogen gesagt wird und was eigentlich gemeint ist.

## ② Auf dem Ohr bin ich taub

**a** Lesen Sie den Informationstext und sprechen Sie im Kurs darüber, welche Ebene des Kommunikationsquadrats zu den Fragen A bis H passt. `AB: A1` ▶

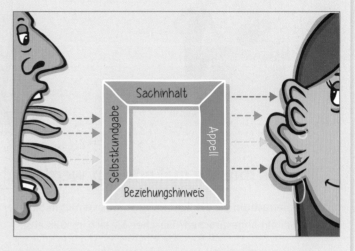

Kommunikation ist oft schwieriger, als man denkt. Was wir verstehen, wenn wir etwas hören, ist vom Kontext, der Beziehung zum Gesprächspartner, von unterschiedlichen Erfahrungen und Emotionen abhängig. Der Kommunikationswissenschaftler Friedemann Schulz von Thun hat die vier Seiten einer Äußerung als Quadrat dargestellt und dementsprechend dem Sender „vier Zungen" und dem Empfänger „vier Ohren" zugeordnet. Psychologisch gesehen, sind also, wenn wir miteinander reden, auf beiden Seiten vier Zungen und vier Ohren beteiligt, und die Qualität des Gesprächs hängt davon ab, in welcher Weise diese zusammenspielen. Jede meiner Äußerungen enthält also – ob ich will oder nicht – vier Botschaften gleichzeitig:

1. eine Sachinformation (worüber ich informiere)
2. eine Selbstoffenbarung (was ich von mir zu erkennen gebe)
3. einen Beziehungshinweis (was ich von dir halte und wie ich zu dir stehe)
4. einen Appell (was ich bei dir erreichen möchte)

Der Empfänger kann, je nachdem, welches Ohr gerade bevorzugt „eingeschaltet" ist, eine Aussage ganz unterschiedlich verstehen.

| | |
|---|---|
| ☐ 3 ☐ A. Was ist das für einer/eine? | ☐ E. Wie stellt sich der / die selbst dar? |
| ☐ B. Wie sind die Tatsachen? | ☐ F. Was soll ich jetzt tun, denken, fühlen? |
| ☐ C. Wie redet der / die eigentlich mit mir? | ☐ G. Was sagt der / die andere über sich selbst aus? |
| ☐ D. Was will der / die von mir? | ☐ H. Worum geht es hier genau? |

**b** Besprechen Sie in Gruppen, welche „Botschaften" die folgenden Beispiele enthalten. `AB: A2a` ▶

1. Mutter zur Tochter: „Deine schmutzigen Klamotten liegen schon wieder im Wohnzimmer rum!"
   - Sachinformation: Die schmutzigen Sachen liegen zum x-ten Mal im Wohnzimmer verstreut herum.
   - Selbstoffenbarung: Ich habe es satt, dass du immer alles liegen lässt.
   - Beziehung: Du bist mir zu unordentlich.
   - Appell: Ich möchte, dass du selbst aufräumst.
2. Schwester zum Bruder: „Du mit deinem ewigen Rap! Geht's noch lauter?!"
3. Assistentin zum Chef: „Wie spät ist es eigentlich, Herr Schmidt?"

**LB ①** **22–24**

**c** Hören Sie nun die Antworten der Personen. Welches der sogenannten vier Ohren war bei den angesprochenen Personen aktiv, d.h., welche Botschaft ist angekommen?

**d** Überlegen Sie weitere Antworten und führen Sie dann die Dialoge fort. Spielen Sie sie im Kurs vor und besprechen Sie danach, wie Sie verstanden worden sind. `AB: A2b` ▶

# Nur nicht zu direkt ...!

Man müsste mal die Christbaumkugel in den Keller bringen.

Das Altglas hätte schon längst weggebracht werden müssen!

Die Blumen müssten mal gegossen werden.

**1** **Das müsste mal erledigt werden!**

a Betrachten Sie die Zeichnungen. Was vermuten Sie: Wer spricht mit wem? Warum wird die entsprechende Person nicht direkt angesprochen? Tauschen Sie sich im Kurs aus.

b Lesen Sie die Glosse von Axel Hacke aus seinem Buch „Das Beste aus meinem Liebesleben". Kennen Sie solche Situationen? Erzählen Sie. **AB: B1**

---

## Die Christbaumkugel

NUN HABEN WIR AUGUST: Weihnachten ist schon eine Weile her.
Auf der Kommode im Flur liegt immer noch eine riesige lilafarbene Christbaumkugel. Paola hatte sie zur Weihnachtszeit über dem Spiegel im Flur aufgehängt, das sah sehr schön aus und war ziemlich praktisch. Der Spiegel ist gleich gegenüber der Wohnungstür, und wenn man vor Weihnachten
5  hereinkam, sah man als Erstes diese riesige Christbaumkugel und wusste sofort: Aha, jetzt ist also Weihnachtszeit. Nur falls man es vergessen hatte.
Nach Weihnachten wurde die Kugel abgehängt und fürs Erste auf die Kommode gelegt, damit sie in den Keller gebracht werden konnte. Aber sie ist immer noch dort. Und es ist keine Weihnachtszeit, beim besten Willen nicht.
10  „Man müsste die Christbaumkugel in den Keller bringen", sagt Paola ab und zu. „Jemand könnte mal die Christbaumkugel hier weg tun, in den Keller vielleicht", sage ich dann und wann.
Manchmal kommt es mir so vor, als ob in unserer Wohnung noch drei andere Personen lebten, außer Paola, Luis, mir und Bosch, meinem sehr alten Kühlschrank und Freund. Diese drei anderen Personen sind: Herr Man, Frau Jemand und Fräulein Einer. Um die Wahrheit über diese drei zu sagen: Sie sind
15  stinkfaul. Sie beteiligen sich in keiner Weise am Gemeinschaftsleben. Sie tun überhaupt nichts. Ich sage: „Man müsste mal die Blumen auf dem Balkon gießen." Aber Man tut es nicht. Paola sagt: „Jemand müsste mal deinen Tennisschläger beiseite räumen." Aber Jemand ist nirgendwo in Sicht. Ich sage: „Einer müsste unbedingt das Altglas wegbringen." Aber das Altglas bleibt da, nichts zu sehen von Einer.
20  Der Fall der Christbaumkugel ist besonders schwierig. Es war, glaube ich, Anfang März, als Paola ihretwegen einen Wutanfall bekam. Sie schrie, diese Christbaumkugel müsse hier endlich weggeräumt werden, wenn sie nicht bald weggeräumt werde, dann werde sie das Ding aus dem Fenster werfen, sie könne es nicht mehr sehen.
Man beachte nun hier die Formel „muss hier endlich weggeräumt werden". Es handelt sich um das
25  sogenannte Partnerschafts-Passiv, eine in Beziehungen sehr alltägliche Art zu sprechen, wenn es um Dinge geht, die unbedingt getan werden müssen, die man selbst aber um keinen Preis der Welt tun möchte. Es gibt ja so gewisse Dinge, die man einfach überhaupt nicht gerne tut, bei jedem ist es etwas

---

anderes: Ich persönlich hasse das Bohren von Löchern (zum Bildaufhängen oder Regalbefestigen) wie
nichts auf der Welt. Paola verachtet das Blumengießen, als wäre es der Abschaum unter den Tätigkeiten.
30 Wenn nun Löcher gebohrt oder Blumen gegossen werden müssen, man selbst es aber einerseits nicht
tun möchte, andererseits aber aus internen Gründen nicht direkt den Partner dazu auffordern will –
„Kannst du hier endlich mal …?!" – dann also verwendet man das Partnerschafts-Passiv. Es macht auf
das Problem aufmerksam, provoziert nicht unbedingt Streit und lässt für die Lösung Spielräume, zum
Beispiel die sanfte Antwort: „Wie wäre es, du würdest es tun …?"
35 Mit der Christbaumkugel war es nun so, dass sich eines Tages mehrere Gegenstände angesammelt
hatten, die in den Keller gebracht werden mussten, darunter eine Reisetasche. Ich packte ungefähr im
April in einem Anfall von Entschlusskraft alles in die Reisetasche, trug sie in den Keller und stellte die
Tasche dort ab, samt Kugel. Ein paar Wochen später musste Paola über das Wochenende verreisen. Sie
holte sich aus dem Keller die Reisetasche und bemerkte erst in der Wohnung, dass die Christbaumkugel
40 noch drin war. „Die Reisetasche hätte im Keller ausgepackt werden müssen", sagte Paola und legte die
Christbaumkugel wieder auf die Kommode im Flur, wo sie sich, wie gesagt, immer noch befindet. Wir
haben ja nun schon August. Eigentlich lohnt es sich gar nicht mehr, die Kugel noch in den Keller zu
bringen. Für die paar Monate. Weihnachten müsste sie ja doch nur wieder nach oben gebracht werden.
Oder Jemand müsste sie holen. Oder Einer. Oder Man.

c   Lesen Sie die Glosse noch einmal. Wie begründet Axel Hacke, dass in Partnerschaften Aufforderungen oft im Passiv
formuliert werden? Und was ist das Problem bei Aufforderungen mit „man", „jemand" oder „einer"?

## ● G 1.1 ② Sprache im Mittelpunkt: Nuancen der Aufforderung

LB ① 25   a   Hören und lesen Sie die Aufforderungssätze. Welche Aufforderungen sind unhöflich (u), welche höflich bzw. neutral (n),
welche sehr höflich bzw. vorsichtig (s) und welche indirekt (i) formuliert. Notieren Sie.

1. Wärest du so nett, die Blumen zu gießen?   ☐
2. Du gießt jetzt die Blumen!   ☐
3. Man müsste mal die Blumen gießen.   ☐
4. Würdest du bitte die Blumen gießen?   ☐
5. Gieß doch bitte die Blumen!   ☐
6. Du solltest mal die Blumen gießen.   ☐

7. Kannst du die Blumen gießen?   ☐
8. Lass uns nachher die Blumen gießen!   ☐
9. Könntest du bitte die Blumen gießen?   ☐
10. Du sollst jetzt endlich die Blumen gießen.   ☐
11. Die Blumen müssten mal gegossen werden.   ☐
12. Gieß die Blumen!   ☐

b   Ordnen Sie die sprachlichen Mittel in die Tabelle unten ein. Sie können sich dabei auch an den Beispielen in 2a
orientieren. AB: B2–3

> Imperativsätze mit „bitte" | Imperativsätze ohne „bitte" | Formulierung im Passiv | Fragen im Konjunktiv II |
> Fragen mit Modalverben im Indikativ | Indikativ Präsens | Konjunktiv II von „sollen" | Umschreibung mit „lassen" |
> Formulierung mit „man" | Indikativ von „sollen"

|  | sprachliche Mittel |
|---|---|
| unhöflich / direkt | *Imperativsätze ohne „bitte",* |
| höflich / neutral |  |
| sehr höflich / vorsichtig |  |
| indirekt |  |

c   Markieren Sie die Aufforderungssätze in der Glosse in 1b und formulieren Sie einige davon in direkte Aufforderungen
um. Verwenden Sie die sprachlichen Mittel aus 2b. Sprechen Sie anschließend die Aufforderungen laut.

# Mit anderen Worten

## ① Frauensprache – Männersprache

a Was können Sie sich unter Frauen- bzw. Männersprache vorstellen? Sammeln Sie Beispiele im Kurs.

GI / telc H
LB ①
26 – 28

b Hören Sie im Radio ein Fachgespräch zwischen zwei Sprachwissenschaftlern zum Thema „Gesprächsstile von Männern und Frauen" und kreuzen Sie an, welche Aussage jeweils passt.

1. Forschungen haben ergeben, dass
   a Frauen und Männer in bestimmten Ländern Sprache unterschiedlich verwenden.
   b Frauen und Männer von der Tendenz her anders sprechen.
   c Frauen und Männer völlig anders sprechen.

2. Frauen passen sich den Normen der Umwelt mehr an, indem sie
   a immer Standardsprache sprechen.
   b meist Dialekt benutzen.
   c je nach Umfeld Standardsprache verwenden oder Dialekt sprechen.

3. Was unterscheidet den Sprachstil von Frauen und Männern?
   a Männer neigen eher zum Nominalstil.
   b Männer sprechen in kürzeren Sätzen.
   c Frauen sprechen mehr als Männer.

4. Wenn Frauen und Männer miteinander sprechen, dann
   a unterbrechen die Frauen mehr.
   b bestimmen Männer häufiger die Gesprächsthemen.
   c neigen Frauen mehr zu verallgemeinernden Aussagen.

5. Inwieweit nehmen Frauen und Männer ihre Umwelt anders wahr?
   a Männer sind eher sachorientiert, sie wollen daher die Themen voranbringen.
   b Frauen suchen hauptsächlich Verständnis.
   c Bei Frauen steht eher die Kooperation mit den Gesprächspartnern im Vordergrund, bei Männern eher die eigene Darstellung.

6. Was kann passieren, wenn Frauen und Männer miteinander sprechen?
   a Frauen und Männer stehen in einer Wettbewerbssituation.
   b Frauen können sich oft nicht so gut durchsetzen.
   c Frauen lachen mehr als Männer.

7. Was sollten Frauen und Männer tun, um besser zu kommunizieren?
   a Frauen sollten sich dem sachorientierten Sprachstil der Männer anpassen.
   b Männer sollten sich den kooperativen Sprachstil der Frauen aneignen.
   c Beide sollten lernen, je nach Situation mehr den einen oder mehr den anderen Sprachstil einzusetzen.

c  Hören Sie das Fachgespräch in 1b noch einmal und machen Sie Notizen. `AB: C1–4` ▸

• Bilden Sie zwei Gruppen: A und B. Gruppe A sammelt die Informationen zum Sprachstil von Männern und Frauen, die Frau Prof. Weiß gibt, Gruppe B sammelt die Informationen von Herrn Dr. Reinhardt.
• Tauschen Sie dann Ihre Informationen innerhalb Ihrer Gruppe und anschließend mit einem Partner / einer Partnerin der anderen Gruppe aus. Vergleichen Sie die Informationen auch mit Ihren Vorstellungen in 1a.

**A. Prof Weiß:**

| Frauensprache | Männersprache |
|---|---|
| *passen sich eher Umwelt an → Stadt: eher Standardsprache, Land: …* | … |

**B. Dr. Reinhardt:**

| Frauensprache | Männersprache |
|---|---|
| *unterschiedl. Fachwortschatz* | *unterschiedl. Fachwortschatz* |

d  Diskutieren Sie folgende Aussage aus dem Fachgespräch in 1b: „Frauen haben eher eine kooperative kommunikative Orientierung. Sie wollen Themen gemeinsam vorantreiben und fremde Gesprächsbeiträge berücksichtigen und unterstützen. Bei Männern hingegen überwiegt häufiger die eigene Wissensdarstellung." `AB: C5` ▸

• Sagen Sie, inwieweit Sie mit der Aussage übereinstimmen oder sie ablehnen.
• Geben Sie dazu Gründe und Beispiele an.
• Gehen Sie auch auf die Argumente Ihres Partners / Ihrer Partnerin ein.
• Die folgenden Redemittel helfen Ihnen.

> **Gedanken und Meinungen ausdrücken:** Meine persönliche Meinung / Einstellung dazu ist folgende: … | In Bezug auf … vertrete ich den Standpunkt, dass … | Ich stehe auf dem Standpunkt, dass … | Ich bin der festen Überzeugung, dass … | Nach meinem Dafürhalten … | Meines Erachtens … | Aus meiner Sicht …
>
> **Argumente einsetzen:** Hierzu möchte ich zwei / drei / folgende Argumente anführen: … | Diesen Standpunkt möchte ich wie folgt erläutern: …
>
> **Argumenten anderer zustimmen:** Dein / Ihr Argument leuchtet mir ein. | Ergänzend dazu möchte ich sagen, dass … | Das ist wirklich ein schlagendes Argument. | Dem kann ich nur / voll und ganz zustimmen.
>
> **Argumente ablehnen:** Das kann ich (nun) überhaupt nicht nachvollziehen, weil … | Dem kann ich überhaupt nicht zustimmen, weil … | Nicht …, sondern…
>
> **Einwände geltend machen:** Dem kann ich nur teilweise zustimmen, denn … | Das klingt zwar im ersten Moment überzeugend, aber … | Ich frage mich, ob … | Man könnte einwenden, dass … | Das überzeugt mich nur teilweise, denn …
>
> **Einstellung begründen:** Meinen Standpunkt möchte ich wie folgt begründen: … | Das liegt darin begründet, dass … | Das liegt in der Natur der Sache, denn … | Das liegt wahrscheinlich daran, dass … | Der Grund dafür ist in … zu suchen. / darin zu suchen, dass …

e  Welche Erfahrungen haben Sie in Ihrer Heimat mit dem Kommunikationsstil von Männern oder Frauen gemacht? Sprechen Sie im Kurs.

# Was ist tabu?

## 1 Tabu ist für mich …

Was assoziieren Sie mit dem Wort „Tabu"?
Sammeln Sie im Kurs und gestalten Sie ein Plakat.

## 2 Tabudiskurs und Lernen einer Fremdsprache

a Lesen Sie die Definition von „Tabu". Welche Ihrer Assoziationen aus Aufgabe 1 finden Sie hier wieder?
Tauschen Sie sich im Kurs aus.

> **Tabus** sind „besonders wirksame Mittel sozialer Kontrolle", denn sie können als Grundwahrheiten einer Gemeinschaft verstanden werden, die nicht berührt werden dürfen. Tabuisiert sind in vielen Gesellschaften einerseits bestimmte Personen, Örtlichkeiten und Nahrungsmittel sowie andererseits Bereiche wie Sexualität, Sucht, Armut, Ungleichheit, Korruption, Gewalt, Tod und bestimmte Erkrankungen.
> In begrifflicher Hinsicht kann man unterscheiden zwischen: „Objekttabus" (tabuisierte Gegenstände, Institutionen und Personen) und „Tattabus" (tabuisierte Handlungen), die beide durch „Kommunikationstabus" (tabuisierte Themen), „Worttabus" (tabuisierter Wortschatz) und „Bildtabus" (tabuisierte Abbildungen) begleitet und abgesichert werden. Und diese werden wiederum durch „Gedankentabus" (tabuisierte Vorstellungen) und „Emotionstabus" (tabuisierte Gefühle) gestützt.

b Finden Sie Beispiele für die unterschiedlichen Arten von Tabus, die im Text genannt werden, und ordnen Sie diese in die Tabelle ein. Vergleichen Sie Ihre Beispiele im Kurs.

Objekttabu: *Behinderte,* ............................................................................................................

Tattabu: ..........................................................................................................................

Kommunikationstabu: .......................................................................................................

Worttabu: ........................................................................................................................

Bildtabu: .........................................................................................................................

Gedankentabu: ................................................................................................................

Emotionstabu: .................................................................................................................

 telc /
telc H /
TestDaF

c Lesen Sie auf der nächsten Seite den Fachartikel „Tabudiskurs" aus einer Zeitschrift für Fremdsprachenunterricht und entscheiden Sie bei jeder Aussage zwischen „stimmt mit dem Text überein" (j), „stimmt nicht mit dem Text überein" (n) oder „Text gibt darüber keine Auskunft" (?). `AB: D1–3`

1. Wir können ohne Einschränkung auch über heikle Themen sprechen.                                      [ j ] [ n ] [ ? ]
2. „Tabudiskurs" ist die Art, wie man über Tabus spricht, ohne diese zu verletzen.                       [ j ] [ n ] [ ? ]
3. Auslassungen, Lautveränderungen, Antiphrasis und Generalisierung sind Mittel,
   mit denen man Tabus umschreiben kann.                                                                 [ j ] [ n ] [ ? ]
4. In unserer Muttersprache finden wir in jeder Situation den richtigen Ton.                             [ j ] [ n ] [ ? ]
5. Ein Fremder merkt es in der Regel nicht, wenn er ein Tabu verletzt hat.                               [ j ] [ n ] [ ? ]
6. Weil man als Fremder nicht weiß, wie man sich verhalten soll, um einen Tabubruch zu heilen,
   kommt es immer zum Abbruch des Gesprächs.                                                             [ j ] [ n ] [ ? ]
7. Andere Tischgewohnheiten sind der häufigste Grund für Tabuverletzungen.                               [ j ] [ n ] [ ? ]
8. Tabus können im Fremdsprachenunterricht nicht thematisiert werden.                                   [ j ] [ n ] [ ? ]
9. In einer fremden Sprache sollte man vermeiden, über tabuisierte Themen zu sprechen.                   [ j ] [ n ] [ ? ]

### Tabudiskurs

Wir haben in der Kommunikation meistens nicht nur die Wahl, entweder zu reden oder zu schweigen – und so auf die Thematisierung ganz zu verzichten, sondern wir können durch Ver-
5 wendung bestimmter sprachlicher Mittel „heiße Eisen" anpacken, ohne uns daran „die Zunge zu verbrennen". Unsere Sprache stellt dafür eine Vielzahl von Möglichkeiten zur Verfügung. Wir können andeuten, umschreiben, beschönigen
10 etc. und uns auf diese Weise über tabuisierte Bereiche verständigen, ohne die Konventionen zu verletzen. Wir verwenden in diesem Zusammenhang den Begriff „Tabudiskurs".
Tabudiskurse ermöglichen die Kommunikation
15 über das, worüber man eigentlich nicht sprechen möchte bzw. sollte. Sie umfassen sprachliche Formen, mit denen wir heikle Gesprächssituationen bewältigen. Diese sind uns in unserer Kultur zwar geläufig, aber nicht immer bewusst.
20 In der linguistischen Tabuforschung beschäftigt man sich deshalb schon lange mit den verschiedenen Typen sprachlicher Ersatzmittel für Tabudiskurse. In den indoeuropäischen Sprachen gibt es eine Reihe von Grundtypen, wie
25 beispielsweise Entlehnungen (z. B. „podex" aus dem Lateinischen für den Körperteil, den man nicht ohne Weiteres nennen darf, woraus verkürzt „Po" und schließlich „Popo" wurde).
Daneben benutzt man Auslassungen (z. B.
30 Sch…!) oder tabuistische Lautveränderungen (z. B. Scheibe). Ein weiteres Ersatzmittel ist die Antiphrasis, d. h., man sagt das Gegenteil von dem, was gemeint ist (z. B. „nicht sehr intelligent" für „dumm") und es gibt die Flucht in die
35 Generalisierung, also in eine verallgemeinernde Aussage (z. B. „Ja, ja der arme Bob! Krebs ist schon ein Schicksalsschlag.").
Die linguistische Tabuforschung befasst sich zudem verstärkt mit dem „indirekten" bzw.
40 „verdeckten" Sprechen, also mit sprachlichen Mitteln, die das „Verschleiern" einer Aussage ermöglichen, wobei als bekannteste Strategie die Verwendung von Metaphern genannt wird (z. B. „Rabeneltern" für Eltern, die ihre Kinder
45 vernachlässigen). Weitere Strategien sind u. a. die Verwendung von Fachvokabular und Euphemismen (z. B. „Senior" statt „Greis", „freisetzen" statt „einen Arbeitnehmer entlassen"), die Wort-

vermeidung (z. B. „Ich muss mal …") und Vag-
50 heit (z. B. „Das war vielleicht nicht so ganz das Richtige.").

### Tabus in interkulturellen Kontaktsituationen

Während man im selben Kulturkreis die Tabus kennt, ergeben sich bei interkulturellen Kontaktsituationen gleich mehrere Probleme. Ers-
55 tens sind Tabus kulturspezifisch und nicht kodifiziert, also ihre Regeln sind nicht wie z. B. die der Grammatik zusammengefasst und erklärt, sodass sie dem Fremden meist nicht bewusst sind. Zweitens werden Tabuverletzungen von
60 dem Fremden oft gar nicht wahrgenommen, sodass keine Scham- und Schuldgefühle auftreten. Drittens verfügt der Fremde bei Tabubrüchen – anders als bei der Verletzung eines direkten Verbots – über keine allgemein akzeptierten Me-
65 chanismen, um die Situation zu „reparieren". Die Folge kann deshalb ein Abbruch der Kommunikation sein.
Tabus in interkulturellen Kontaktsituationen betreffen zudem nicht nur die tabuträchtigen Bereiche Religion, Sexualität, Tod, Krankheit
70 und Körperfunktionen, sondern können in vielen anderen Lebensbereichen festgestellt werden, wie z. B. bei Ess- und Tischgewohnheiten, in relativ selbstverständlich erscheinenden Alltagssituationen (z. B. jemandem beim Reden in
75 die Augen schauen) sowie bei Tieren (z. B. Hunde), Farben (z. B. Farbe der Kleidung bei Beerdigungen) und Zahlen (z. B. die Zahl 13).

### Folgen für den Fremdsprachenunterricht

Aufgabe eines interkulturell orientierten Fremdsprachenunterrichts sollte es daher sein, den
80 Lerner für mögliche Tabuphänomene zu sensibilisieren und ihn in die Lage zu versetzen, Tabus in der anderen Kultur zu erkennen und Kommunikationsbarrieren zu überwinden. Er sollte sprachliche Strategien, wie die weiter oben be-
85 schriebenen, kennenlernen und Tabudiskurse exemplarisch einüben. Außerdem sollte ihm ein ausreichendes Repertoire an Euphemismen und anderen Ersatzmitteln für Tabudiskurse vermittelt werden, die es ihm ermöglichen, sich über
90 tabuisierte Handlungen, Objekte, Sachverhalte und Wörter verständigen zu können.

d　Kennen Sie die im Fachartikel oben beschriebenen sprachlichen Mittel auch aus Ihrer Muttersprache? Geben Sie hierfür einige Beispiele.

# Lügen, die niemanden betrügen?

## 1 Notlügen

telc /
telc H

a Lesen Sie die folgenden Beiträge aus einem Internetforum zum Thema „Sind Notlügen erlaubt?"
In welchem Beitrag finden Sie die gesuchten Informationen 1 bis 6?

| In welchem Beitrag | Beitrag / Zeile |
|---|---|
| 1. werden Notlügen kritisch beurteilt? | *B, Z. 4* ............... |
| 2. wird „Heartbreak" dafür kritisiert, dass sie Notlügen gebraucht? | ............... |
| 3. steht indirekt, dass für gute Beziehungen Notlügen notwendig sind? | ............... |
| 4. wird das Verhalten von „Wahrheitsfan" auch ironisch kommentiert? | ............... |
| 5. wird die Beschäftigung mit dem Thema kritisiert? | ............... |
| 6. stehen Gründe dafür, Notlügen zu gebrauchen? | ............... |

**Heartbreak | 23.02., 20:05**
Notlügen sind zwar nicht das Gelbe vom Ei, aber doch auch nichts Besonderes! Wusstet ihr, dass Experten aus England festgestellt haben, dass der Mensch angeblich im Durchschnitt 200-mal am Tag lügt? Die Zahl scheint zwar ziemlich hoch, aber wenn man so richtig drüber nachdenkt, könnte es vielleicht stimmen. Man lügt ja oft unbewusst oder aus Bequemlichkeit. Was sagt man, wenn jemand fragt „Wie geht's?" – „Gut." natürlich, auch wenn man sich gerade beschissen fühlt – man hat halt keine Lust auf neugierige Fragen. Oder man kriegt ein absolut ätzendes Geschenk. Was sagt man: „Danke für das tolle Geschenk." Also ich gebrauche ziemlich oft Notlügen und finde das auch o.k. Ich will doch den Schenker nicht enttäuschen oder jemanden kränken. Wenn meine Freundin fragt: „Findest du, dass ich zu dick bin?", sage ich doch nicht „Ja, find' ich, du solltest mindestens 10 kg abnehmen!", auch wenn ich das denke. Ich sag' dann eher: „Na ja, ein bisschen könntest du vielleicht abnehmen." Und solche Beispiele gibt's doch viele.

**Wahrheitsfan | 23.02., 20:28**
Du scheinst ja ganz schön verlogen zu sein! Dein Beispiel mit dem Dicksein finde ich ja noch o.k. Da lügst du ja nicht richtig, aber das mit dem Geschenk kann ich gar nicht akzeptieren. Du könntest stattdessen sagen: „Es ist zwar nicht mein Geschmack, aber trotzdem danke, dass du ein Geschenk gebracht hast." oder so. Wenn sich jemand Mühe gibt, lügt man ihn doch nicht noch an! Und die Manie, immer „gut" zu sagen, wenn man nach seinem Befinden befragt wird, finde ich auch bescheuert. So kommt doch keine Kommunikation auf! Ich find's besser, Tacheles zu reden – dann wissen die Leute, woran sie bei mir sind.

**Beziehungsengel | 23.02., 20:53**
Da muss ich jetzt unbedingt mal meinen Senf dazugeben: Eine Beziehung mit dir stelle ich mir nicht gerade schön vor! Es wäre doch der Horror, wenn man in jeder Situation die Wahrheit sagen würde. Man sollte schon taktvoll und höflich bleiben und ein bisschen Einfühlsamkeit wäre auch nicht schlecht. Wenn du mich fragen würdest „Wie fandest du meine Party?" Und ich würde antworten: „Mega langweilig!" Wie würdest du dich da fühlen, du „Tachelesreder"??

**Peppi | 23.02., 21:18**
Hallo, ihr alle! Wenn ihr keine anderen Probleme habt ... Das ist doch ganz einfach: Lügen: nein! Notlügen, wenn nötig. Man kann auch aus jeder Mücke einen Elefanten machen!

b Welche idiomatischen Wendungen und umgangssprachlichen Ausdrücke finden Sie in den Forenbeiträgen in 1a? Erklären Sie sich gegenseitig ihre Bedeutung aus dem Kontext.

| umgangssprachlich | idiomatisch |
|---|---|
| *sich beschissen fühlen,* | *nicht das Gelbe vom Ei,* |

> **Tipp**
>
> **Umgangssprache:** Alltagssprache – die Sprache, die im täglichen Umgang verwendet wird – zwischen Dialekt und Standardsprache.
>
> Eine **idiomatische Wendung** ist eine feste Verbindung von mehreren Wörtern, deren Sinn nicht aus der Bedeutung der einzelnen Komponenten abgeleitet werden kann. Man kann sie meist nicht wortwörtlich in andere Sprachen übersetzen.

## 2 Zur Not lügen?

a Nehmen Sie Stellung zu folgenden Aussagen.

1. Die Lüge tötet die Liebe. Aber die Aufrichtigkeit tötet sie erst recht. (Ernest Hemingway)
2. Notlügen sind nützlich, um andere nicht zu verletzen. (aus einem Beziehungsratgeber)
3. Beim Bewerbungsgespräch sind Notlügen vertretbar. (aus einem Bewerbungsratgeber)
4. Der Erfinder der Notlüge liebte den Frieden mehr als die Wahrheit. (James Joyce)
5. Notlügen gibt es nicht. Man ist immer in Not, also müsste man immer lügen. (Konrad Adenauer)

b Arbeiten Sie in Gruppen zum Thema „Notlügen – Für und Wider".

* Eine Hälfte der Gruppen versucht, Situationen zu finden, in denen Notlügen vertretbar sind.
* Die andere beschreibt Situationen, in denen Notlügen negative Folgen haben bzw. hatten.

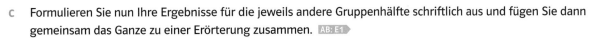

Ⓟ DSH / telc telc H

c Formulieren Sie nun Ihre Ergebnisse für die jeweils andere Gruppenhälfte schriftlich aus und fügen Sie dann gemeinsam das Ganze zu einer Erörterung zusammen. `AB: E1`

* Achten Sie darauf, dass der Text gut strukturiert ist. Beginnen Sie z. B. die Einleitung mit einem Zitat und / oder einer Definition. Gliedern Sie den Text übersichtlich, sodass die einzelnen Argumente klar erkennbar sind. Achten Sie auch auf die Mittel der Textverknüpfung.
* Heben Sie die wichtigsten Punkte klar hervor, sodass der Leser die Hauptaspekte gut erkennen kann.
* Machen Sie dazu zunächst die Aufgabe 2d sowie die entsprechenden Übungen im Arbeitsbuch.

 d Leserfreundliche Texte schreiben. Lesen Sie die folgenden Stichpunkte und formulieren Sie passende Fragen. Erörtern Sie Ihre Planungsschritte in der Gruppe. `AB: E2–3`

| Thema | *Sind Notlügen vertretbar?* |
|---|---|
| **Zielgruppe** | *Wer sind die Adressaten? Was erwarten sie? Wie erreiche ich sie? Was muss ich dabei berücksichtigen?* |
| **Anliegen** | *Was möchte ich mitteilen? Was weiß ich? …* |
| **Textsorte** | |
| **Informationen** | |
| **Aufbau** | |
| **Beispiele** | |
| **Redemittel** | |
| **Vorbereitung** | |

# 3 F

# Worauf spielen Sie an?

## 1 Auf den bin ich gar nicht gut zu sprechen! – deutsche Redewendungen

**a** Schauen Sie sich mit einem Partner / einer Partnerin die Zeichnungen unten an und bearbeiten Sie folgende Aufgaben. Benutzen Sie ggf. ein einsprachiges Wörterbuch. AB: F1

- Ordnen Sie folgende Redewendungen den Zeichnungen unten zu.
- Was könnten die Redewendungen bedeuten? Versuchen Sie, eine kleine Situation zu finden, in der man die jeweilige Redewendung verwenden könnte.

> jdm. über den Mund fahren | um den heißen Brei herumreden | jdm. sein Herz ausschütten | mit seiner Meinung hinter dem Berg halten | kein Blatt vor den Mund nehmen | das Blaue vom Himmel herunterlügen | hier rein, da raus | die Ohren auf Durchzug stellen | ein X für ein U vormachen

**b** Tauschen Sie Ihre Interpretationen im Kurs aus.

**c** Gibt es ähnliche Sprichwörter oder Redewendungen in Ihrer Heimat? Sammeln Sie in Gruppen. Stellen Sie sie anschließend im Kurs vor. Die anderen versuchen, die Bedeutung zu erraten.

## 2 Sei doch nicht immer so ironisch!

**a** Hören Sie die Dialoge. Worauf wird darin jeweils angespielt?

Dialog 1: ................................................................

Dialog 2: ................................................................

Dialog 3: ................................................................

LB 1 29–31

42 LB 42

b  Lesen Sie die Sätze aus den Dialogen in 2a. Worin genau liegt die Ironie? Was wollen die Sprecher damit zum Ausdruck bringen? Hören Sie ggf. die Dialoge noch einmal. `AB: F2`

**Dialog 1:** Kann's nicht noch ein bisschen mehr sein? Typisch, mein lieber Sohn! Das ist ja mal wieder super schlau von ihm! Erst eine kleine Erinnerung an seine Heldentaten – und dann kommt's!

*Ironie: Mutter findet 150 € zu viel, stellt aber eine gegenteilige Frage „... ein bisschen mehr sein?", ...*

**Dialog 2:** Ein echt ehrlicher Typ!

.........................................................

.........................................................

**Dialog 3:** Bei der wunderbaren Nachtmusik von meinem lieben Ralf, kein Wunder!

.........................................................

.........................................................

> **Ironie**
>
> Eine Äußerung, die meist auf Spott basiert, oft das Gegenteil des Gesagten / Geschriebenen meint und meist einen kritischen Hintergrund hat. So wird z. B. unter dem Schein der Ernsthaftigkeit oder des Lobes etwas ins Lächerliche gezogen. Die wahre Bedeutung einer ironischen Äußerung wird nur aus dem Zusammenhang klar.

## ◉ G8 ③ Sprache im Mittelpunkt: Modalpartikeln – emotional differenzieren

LB ① 32  Lesen und hören Sie die Sätze 1 bis 8 aus den Dialogen in 2a. Welche Bedeutung haben die Modalpartikeln in den Sätzen? `AB: F3`

1. Samstag ist Hausputz angesagt. Hast du das etwa vergessen?
   a interessierte Nachfrage          b Unzufriedenheit, erwartet eine negative Antwort
2. Nun red' doch nicht so um den heißen Brei herum!
   a intensive Aufforderung          b starker Vorwurf
3. Nun sag' schon was du willst!
   a Drohung          b ungeduldige Aufforderung
4. Das ist ja mal wieder super schlau von ihm!
   a Überraschung          b bekannte Tatsache
5. Das hab' ich dir doch schon so oft gesagt.
   a bekannte Tatsache          b intensive Aufforderung
6. Nun hör aber auf! Mach dich nicht noch lustig über mich!
   a freundlicher Hinweis          b intensive Aufforderung
7. Ich komm' ja schon!
   a Überraschung          b Ungeduld
8. Fahr mir bloß nicht wieder über den Mund!
   a Drohung          b Ratlosigkeit

## ④ Das kannst du ruhig vergessen!

Was würden Sie in folgenden Situationen sagen? Wählen Sie zu zweit eine Situation und bereiten Sie ein kurzes Telefongespräch vor. Präsentieren Sie es dann im Kurs. Die Redemittel und Sätze im Arbeitsbuch können helfen. `AB: F4`

1. Ein guter Freund, der ziemlich ehrgeizig ist, beklagt sich bitterlich am Telefon bei Ihnen, weil er statt der erwarteten Note „sehr gut" in der mündlichen Prüfung nur „gut" bekommen hat. Er findet das sehr ungerecht. Sie finden das ein bisschen übertrieben und trösten ihn; Sie können dabei auch ironisch werden.

2. Eine Freundin hat ein Geschenk von einem Nachbarn bekommen, den sie sehr nett findet, und als sie es gespannt auspackt, sieht sie, dass es ein Porzellanstiefel als Blumenvase ist. Sie ist sehr enttäuscht, besonders weil ihr Nachbar selbst sehr geschmackvoll eingerichtet ist, und ruft Sie sofort an. Beruhigen Sie Ihre Freundin am Telefon mit freundlich ironischen Worten.

# Suchen, finden, tun

## 1 Endlich Arbeit!

Was assoziieren Sie mit der Überschrift dieser Doppelseite? Was haben die Fotos damit zu tun? Sprechen Sie zunächst mit einem Partner / einer Partnerin. Berichten Sie dann im Kurs.

## 2 Arbeitsalltag

Wie sieht für Sie ein typischer, idealer bzw. langweiliger Arbeitstag aus? Bilden Sie drei Gruppen, jede Gruppe bearbeitet einen der drei Aspekte. Machen Sie Stichpunkte zum Ablauf eines solchen Arbeitstages und tauschen Sie sich dann im Kurs aus.

## 3 Was ist am Arbeitsplatz wichtig?

a Die folgenden Kriterien stammen aus einer Umfrage unter 16 – 35-Jährigen. Wo würden Sie sie auf einer Skala von 1 (am wichtigsten) bis 8 einordnen? Einigen Sie sich im Kurs auf eine Reihenfolge. AB: A1a–b

- [ ] A. Sinn und Erfüllung
- [ ] B. Geld
- [ ] C. Verantwortung
- [ ] D. Freizeit / Urlaub / wenig Stress
- [ ] E. Abwechslung
- [ ] F. sicherer Arbeitsplatz
- [ ] G. Teamarbeit und gute Atmosphäre
- [ ] H. Karriere

> **Gewichtung darstellen / begründen:** … steht für mich an erster Stelle, weil … | An zweiter Stelle steht …, danach kommt / folgt … | Als Nächstes / Drittes / Viertes ist für mich … entscheidend / wichtig / bedeutend, denn … | Am unwichtigsten ist …, weil … | An letzter Stelle steht …

**b** Welche Kriterien sind am wichtigsten? AB: A1c–d

- Stellen Sie in Gruppen eine Liste weiterer Kriterien zusammen, die Sie für wichtig halten, und sprechen Sie darüber, was diese Kriterien beinhalten und wo Sie sie in die Reihenfolge aus 3a einordnen würden.
- Einigen Sie sich pro Gruppe auf die fünf wichtigsten und schreiben Sie eine Kurzdefinition jedes Kriteriums auf je eine Karte.
- Hängen Sie die Karten im Kurs auf und gruppieren Sie sie nach ihrer Wichtigkeit.
- Vergleichen Sie dann Ihre Ergebnisse mit der Originalgrafik im Arbeitsbuch.

> **Kriterien vergleichen:** In der Grafik steht … an erster Stelle; für mich / uns ist … am wichtigsten. | Während in der Grafik / bei uns … an erster / zweiter / … Stelle steht, … | Die fünf wichtigsten Kriterien der Befragung sind …, bei uns hingegen sind es … | Im Unterschied zu … | Sowohl für … als auch für …

## ④ Mehr als 100 Bewerbungen und …

DSH /
TestDaF

LB ② 1–2

**a** Hören Sie das Gespräch zwischen Herrn Döring und der Bewerbungsberaterin und entscheiden Sie, ob die folgenden Aussagen richtig oder falsch sind. AB: A2

1. Herr Döring weiß nicht genau, wie oft er sich beworben hat.  r f
2. Bei den Bewerbungsunterlagen ist die grafische Gestaltung besonders gut.  r f
3. Die Beraterin lobt die Objektivität in Herrn Dörings Bewerbungsbriefen.  r f
4. Das „Motivationsschreiben" ist das Anschreiben an die Firma.  r f
5. Herr Döring hat sich nicht genügend Gedanken über seine Stärken gemacht.  r f
6. Herr Döring kann auf die anderen Personen in einem Team eingehen.  r f
7. Bei der Bewerbung um eine leitende Stelle zählen „weiche Fähigkeiten" eher weniger.  r f
8. Herrn Dörings Eltern haben ihm von einem geisteswissenschaftlichen Studium abgeraten.  r f
9. Herr Döring möchte keine Referenzen angeben, weil er nicht zu denen gehören will, die über Beziehungen eine Stelle bekommen.  r f
10. Ehrenamtliche Tätigkeiten sind positiv, spielen aber keine wichtige Rolle.  r f

**b** Welchen Eindruck haben Sie von Holger Döring? Versuchen Sie, sein Verhalten zu beschreiben. Wie finden Sie seine Einstellung? AB: A3

> Ich habe den Eindruck, dass … | Er scheint …, weil … | Ich bin der Meinung, dass … | Ich finde / denke, dass … | Es scheint, als / als ob… | Meiner Ansicht nach…

**Redemittel zum Argumentieren**

In Lektion 3 finden Sie viele Redemittel, die man beim Argumentieren verwenden kann.

**c** Diskutieren Sie in Gruppen über folgende Fragen.

- Sollte man sich bei der Studien- oder Ausbildungswahl an den Erfordernissen des Arbeitsmarktes orientieren oder sollte man das wählen, wofür man begabt ist oder was einem Spaß macht? Versuchen Sie, Ihre Meinung mit praktischen Beispielen zu untermauern.
- Was halten Sie von einem Motivationsschreiben und der Angabe von Referenzen? Ist das in Ihrem Land auch üblich?

# Stelle gesucht

## 1 Personalchefs studieren Stellengesuche

a Welcher Arbeitgeber (1 bis 7) wird fündig? Lesen Sie die Stellengesuche (A bis F) und ordnen Sie die passenden Buchstaben zu. Gibt es für einen Arbeitgeber kein passendes Stellengesuch, schreiben Sie „n". AB: B1 ▸

1 Anwaltskanzlei sucht Fremdsprachenkorrespondentin (Englisch, Französisch und eine dritte Sprache) für Festanstellung. [ n ]

2 Sensa & Partner, international agierende Beratungsfirma, sucht Trainees (m/w), Voraussetzung: Bachelor oder Master in Wirtschaftsrecht, sehr gute Englischkenntnisse, Berufseinsteiger willkommen. [ ]

3 Aero AG sucht wegen expandierender Geschäftslage erfahrene/n Mitarbeiter/in in Personalabteilung. Einschlägige Kenntnisse in der Branche erwünscht. [ ]

4 Schweizer Versicherungsunternehmen sucht Jurist/in mit Promotion. [ ]

5 Kreuner & Co. KG, Navigationsgeräte, sucht zur Unterstützung des technischen Verkaufsteams in Werk in Süddeutschland Entwicklungsingenieur (Diplomingenieur, m/w). [ ]

6 Führendes Unternehmen der Automobilindustrie sucht erfahrenen Ingenieur zum Aufbau einer Fabrik in Russland. [ ]

7 „Immo-Hauptstadt" sucht Spezialisten/Spezialistin in Maklerangelegenheiten, der/die neben der fachlichen auch juristische Erfahrung mitbringt. [ ]

**A**

**Mitarbeiter im Management gesucht?**

Untypischer Angestellter, 53, 25-jährige Berufserfahrung in der Luft- und Raumfahrt-industrie, freut sich auf Angebote für eine Stelle im Dienstleistungsbereich, gerne im Aufbau befindlich und mit internat. Bezug.

**C**

**Engpass im Büro?**

Freiberuflich tätige Fremd-sprachenkorrespondentin, Arbeitserfahrung in Irland und Frankreich, schafft schnell und kompetent, diskret und loyal Abhilfe!

**E**

**Junge Rechtsanwältin, Dr. jur.**, Immobilienrecht, versiert im Umgang mit Mandanten und Gerichten sucht Anstellung in Kanzlei in München oder Umgebung. Interessenschwerpunkte: Zivilrecht, Mietrecht, Erbrecht, Steuerrecht, Versicherungsrecht Sprachkenntnisse: Englisch, Französisch, Spanisch

**B**

**Immobilienfachmann**, 49, langjähriger Sachverständiger am Gericht, top motiviert, sucht neuen Tätigkeitsbereich und neue Herausforderung auf hohem Niveau im Raum Berlin. Erfahrung in Hausverwal-tung, Zusatzqualifikation „Geprüfter Immobilien-makler"

**D**

**Aktiver junggebliebener Maschinenbauingenieur (51)** sucht neue Aufgabe im Fahrzeugbau weltweit.

*Profil:* langjähriger Erfahrung in Entwicklungsabteilung eines bekannten Kraftwagen-herstellers in Deutschland und USA

**F**

**Junge Betriebswirtin, Bachelor of Laws (LL.B)**, sehr guter Abschluss, mehrere Praktika in Industrie und Verwaltung, möchte erste „echte" Berufserfahrungen sammeln. Wer gibt mir eine Chance? Auch bezahltes Praktikum möglich. Sprachkenntnisse: Englisch verhandlungssicher, Deutsch und Spanisch muttersprachlich

b Vergleichen und begründen Sie Ihre Zuordnungen im Kurs.

## ② Stellengesuch verfassen – wie geht das?

**a** Lesen Sie, welchen Bedarf die Firma „Fischer Maschinenbau" hat. Analysieren Sie dann in Gruppen die beiden Stellengesuche. Mit welchem Bewerber wird die Firma Kontakt aufnehmen? Begründen Sie Ihre Entscheidung.

Die Firma Fischer Maschinenbau AG ist international engagiert; sie sucht eine/n Informatiker/in mit Masterabschluss und mit umfassenden Fachkenntnissen für ihre Entwicklungsabteilung. Er / Sie sollte zumindest eine gewisse Berufserfahrung haben, über Auslandserfahrung verfügen, Einsatzbereitschaft und Teamgeist zeigen. Verhandlungssicheres Englisch ist unabdingbar, außerdem sind eine oder zwei weitere Fremdsprachen erwünscht.

**A**

**Informatiker**, Master of Science, Absolvent der TU Berlin mit sehr gutem Abschluss, sucht (Teilzeit- / Vollzeit-) Stelle in Industrie, Wirtschaft oder Verwaltung im Bereich Entwicklung von Hard- und Softwaresystemen; auch Tätigkeit in Wissenschaft und Forschung interessant.

Stärken: Flexibilität, Ideenreichtum, Teamgeist und Durchhaltevermögen.

Verwaltungserfahrung durch ehrenamtliche Tätigkeit in der Jugendarbeit, Auslandssemester in USA und Ferienaufenthalte in Frankreich: fließend Englisch und sehr gut Französisch.

Ich würde gern in einem kooperativen Team arbeiten, in dem ich meine Leistungsbereitschaft unter Beweis stellen und mich weiterentwickeln kann.

Angebote bitte unter Chiffre TZ 2389666

**B**

**Informatiker M. Sc. (25)**, Absolvent der RWTH Aachen sucht berufliche Herausforderung (Ganztagsstelle) im IT-Bereich, gern in der Entwicklung von Hard- und Software.

Guter Abschluss, erste Berufserfahrungen (Exchange, SQL, Virenschutz, Firewall, Netzwerke) durch mehrmonatige Auslandspraktika in Frankreich, Kanada und Brasilien.

Hoch motiviert, flexibel, zuverlässig, entscheidungsstark und einsatzbereit, bewährter Teamarbeiter, örtlich ungebunden.

Englisch verhandlungssicher, Französisch sehr gut in Wort und Schrift.

Kontakt: it-angebot@kmx.de

**b** Tauschen Sie Ihre Ergebnisse im Kurs aus.

**c** Lesen Sie die Anzeigen in 2a noch einmal. Welche Punkte sollte ein gutes Stellengesuch beinhalten? Sammeln Sie im Kurs und notieren Sie.

*Beruf oder Ausbildung, ...*

**d** Notieren Sie die Wörter und Wendungen in den Anzeigen in 2a, die Sie für das Verfassen einer Stellenanzeige nützlich finden.

*Absolvent, ...*

**e** Wie formuliert man Stellengesuche in Ihren Ländern? Gibt es Unterschiede: inhaltlich, formal, Sonstiges? Vergleichen Sie.

## ③ Mein persönliches Stellengesuch

Schreiben Sie ein persönliches, fiktives Stellengesuch für die Stelle Ihrer Träume. AB: B2 ➤

- Lesen Sie zur Vorbereitung die Tipps zum Verfassen eines Stellengesuchs im Arbeitsbuch und machen Sie die entsprechenden Übungen.
- Hängen Sie Ihr Gesuch im Kurs auf.
- Lesen Sie dann die anderen Gesuche und versuchen Sie zu erraten, wer welches geschrieben hat.

# Kompetenzen

## 1 Was erfordert die Arbeitswelt von morgen?

a Schauen Sie sich mit einem Partner / einer Partnerin das Schaubild an und ordnen Sie die Definitionen 1 bis 4 den Kompetenzen zu. Welche Kompetenz ist nicht definiert?

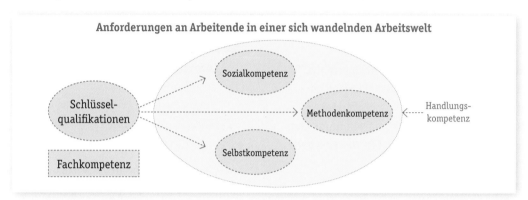

1. Fähigkeit, soziale Beziehungen aufzubauen, zu gestalten und zu erhalten: ...................................

2. Fähigkeit, Strategien und Techniken einsetzen zu können, um Ziele effektiv und umfassend zu erreichen: ...................................

3. Fähigkeit, das eigene Tun zu reflektieren und Motivation und Leistungsbereitschaft zu entfalten: ...................................

4. Fähigkeit, sich sachgerecht, durchdacht und verantwortlich zu verhalten: ...................................

b Finden Sie Beispiele für die im Schaubild genannten Kompetenzen.

## 2 Schlüsselqualifikationen

DSH / TestDaF
LB ② 3

a Hören Sie den ersten Teil eines Vortrags zum Thema „Bedeutung von Schlüsselqualifikationen in der Arbeitswelt" und entscheiden Sie, ob die Aussagen richtig (r) oder falsch (f) sind. AB: C1 ▶

1. Die Komplexität in der Arbeitswelt wird immer größer.　　　　　　　　r　f
2. Es werden in immer kürzeren Abständen neue Produkte entwickelt.　　r　f
3. Der Anteil der Dienstleistungsjobs ist im Handel um 12 % gestiegen.　r　f
4. Wissensmanagement wird in allen Firmen großgeschrieben.　　　　　r　f
5. Auf der Tagung sollen Veränderungen der Ausbildungskonzepte diskutiert werden.　r　f

LB ②
4 – 6

b Tipps zum Notizen-Machen: Bilden Sie drei Gruppen und gehen Sie wie folgt vor.

- Lesen Sie zuerst die Tipps.
- Hören Sie dann den 2. Teil des Vortrags. Dafür wählt jede Gruppe eine der drei Kompetenzen: „Methoden-", „Selbst-" bzw. „Sozialkompetenz".
- Bereiten Sie einen Notizzettel vor, indem sie zunächst nur die wichtigsten Gliederungspunkte zu „Ihrer Kompetenz" notieren.

**Tipps zum Notizen-Machen**

1. Notizzettel vorstrukturieren (s. Beispiele im Arbeitsbuch) und leserlich schreiben.
2. So kurz wie möglich, aber so ausführlich wie nötig formulieren. Raum für nachträgliche Ergänzungen lassen.
3. In eigenen Worten formulieren, dadurch können Sie sich Ihre Gedanken über das Thema besser merken und können später Ihre Notizen noch verstehen.
4. Mit verschiedenen Notiztechniken experimentieren, um die beste(n) zu finden, z. B. Schlagwörter, Mind-Maps.
5. Nicht nur Wörter benutzen: Symbole oder kleine Zeichnungen helfen dem Gehirn, die Informationen besser zu verarbeiten.

c Besprechen Sie dann die Gliederungspunkte in Ihrer Gruppe, korrigieren und / oder ergänzen Sie sie, wenn nötig, und einigen Sie sich auf einen gemeinsamen Notizzettel.

d Vergleichen Sie Ihren Notizzettel aus 2c mit den Beispielen im Arbeitsbuch und korrigieren Sie ihn ggf. AB: C2 ▶

**DSH**
**LB ②**
**4–6**

e  Hören Sie den 2. Teil des Vortrags noch einmal und machen Sie sich Notizen zu „Ihrer" Kompetenz. Besprechen Sie anschließend Ihre Notizen im Kurs und vergleichen Sie sie mit Ihren Ergebnissen von 1a und 1b. `AB: C3–5`

**DSH**

f  Schreiben Sie in Ihrer Gruppe eine Zusammenfassung zu „Ihrer" Kompetenz aus 2b. `AB: C6`

- Hören Sie den 2. Teil des Vortrags noch einmal und ergänzen Sie Ihre Notizen so, dass Sie eine Zusammenfassung der Inhalte schreiben können.
- Vergleichen Sie Ihre Notizen und formulieren Sie gemeinsam eine Zusammenfassung.
- Überlegen Sie sich dann praktische Beispiele aus dem Arbeitsleben, in dem die jeweiligen Fähigkeiten gefragt sind, und fügen Sie sie in die Zusammenfassung ein.
- Wählen Sie jemanden aus der Gruppe aus, der Ihren Text im Kurs vorträgt.

## ③ Personalchefs sagen: „Erzählen Sie doch mal was über sich ..."

a  Lesen Sie den Informationstext und markieren Sie dabei acht Schlüsselwörter bzw. die acht wichtigsten Dinge, die Sie bei der Vorbereitung einer Selbstpräsentation berücksichtigen wollen. Besprechen Sie diese im Kurs.

Eine Selbstpräsentation ist ein Kurzvortrag, der der Vorstellung der eigenen Person dient. Zur guten Vorbereitung auf ein Vorstellungs-gespräch gehört es, einen entsprechenden Kurzvortrag auszuarbei-ten, der in ca. fünf Minuten die wichtigsten Argumente zusammen-fasst, warum Sie die am besten geeignete Person für diese Stelle sind. Die Personalchefs bewerten dabei neben den Inhalten u. a. auch, ob die Vorstellungen des Vortragenden über die zu beset-zende Position realistisch sind, die Körpersprache (Haltung, Gestik, Mimik, Blickkontakt), die Kommunikationsfähigkeit und die Belast-barkeit, d. h., wie sich der Bewerber in der konkreten Stresssituation verhält.

b  Halten Sie eine fünfminütige Selbstpräsentation. `AB: C7`

1. Zunächst bereitet jeder eine eigene Präsentation vor:
   - Stellen Sie sich eine Firma / einen Arbeitsplatz vor, wo Sie gern arbeiten würden. Sie können sich auch auf eine konkrete Anzeige in der Zeitung oder im Internet beziehen.
   - Machen Sie alle wichtigen Angaben zu Ihrer Person: Abschluss, Berufserfahrung, sonstige für die Stelle wichtige Fertigkeiten etc.
   - Verschaffen Sie Ihrer Zuhörergruppe einen Eindruck über Ihre Stärken. Finden Sie dafür aussagekräftige Beispiele.
   - Verdeutlichen Sie mit guten Argumenten, warum Sie sich gerade für diese Stelle interessieren und warum gerade Sie der / die geeignete Bewerber/in sind.
   - Runden Sie Ihren Vortrag mit einem angemessenen Schluss ab.
2. Üben Sie die Selbstpräsentation (vgl. auch Übungen zum Präsentieren in Mittelpunkt neu B2, Lektion 4 und 7).
   - Achten Sie beim Vortrag auch auf Mimik, Gestik, Blickkontakt etc.
3. Bilden Sie Vierergruppen und tragen Sie sich gegenseitig Ihre Präsentationen vor.
   - Die anderen Gruppenmitglieder übernehmen die Rolle der Jury: Ein Gruppenmitglied achtet auf den Inhalt, eins auf die Sprache, ein weiteres auf die Körpersprache.
   - Zuletzt gibt die Jury Rückmeldung: Was war gut? Was hätte man wie besser machen können?

Zunächst möchte ich mich kurz vorstellen: ... | Für die von Ihnen ausgeschriebene Stelle interessiere ich mich vor allem, weil ... | Ich glaube, dass ich für diese Stelle besonders geeignet bin, weil ... | Ich kann mir gut vorstellen, dass ... | Ich bin besonders gut / erfahren in ... | Meine Stärken sind ... | Ich habe viel Erfahrung in ... | ... liegt mir besonders, deshalb ... | Mir fällt ... leicht, daher ... | Abschließend möchte ich noch sagen / hervorheben dass ...

# Vorstellungsgespräch – aber wie?

**1** **Vorbereitung aufs Vorstellungs-gespräch – eine Checkliste**

a    Lesen Sie die Fragen, die Ihnen während des Vorstellungs-gesprächs gestellt werden können, und tauschen Sie sich im Kurs aus. Welche finden Sie leicht, welche eher schwer zu beantworten? Warum? Stellt man solche Fragen auch in Ihrem Heimatland? AB: D1

**Fragen zum Einstieg:**
1. Könnten Sie uns etwas über Ihren bisherigen Werdegang erzählen?
2. Warum haben Sie sich gerade bei uns beworben?

**Fragen zur Familiensituation:**
3. Familienstand, Kinder, Partner berufstätig, ortsgebunden?

**Fragen zur beruflichen Entwicklung:**
4. Welches war bisher die schwierigste Aufgabe, die Sie mit Erfolg bewältigt haben?
5. Wie haben Sie es geschafft, dass diese ein Erfolg wurde?
6. In welchem Tätigkeitsbereich waren Sie am erfolgreichsten?
7. Wo würden Sie bei uns am liebsten arbeiten?
8. Welche Erfahrungen mit Dienstreisen haben Sie?

**Fragen zur Persönlichkeit und zum Arbeitsstil:**
9. Wie verläuft in der Regel Ihr Arbeitstag?
10. Lassen Sie schnell zu erledigende Dinge über das Wochenende liegen oder nehmen Sie auch mal Arbeit mit nach Hause?

11. Wie planen Sie Ihre Zeit?
12. Wie würden Sie mit schwer zu motivierenden Mitarbeitern umgehen?
13. Was tun Sie für Ihre professionelle Fortbildung?
14. Wie ist Ihre Reaktion auf unsachliche Argumente?
15. Was sind Ihre Stärken, was Ihre Schwächen?
16. Warum sollten wir Sie einstellen?
17. Haben Sie eher viele oder eher wenige Bekannte?
18. Wie gestalten Sie Ihre Freizeit?

**Stressfragen:**
19. Was sind die am meisten zu kritisierenden Eigenschaften eines Vorgesetzten?
20. Wie würden Sie mit nicht zu akzeptierenden Verhaltensweisen eines Vorgesetzten umgehen?

**Abschlussfragen:**
21. Was ist Ihnen wichtiger: die Höhe des Gehalts oder die Art der Tätigkeit?
22. Wie sind Ihre Gehaltsvorstellungen?
23. Wären Sie zu Überstunden bereit?
24. Wann könnten Sie die Stelle antreten?
25. Wie hat Ihnen unser Gespräch gefallen?

b    Wählen Sie aus der Checkliste in 1a zehn Fragen aus, die Sie beantworten möchten, und notieren Sie dazu Stichworte. Bedenken Sie dabei, dass bei einem Interview zu allen Bereichen Fragen gestellt werden können. Wählen Sie also klug aus!

c    Spielen Sie nun in Viererugruppen ein Vorstellungsgespräch. Die Redemittel auf der nächsten Seite können helfen. AB: D2–3

- Verteilen Sie vier Rollen: Personalchef/in, Abteilungsleiter/in, Bewerber/in, Beobachter/in.
- Spielen Sie das Interview: Die Interviewenden nutzen die Fragen aus 1a, der Bewerber schaut sich vor dem Spiel noch einmal seine Notizen aus 1b an.
- Natürlich soll es kein Frage-Antwort-Spiel werden. Fragen Sie nach, reagieren Sie auf die Aussagen des Bewerbers und versuchen Sie vielleicht auch, mit zusätzlichen Fragen zu provozieren oder auch zu beruhigen.
- Achten Sie auf Ihre Körpersprache.
- Am Ende des Rollenspiels gibt der Beobachter Feedback: Wie ist das Interview gelaufen? Wie wurde es geführt? Wie hat sich der Bewerber präsentiert? Wie war es sprachlich (auf Seiten der Interviewenden und auf Seiten des Interviewten)?

> **Fragen / Bitten einleiten:** Könnten Sie etwas von / über … erzählen? | Wir würden gern wissen, warum … |
> Wir würden gern etwas über … hören. | Beschreiben Sie uns doch bitte kurz, … | Könnten Sie sich vorstellen, …? |
> Es wäre schön, wenn Sie jetzt …
> **positive Rückmeldung geben:** Natürlich gern. | Das kann ich Ihnen genau sagen. | Ja, das könnte ich mir gut
> vorstellen. | Das ist für mich selbstverständlich.
> **Zeit (zum Nachdenken) gewinnen:** Das ist eine interessante Frage. | Da muss ich kurz überlegen. | Wenn ich mir
> Gedanken über … mache, dann … | Wo ich in fünf Jahren stehen möchte? | Wo ich am erfolgreichsten war? |
> Ob ich Arbeit mit nach Hause nehme?
> **Wichtigkeit hervorheben:** Für mich ist (es) sehr wichtig, … | Das ist mir ein besonderes Anliegen, weil … |
> Besondere Bedeutung hat / Von besonderer Bedeutung ist für mich, … | … hat für mich einen hohen Stellenwert.

## G 3.4.2 ② Sprache im Mittelpunkt: Schwer zu beantwortende Fragen – Das Gerundiv

a Lesen Sie folgende Sätze aus der Checkliste in 1a und kreuzen Sie an, welche zwei Alternativen die Bedeutung der markierten Gerundivform jeweils richtig wiedergeben.

1. Lassen Sie schnell zu erledigende Dinge über das Wochenende liegen?
   - [X] Lassen Sie Dinge, die Sie schnell erledigen müssen, über das Wochenende liegen?
   - [X] Lassen Sie Dinge, die schnell erledigt werden müssen, über das Wochenende liegen?
   - [c] Lassen Sie Dinge, die Sie schnell erledigen möchten, über das Wochenende liegen?

2. Wie würden Sie mit schwer zu motivierenden Mitarbeitern umgehen?
   - [a] Wie würden Sie mit Mitarbeitern, die sich schwer motivieren, umgehen?
   - [b] Wie würden Sie mit Mitarbeitern, die schwer motiviert werden können, umgehen?
   - [c] Wie würden Sie mit Mitarbeitern, die man schwer motivieren kann, umgehen?

3. Was sind die am meisten zu kritisierenden Eigenschaften eines Vorgesetzten?
   - [a] Was sind die Eigenschaften, die man am meisten an einem Vorgesetzten kritisieren muss?
   - [b] Was sind die Eigenschaften, die am meisten an einem Vorgesetzten zu kritisieren sind?
   - [c] Was sind die Eigenschaften, die man am meisten an einem Vorgesetzten kritisiert?

4. Wie würden Sie mit nicht zu akzeptierenden Verhaltensweisen eines Vorgesetzten umgehen?
   - [a] Wie würden Sie mit nicht akzeptierbaren Verhaltensweisen eines Vorgesetzten umgehen?
   - [b] Wie würden Sie mit Verhaltensweisen eines Vorgesetzten, die niemand akzeptiert, umgehen?
   - [c] Wie würden Sie mit Verhaltensweisen eines Vorgesetzten, die Sie nicht akzeptieren können, umgehen?

b Lesen Sie die Sätze in 2a noch einmal. Was fällt auf? Ergänzen Sie die Regeln.

> 1. Das Gerundiv bildet man mit „zu" und dem Partizip _____. Es steht vor einem _____
>    und kann durch Zusätze erweitert werden; das Partizip erhält die jeweils passende Adjektivendung.
> 2. Man verwendet das Gerundiv vor allem in der Schriftsprache, um einen Relativsatz zu verkürzen;
>    es bedeutet, dass man etwas machen soll_____, _____ oder _____.

c Ana-María bereitet sich auf ihr Vorstellungsgespräch vor. Formulieren Sie in den Sätzen 1 bis 3 die Ausdrücke mit Gerundivformen in passende Relativsätze um und verwenden Sie in Satz 4 eine Formulierung mit „-bar". AB: D4–6

1. Sie notiert die zu erwartenden Fragen.
2. Sie bereitet sich mental auf nicht auszuschließende Überraschungen vor.
3. Sie sichtet die noch zu ordnenden Unterlagen.
4. Sie versucht, ihre kaum zu überwindende Nervosität zu bekämpfen.

*1. Sie notiert die Fragen, die man erwarten kann.*

# Endlich eine Stelle!

## 1 Vertrag erst mal überfliegen

Überfliegen Sie den Arbeitsvertrag unten und beantworten Sie die Fragen. AB: E1

1. Wo sind die Aufgaben von Frau Álvarez beschrieben?
2. Wie viel wird sie verdienen?
3. Handelt es sich um einen befristeten oder unbefristeten Arbeitsvertrag?

### Arbeitsvertrag

zwischen der Firma Sensa & Partner GmbH und Frau Ana-María García Álvarez,
wohnhaft Poststraße 108, 21614 Buxtehude, im Folgenden „Angestellte" genannt,
wird vorliegender Arbeitsvertrag geschlossen:

**§ 1 Aufgabengebiet und Zuständigkeit**
(1) Die Angestellte tritt ab 1. Oktober dieses Jahres bei Sensa & Partner ein zweijähriges
Traineeprogramm an.
(2) Das Traineeprogramm folgt dem dem Vertrag beiliegenden Arbeits- und Ablaufplan. Die
Zuständigkeiten ergeben sich aus den darin beschriebenen Aufgabengebieten.

**§ 2 Vergütung**
(1) Die Angestellte erhält ein Jahresbruttogehalt von 42.000 €.
(2) Überstunden, die über die in Paragraph 3 beschriebene Anzahl hinausgehen, können ausgezahlt
oder durch Freizeitausgleich abgegolten werden.

**§ 3 Arbeitszeit**
Die regelmäßige Arbeitszeit beträgt 40 Wochenstunden. Beginn und Ende der täglichen Arbeitszeit
richten sich nach der betrieblichen Einteilung. Zehn Überstunden pro Monat sind in der in
Paragraph 2 vereinbarten Vergütung enthalten.

**§ 4 Nebentätigkeit**
Der Angestellten ist die Übernahme einer den Interessen des Unternehmens zuwiderlaufenden
Tätigkeit untersagt.

**§ 5 Urlaub**
Die Angestellte erhält einen jährlichen Urlaub von 28 Arbeitstagen. Nicht rechtzeitig genommener
Urlaub entfällt mit dem 31. März des Folgejahres.

**§ 6 Krankheit**
Bei Arbeitsunfähigkeit infolge Krankheit oder Unfall wird die jeweils gültige und im Vertrag
festgelegte Vergütung für die Dauer von sechs Wochen weitergewährt.

**§ 7 Beginn und Ende des Arbeitsverhältnisses**
(1) Das Arbeitsverhältnis beginnt am 01.10.2013 und endet am 30.09.2015. Es bedarf keiner
Kündigung.
(2) Die Probezeit beträgt drei Monate; während der Probezeit können beide Vertragspartner das
Anstellungsverhältnis mit einer Kündigungsfrist von zwei Wochen ohne Angabe von Gründen
beenden.
(3) Nach bestandener Probezeit kann das Vertragsverhältnis vorzeitig von beiden Seiten mit einer
Frist von vier Wochen zum Monatsende gekündigt werden.

**§ 8 Schlussbestimmungen**
Änderungen und Ergänzungen dieses Vertrages bedürfen der Schriftform.

Ort/Datum/Unterschrift:                    Ort/Datum/Unterschrift:

.................................................                    .................................................

○ G 3.4.1 **2** # Sprache im Mittelpunkt: Erweiterte Partizipien I und II als Attribut

a Lesen Sie folgende Sätze, markieren Sie im Vertrag in 1 die entsprechenden erweiterten Partizipien und notieren Sie diese.

1. der Arbeits- und Ablaufplan, der dem Vertrag beiliegt

   *der dem Vertrag beiliegende Arbeits- und Ablaufplan*

   ........................................................................................................

2. aus den Aufgabengebieten, die darin beschrieben sind

   ........................................................................................................

3. die Anzahl der Überstunden, die in Paragraph 3 beschrieben ist

   ........................................................................................................

b Schauen Sie sich die Beispiele in 2a an. Was fällt auf? Kreuzen Sie an.

> 1. Mit erweiterten Partizipien I oder II kann man einen Relativsatz
>    a verkürzen.
>    b erklären.
> 2. Das erweiterte Partizip steht zwischen:
>    a dem Nomen, auf das es sich bezieht, und dem Verb.
>    b dem Artikelwort bzw. der Präposition und dem Nomen, auf das es sich bezieht.
> 3. Die Partizipien erhalten Endungen wie
>    a Artikelwörter.
>    b Adjektive.
>    c Nomen.

> **Tipp**
> Weitere Hinweise und Übungen zum Partizip I und II als Attribut finden Sie in Mittelpunkt neu B2, Lek. 10.

c Markieren Sie die restlichen erweiterten Partizipien im Vertrag in 1 und formulieren Sie sie in Relativsätze um. **AB: E2**

*Zehn Überstunden pro Monat sind in der in Paragraph 2 vereinbarten Vergütung enthalten. → Zehn Überstunden pro Monat sind in der Vergütung, die in Paragraph 2 vereinbart ist, enthalten.*

........................................................................................................

**3** # Der erste Arbeitstag und leider krank

○ TestDaF

LB **2**
7–9

a Sie sind Ana-María. Zusammen mit Ihnen hat Marta Gomes aus Portugal eine Stelle bei Sensa & Partner bekommen. Ausgerechnet heute, am ersten Arbeitstag, an dem der Personalchef Ihnen wichtige Richtlinien erklären wird, ist Marta krank geworden. **AB: E3**

- Arbeiten Sie zu viert: Hören Sie die Erklärungen und machen Sie sich Notizen, sodass Sie Marta informieren können.
- Verwenden Sie den Notizzettel im Arbeitsbuch. Bei zwei CD-Spielern macht sich ein Paar Notizen zu a bis d, ein Paar zu e. Bei einem CD-Spieler macht sich ein Paar Notizen zu a und b sowie zu e (1–3), das andere Paar zu c und d sowie zu e (4–6).
- Informieren Sie sich dann gegenseitig und ergänzen Sie die fehlenden Informationen auf dem Notizzettel.

b Erklären Sie einem Partner / einer Partnerin einige Richtlinien und Anweisungen, die Sie von einer Arbeitsstelle in Ihrem Heimatland kennen.

# Eine heiße Mitarbeiterversammlung

## ① Bitte den Aushang lesen!

Stellen Sie Vermutungen zu den Tagesordnungspunkten auf dem Aushang an.

**An alle Mitarbeiterinnen und Mitarbeiter**

Die nächste Mitarbeiterversammlung findet statt
am: Freitag, 11.4.
Beginn: 10:00 Uhr, Ende: 12:30 Uhr
Ort: Großer Besprechungssaal
(Geschäftsführung wird anwesend sein.)

gez. *Schmitt*

**Tagesordnung**

1. Neue Urlaubsregelung
2. Überstunden
3. Frühstückspause
4. Fortbildung
5. Vergütung nach Leistung
6. private Mails
7. Sonstiges

## ② Was steckt dahinter?

a   Lesen Sie, was sich hinter den einzelnen Tagesordnungspunkten verbirgt. Vergleichen Sie das Ergebnis auch mit Ihren Vermutungen in 1.

**Mitteilung der Geschäftsführung an alle Mitarbeiterinnen und Mitarbeiter:**

1. Ab sofort können nur noch maximal 10 Tage Urlaub am Stück genommen werden.
   Die Firma hat sehr viele Aufträge und will im Sinne maximaler Kundenzufriedenheit
   alles schnell erledigen.
2. Überstunden können nur noch „abgefeiert" werden.
3. Die Frühstückspause entfällt ab 1. Mai.
4. Alle erhalten eine Woche Fortbildung pro Jahr. Die Teilnahme ist Pflicht.
5. Die Arbeit wird ab dem nächsten Quartal zu 20 % nach Leistung bezahlt.
   80 % Grundgehalt bleibt.
6. Ab sofort dürfen während der Arbeitszeit keine privaten Mails mehr geschrieben werden.

b   Was spricht für die Maßnahmen der Geschäftsleitung, was dagegen? Überlegen Sie in Gruppen und machen Sie (Gegen-) Vorschläge. AB: F1 ▶

| pro | contra / Vorschläge |
|---|---|
| 1. *Neue Urlaubsregelung: gut, dass Firma so viele Aufträge hat, Kundenzufriedenheit an 1. Stelle.* | 1. *Ausnahmen für ältere Mitarbeiter, für Mitarbeiter, die zuletzt sehr viel Stress hatten bzw. gesundheitlich angeschlagen sind. Rücksicht auf Eltern mit Kindern.* |
| 2. *Überstunden: ...* | 2. *...* |

c   Wie werden die Punkte in 1 in Ihrem Heimatland gehandhabt? Berichten Sie im Kurs.

## ➌ Eine kontroverse Sitzung

a Wählen Sie in Fünfergruppen einen oder zwei Tagesordnungspunkte aus 2a, über den / die Sie diskutieren wollen und bereiten Sie die Sitzung vor.

- Verteilen Sie Rollen:
  1 Moderator / in, 1 betroffener Mitarbeiter / in (z. B. alleinstehende Mutter / alleinstehender Vater mit zwei Kindern / älterer, nicht sehr gesunder Mitarbeiter), 1 Betriebsratsmitglied, 1 Geschäftsführer / in, 1 Beobachter / in
- Überlegen Sie sich für Ihre spezifische Rolle zusätzliche Argumente zu denen aus 2b.

b Spielen Sie dann die Sitzung. Verhandeln Sie hart. Folgende Redemittel können helfen. AB: F2 ▸

---

**Moderation:**

**Begrüßung:** Liebe Kolleginnen, liebe Kollegen, ich begrüße Sie herzlich zu unserer heutigen Sitzung.

**Vorstellung der zu behandelnden Themen:** Wir möchten / werden uns heute mit einigen wichtigen / heiklen Fragen auseinandersetzen / beschäftigen: …

**Vorgehensweise / Verfahrensfragen:** Wer schreibt Protokoll? | Wäre es möglich, es so zu machen, dass …? | Ich darf Sie bitten, die vereinbarte Redezeit von maximal … Minuten einzuhalten / nicht zu überschreiten.

**Stellungnahme:** Möchten Sie direkt dazu Stellung nehmen / darauf antworten? | Wer möchte sich dazu äußern? | Es ist vorgeschlagen worden, dass … | Teilen Sie diese Ansicht?

**nachfragen:** Ich möchte noch einmal nachfragen: Was verstehen Sie unter …? | Sie meinen also, dass …? | Verstehe ich Sie richtig? Sie plädieren für …

**Lenkung des Gesprächsablaufs:** Ich glaube, wir kommen vom Thema ab. | Lassen Sie uns noch einmal auf die Eingangsfrage zurückkommen. | Das sollten wir vielleicht lieber zurückstellen / später noch einmal aufgreifen.

**Einbringen neuer Aspekte / Übergang zur nächsten Frage:** Ich würde jetzt gern auf das Thema … zu sprechen kommen / zu dem zweiten Punkt der Tagesordnung kommen / überleiten. | Dies leitet (direkt) über zu der Frage, wie / ob … | Ich möchte die Anregung von Herrn / Frau … aufgreifen und an alle die Frage richten, …

**Hinweis auf die Zeit:** Wir müssen langsam zum Ende kommen. | Die Zeit drängt. Bitte nur noch je eine Wortmeldung. Wer möchte beginnen?

**Diskussionsergebnis:** Ich darf nun die Ergebnisse der Diskussion kurz zusammenfassen: … | Das Fazit der Diskussion lautet also: … | Wir halten also für das Protokoll fest, dass …

**Verabschiedung:** Hiermit ist unsere Sitzung beendet. Ich bedanke mich bei allen für die konstruktive Beteiligung. Wir sind wieder ein Stück weitergekommen.

---

**Diskutanten:**

**Zwischenfragen stellen:** Eine kurze Zwischenfrage, bitte. | Dürfte ich eine kurze Verständnisfrage stellen? | Ganz kurz: … | Da muss ich kurz einhaken: …

**sich auf Vorredner beziehen:** Wie Herr / Frau … bereits ausgeführt / kommentiert / kritisiert hat … | Ich möchte die Argumente von Herrn / Frau … noch einmal aufnehmen und … | Ich kann mich Herrn / Frau … nur anschließen. | Herr / Frau … hat vorhin / gerade / soeben erwähnt, dass …

**Lösungsvorschläge machen:** Ich finde, wir sollten … | Eine gute Lösung / Ein guter Kompromiss wäre … | Könnten wir uns nicht darauf einigen, …? | Wie wäre es, wenn wir …? | Wäre es nicht besser, wenn wir …? | Was halten Sie davon, wenn … | Wären Sie damit einverstanden, wenn …

---

> **Diskussionen**
> Weitere Redemittel finden Sie in Lektion 3.

c Besprechen Sie in Ihrer Gruppe, wie Sie die Diskussion empfunden haben (inhaltlich / sprachlich). Was könnte man verbessern?

# Neue Welten

## 1 Erfindungen und Entdeckungen

a Welche Erfindungen oder Entdeckungen werden auf den Fotos dargestellt? Sammeln Sie in Gruppen alles, was Sie darüber wissen, und vergleichen Sie Ihre Ergebnisse im Kurs. AB: A1

LB ② 10–15

b Hören Sie Aussagen zu den sechs Erfindungen bzw. Entdeckungen in 1a. Welche Aussage passt zu welchem Foto?

Foto A: Aussage ☐        Foto D: Aussage ☐

Foto B: Aussage ☐        Foto E: Aussage ☐

Foto C: Aussage ☐        Foto F: Aussage ☐

Ⓟ telc / telc H

c Lesen Sie die Sätze A bis H. Hören Sie dann die Aussagen in 1b ein zweites Mal. Entscheiden Sie beim Hören, welcher Satz zu welcher Aussage passt. Zwei Sätze bleiben übrig. AB: A2

☐ A. Es hat lange gedauert, bis es gelang, die Substanz aus der Natur chemisch nachzubauen.

☐ B. Diese Entdeckung faszinierte die damalige Gesellschaft.

☐ C. Diese Erfindung wurde in vielen einzelnen Schritten weiterentwickelt.

☐ D. Diese Erfindung wurde für längere Zeit nicht weiterentwickelt.

☐ E. Diese Erfindung diente dazu, die Naturkräfte zu beherrschen.

☐ F. Diese Erfindung hat das moderne Leben so schnell verändert wie kaum eine andere.

☐ G. Der Patentname dieser Erfindung wurde in Deutschland zum Synonym für das Produkt selbst.

☐ H. Diese Erfindung war keine echte Neuentwicklung, sondern diente der Verbesserung einer schon vorhandenen Technik.

## 2 Entdeckung oder Erfindung?

a   Ergänzen Sie im Lexikonartikel die fehlenden Wörter „Erfindung" und „Entdeckung".

> Die Begriffe [1] *Erfindung* und [2] *Entdeckung* werden vielfach verwechselt, obwohl sie ganz unterschiedliche Dinge bedeuten. Eine [3] _____ betrifft etwas bereits Vorhandenes, das aber bislang unbekannt war. So sprechen wir von der [4] _____ eines Naturgesetzes (z. B. der Schwerkraft), eines Planetoiden, eines chemischen Stoffes, einer Tierart usw.
>
> Eine [5] _____ dagegen betrifft stets etwas, was bisher in dieser Form noch nicht existiert hat. Diese Sache steht jedoch meist mit bereits Bekanntem in einem Zusammenhang, sie tritt in der Regel nicht als etwas völlig Neues auf. Es werden oft an bekannten Dingen Veränderungen vorgenommen, sodass ihre Wirkung qualitativ oder quantitativ verbessert wird. Somit handelt es sich bei jeder erstmaligen Beschreibung sowie Anwendung einer Technik um eine [6] _____ .

b   Entscheiden Sie: „Entdeckung" oder „Erfindung"? Erläutern Sie in Gruppen den Unterschied anhand der Beispiele unten und sammeln Sie weitere Beispiele.

> Auto | Glühbirne | Penicillin | Porzellan | Radio | Radioaktivität | elektrischer Strom

c   Diskutieren Sie die beiden Zitate zum Thema Erfindungen und Entdeckungen. Was meinen die Autoren wohl damit?

> Leute, die sehr viel gelesen haben, machen selten große Entdeckungen.
> *Georg Christoph Lichtenberg (1742 – 1799)*

> Erfinden ist eine weise Antwort auf eine vernünftige Frage.
> *Johann Wolfgang v. Goethe (1749 – 1833)*

## 3 Die wichtigsten Erfindungen

a   Überlegen Sie in Gruppen, welche Erfindungen Sie für die wichtigsten halten, und ergänzen Sie die Liste rechts.

*– Kühlschrank*
*– Konservendose*
*– Wasserleitung*
*– Brille*
*– ...*

ⓟ GI  b   In der Fernsehsendung „Unsere Besten" sollen mehrere sehr wichtige Erfindungen präsentiert werden. Jede Gruppe soll dafür einen Vorschlag machen. Wählen Sie hierfür einen Vorschlag aus der Liste in 3 a aus.

- Vergleichen Sie Ihren eigenen Vorschlag mit denen der Gruppenmitglieder und begründen Sie Ihren Standpunkt.
- Gehen Sie dabei auf die Äußerungen Ihres jeweiligen Gesprächspartners ein.
- Erstellen Sie am Ende des Gesprächs eine gemeinsame Liste mit Vorschlägen.

> **Tipp**
> Die Redemittel in Lektion 1 und 3 und in Mittelpunkt neu B2, Lektion 9 und 12 im Arbeitsbuch helfen Ihnen.

c   Wählen Sie eine Erfindung oder Entdeckung, die Sie interessiert, und verfassen Sie dazu zu zweit einen kleinen Text wie im AB 5, A 2. Korrigieren Sie anschließend gegenseitig Ihre Texte.

## 4 „Stell dir vor, es gäbe kein …"

Spielen Sie das Spiel „Stell dir vor, es gäbe kein …". Nennen Sie einige Erfindungen und Entdeckungen und spekulieren Sie darüber, wie die Welt heute aussehen würde, wenn es diese nicht gäbe.

# Technische (und andere) Umbrüche

**1** **Die Industrialisierung in Deutschland**

DSH **a** Lesen Sie den Fachartikel aus einer Zeitschrift für Geschichte. Ordnen Sie die Überschriften den Abschnitten zu. AB: B1

A. Auf der Suche nach Arbeit: Deutschland zieht um

B. Eine Gesellschaft im Wandel

C. Lokomotive der Industrialisierung: der Eisenbahnbau

D. Erfolge und Schattenseiten

E. Dynamisches England, verschlafenes Deutschland

## Die Industrialisierung in Deutschland

### 1. ..................

Zu Beginn des 19. Jahrhunderts liegt Deutschlands Wirtschaft im Dornröschenschlaf. Die meisten Menschen arbeiten jahraus, jahrein auf dem Feld oder im Stall. Das Handwerk leidet unter starren Zunftschranken, die die Entstehung von Wettbewerb verhindern. Manche Familien versuchen, sich in mühsamer Heimarbeit mit Spinnen oder Weben ihren Unterhalt zu verdienen.

In England hingegen bietet sich ein ganz anderes Bild: Dort treibt die erste industrielle Spinnmaschine, die „Spinning Jenny", die Textilproduktion zu immer neuen Rekorden, Dampfmaschinen helfen bei der Kohleförderung, und mit den englischen Kolonien in Übersee gibt es für die neuartigen Erzeugnisse der Industrie auch genügend Käufer. In Deutschland, einer zersplitterten Nation ohne gemeinsames Staatsgebiet, hingegen kann man sich nicht einmal auf einheitliche Maße, Gewichte oder Währungen einigen. Noch dazu schotten viele Teilstaaten ihre Märkte mit Zöllen gegeneinander ab, sodass sich der Handel kaum lohnt.

In England hatte die Industrialisierung von unten begonnen – als Werk von technischen Tüftlern und wagemutigen Investoren. In Deutschland jedoch wird sie erst gut ein halbes Jahrhundert später von oben angestoßen – oder immerhin begünstigt: Als Folge der Napoleonischen Kriege wird die Zahl der Kleinstaaten in Deutschland geringer, und 1834 können schließlich mit der Gründung des Deutschen Zollvereins Waren zollfrei von einem in den anderen Staat gelangen. Ein Anfang ist gemacht.

### 2. ..................

Der Motor der zersplitterten deutschen Wirtschaft wird eine Industrie, die geradezu dafür geschaffen ist, das Getrennte miteinander zu verbinden: der Eisenbahnbau. Ab den 1830er-Jahren werden im ganzen Land Bahngleise verlegt. Um sie herzustellen, braucht es Eisen, und um Eisen zu Stahl zu verarbeiten, braucht es Kohle: ein Kreislauf, der sich stetig selbst verstärkt und bald eine industrielle Eigendynamik entwickelt. Manchen Regionen nutzt dieses erste deutsche Wirtschaftswunder allerdings mehr als anderen:

Das Ruhrgebiet entwickelt sich schnell zum Zentrum der Kohleförderung und hat mit der Firma Krupp einen wichtigen Stahlproduzenten vor Ort. In Sachsen, wo 1850 schon mehr Menschen in der Industrie und im Handwerk beschäftigt sind als in der Landwirtschaft, profitiert vor allem der Maschinenbau. In Berlin schließlich feiert die Firma Borsig mit ihren Lokomotiven Triumphe. Regionen wie Ostpreußen leben dagegen bis spät ins 19. Jahrhundert fast ausschließlich von der Landwirtschaft und werden auch nur äußerst zögerlich ans Eisenbahnnetz angebunden.

Mitte der 1850er-Jahre kommt der erstarkenden Wirtschaft ein weiterer Faktor zugute: Nach Jahrzehnten der Armut steigt endlich auch die Nachfrage nach Konsumgütern. Die Textilindustrie wächst massiv, Genussmittel wie Tabak und Zucker – letzterer bis vor Kurzem ein Luxusprodukt – finden riesigen Absatz. Denn dank steigender Löhne bekommen selbst die Arbeiter ihr (kleines) Stück vom Kuchen.

**3.** ...........................................................

Noch 30 Jahre zuvor hätte diesen Aufschwung kaum jemand für möglich gehalten. Die Bevöl-
80 kerung wuchs damals zwar rasant – auch, weil Medizin und Hygiene Fortschritte machten. Nur Arbeit gab es nicht. Wirtschaftshistoriker haben errechnet, dass in dieser Zeit 800.000 Arbeits-plätze fehlten, weshalb sie auch von einer Zeit
85 der Armut sprechen. In den 1850ern löst die In-dustrie mit ihrem Hunger nach Arbeitskräften zwar zunächst dieses Problem – schafft aber zu-gleich wieder neue: Denn die gesellschaftlichen Umbrüche, die die Industrialisierung mit sich
90 bringt, sind gewaltig.

**4.** ...........................................................

Für Jahrtausende lebten und starben die meisten Menschen an dem Ort, an dem sie auch gebo-ren waren. Jetzt zieht man der Arbeit hinterher: von Ostpreußen bis ins Ruhrgebiet, von Ober-
95 franken nach Sachsen, von Mecklenburg nach Berlin. Sind Fabriken oder Kohlegruben in der Nähe, können kleine Handelsplätze schnell zu respektablen Städten werden: Gelsenkirchen im Ruhrgebiet etwa wächst von 1871 bis 1910 um
100 das Zehnfache. Berlin steigert sich in dieser Zeit

immerhin von 800.000 auf zwei Millionen Ein-wohner. Und außerdem entstehen im Zuge der Industrialisierung neue Berufsfelder (beispiels-weise Maschinenbau und Elektrotechnik).

**5.** ...........................................................

Am Vorabend des Ersten Weltkriegs hat sich der 105 einstige Spätzünder Deutschland zum Indus-triewunder gewandelt und überholt in manchen Branchen sogar den Pionier Großbritannien. Vor den Schattenseiten der Industrialisierung ver-schließt man allerdings noch die Augen: Stickige 110 Luft und verschmutzte Flüsse werden damals als notwendige Begleiterscheinungen des Aufstiegs hingenommen; ein Bewusstsein für die Grenzen des Wachstums entsteht erst ein Jahrhundert später. Trotzdem: Dass die neue Zeit auch neue 115 Zwänge geschaffen hat – dafür haben viele ein feines Gespür. So schreibt etwa der Philosoph Ludwig Klages 1913: „Die meisten leben nicht, sondern existieren nur mehr: sei es als Sklaven des Berufs, sei es als Sklaven des Geldes, sei es 120 endlich als Sklaven großstädtischen Zerstreu-ungstaumels. In keiner Zeit noch war die Unzu-friedenheit größer und vergiftender."

Kerstin Hilt

🔑 **b** Analysieren Sie den Aufbau des Fachartikels in 1a, indem Sie den Textbauplan ergänzen.

| 1. Abschnitt | *Einführung in Thema „Industrialisierung in Deutschland":* <br> *– historische Rahmenbedingungen* <br> *– Vergleich der (Ausgangs-)Situationen in England und Deutschland* |
|---|---|
| 2. Abschnitt | |
| 3. Abschnitt | |
| 4. Abschnitt | |
| 5. Abschnitt | |

Ⓟ DSH **c** Fassen Sie den Gedankengang des Fachartikels in 1a schriftlich mit eigenen Worten zusammen (ca. 10 Sätze). Orientieren Sie sich dabei an Ihrer Textaufbauanalyse aus 1b. Folgende Redemittel können Ihnen helfen. `AB: B2`

Der Text beschäftigt sich mit … | Der Text stellt dar, wie … | Der Text macht deutlich, dass … | Zunächst wird beschrieben, … | Als Voraussetzung für … wird … genannt. | Im Text wird die These vertreten, dass … | Ein weiterer wichtiger Faktor für … ist … | Es lässt sich beobachten, dass … | Außerdem wird dargelegt, dass … | Dafür wird folgendes Beispiel angeführt: … | Als Beispiel wird angeführt, … | In diesem Kontext wird hervorgehoben, dass … | Abschließend / Im Fazit wird betont, dass …

**d** Lesen Sie noch einmal das Zitat des Philosophen Ludwig Klages am Artikelende. Diskutieren Sie im Kurs, ob die Situationsbeschreibung noch heute zutrifft. Wenn ja, inwieweit? Wenn nein, warum nicht?

# Technik im Alltag

## 1 Das nervt!

**a** Eine repräsentative Umfrage zeigt, was die Deutschen im Umgang mit Technik besonders stört. Welchen Aussagen stimmen Sie zu, welchen nicht? Warum?

| | |
|---|---|
| 1. Bedienungsanleitungen sind unverständlich. | 73% |
| 2. Häufig haben technische Geräte zu viele überflüssige Funktionen. | 56% |
| 3. Bei Problemen sind Kundendienste oft schlecht erreichbar oder nicht kompetent. | 50% |
| 4. Hersteller von Computern, Handys usw. benutzen eine Techniksprache mit zu vielen Fachbegriffen. | 48% |
| 5. Zu viel Elektronik in den Autos führt oft zu Defekten und Pannen. | 30% |
| 6. Autofahrer werden durch Elektronik, wie Einparkhilfen, entmündigt. | 4% |

**b** Lesen Sie die Texte A bis C und notieren Sie, welche Aspekte aus 1a hier genannt werden. AB: C1 ►

### A

#### So stellen sich Techniker das Paradies vor

Pünktlich schaltet der Videowecker „Smartday" die Morgennachrichten ein. Mimiksensoren tasten das Gesicht des technisch zu betreuenden Menschen ab, dem das Aufwachen an diesem Tag besonders schwerfällt. Als die automatisch erhöhte Lautstärke nichts bringt, beginnt das mit dem Wecker elektronisch vernetzte Bettgestell, an der Matratze zu rütteln. Der ärgerlichen Stimme des halb wachen Hausherrn entnimmt die im Wecker integrierte Spracherkennung das Verlangen nach Aufmunterung: Ein virtuelles Wesen auf dem Monitor, ein sogenannter Avatar mit den Gesichtszügen von Mr. Bean, erzählt die neuesten Scherze aus der Comedy-Sendung vom Abend davor, bis die Person für anspruchs-vollere Botschaften bereit ist. Darauf folgt die Durchsage der Termine des Tages. Mit der programmierten Lieblingsbe-leuchtung beginnt der Tag des technisch rundum versorgten Verbrauchers.

### B

#### So stellt sich der durchschnittliche Verbraucher, im Technikerjargon auch DAU oder „dümmster anzunehmender User" genannt, die Hölle vor

Adam D. hat verschlafen. Sein neuer Wecker aus dem „Medium Markt" blinkt beharrlich im Off-Modus (00:00 Uhr), nachdem der „Easy touch"-Programmierversuch gescheitert ist. Die „Service-Hotline" war besetzt, die 100-seitige Be-dienungsanleitung war völlig unverständlich. Eilig und schlecht gelaunt macht sich Adam D. auf den Weg zur Arbeit. Als sein Auto nicht anspringt, meldet sich eine elektronische Stimme: „ Herzlich willkommen, bitte führen Sie zu Ihrer eigenen Sicherheit einen Alkohol-Test durch. Pusten Sie dazu auf den Sensor Ihrer Zündschlüsselkarte." Getrunken hat Adam D. nichts, aber seine neue Zahnpasta interpretiert das Messgerät offenbar als riskant. Er steigt aus, bittet sei-ne Nachbarin um eine Atemspende für den Chip und fährt endlich los. Unterwegs will er einem Ölfleck auf der Straße ausweichen und überquert dabei kurz die Mittellinie. Der Sensor seines Autos deutet so etwas als Zeichen von Fahrer-ermüdung und setzt sofort den Aufweck-Alarm in Gang. Vor Schreck landet Adam D. im Straßengraben.

### C

#### Die Verbraucher: Manche fühlen sich der Hölle näher als dem Paradies

Diese Szenarios sind konkret in Planung, und einige Details davon haben sich bereits als Quellen von Frust und Fehlern in unser Leben geschlichen. Dass manch einer nicht weiß, wie er die Funktionen seiner Handys, Videorecorder und Digitalkameras abrufen soll, ist noch das geringste Problem. Fehler in der Fahrzeugelektro-nik kommen am häufigsten vor – solche Defekte sind nicht selten die Ursache von Autopannen. Und sogar jedes dritte Bürocomputersystem wird von den Angestellten als untauglich abgelehnt. Derartige Systeme wirken sich zudem auf den Krankenstand in Unternehmen aus: Bei ihrer Einführung steigt der Krankenstand um 300 %. Viele sind verunsichert. Allerdings beschwert sich fast keiner bei den Herstellern – denn alle haben Angst, sich als „technische Versager" zu blamieren.

**c** Was ist der Unterschied zwischen den Texten A bzw. B und dem Text C? AB: C2 ►

## G 7.1, 7.2 ② Sprache im Mittelpunkt: Indefinitartikel und Indefinitpronomen

a  Markieren Sie im Text C in 1b alle Wörter, mit denen eine unbestimmte Anzahl bezeichnet wird – die sogenannten Indefinitartikel und Indefinitpronomen.

b  Lesen Sie die Sätze aus dem Text C in 1b und kreuzen Sie an, ob die Indefinitwörter hier als Artikel (A) oder als Pronomen (P) verwendet werden.

1. Manche Verbraucher fühlen sich der Hölle näher als dem Paradies.　　　　　　　　Ⓐ Ⓟ
2. Einige Details davon haben sich bereits als Quellen von Frust und Fehlern in unser Leben geschlichen.　Ⓐ Ⓟ
3. Manch einer weiß nicht, wie er die Funktionen seiner Handys und Digitalkameras abrufen soll.　Ⓐ Ⓟ
4. Viele sind verunsichert.　　　　　　　　　　　　　　　　　　　　　　　　　　　Ⓐ Ⓟ
5. Allerdings beschwert sich fast keiner bei den Herstellern.　　　　　　　　　　　　Ⓐ Ⓟ
6. Denn alle haben Angst, sich als „technische Versager" zu blamieren.　　　　　　　Ⓐ Ⓟ

c  Lesen Sie die Sätze in 2b noch einmal. Was fällt auf? Ergänzen Sie die Regeln. [AB: C3]

> 1. Indefinitartikel wie „kein-", „manch-", „einig-" oder „alle" stehen vor einem ............................ .
>    Diese Wörter können aber auch als ............................ verwendet werden.
> 2. Die Deklinationsendungen eines Indefinitpronomens stimmen überein mit den Endungen, die das Wort als Artikel hat. Ausnahmen sind „ein-", „kein": im Nominativ Maskulinum Singular hat es die Signalendung „............" und im Nominativ / Akkusativ Neutrum Singular hat es die Signalendung „-s".

## G 7.3 ③ Sprache im Mittelpunkt: Demonstrativartikel und Demonstrativpronomen

a  Was bedeuten die markierten Wörter in den Texten B und C in 1b und wie lassen Sie sich ersetzen?

1. Der Sensor seines Autos deutet so etwas als Zeichen von Fahrerermüdung.
2. Solche Defekte sind nicht selten die Ursache von Autopannen.
3. Derartige Systeme wirken sich zudem auf den Krankenstand in Unternehmen aus.

b  Lesen Sie die Sätze in 3a noch einmal. Was fällt auf? Ergänzen Sie die Regeln. [AB: C4]

> 1. „solch ein-", „ein- solch-" bzw. „solch-" und „ein- derartig-" bzw. „derartig-" werden vor allem in formellen Texten verwendet und können dort den Demonstrativartikel bzw. das Demonstrativpronomen „............................" ersetzen, wenn die Sache oder Person, auf die hingewiesen wird, vorher genauer beschrieben wurde. Für einen abwechslungsreichen Stil können Sie diese hinweisenden Formen variieren.
> 2. „............................" hat die gleiche Bedeutung, bezieht sich aber auf den gesamten davor genannten Satz.

c  Welche Varianten passen zu welchem Satz? Ordnen Sie zu. [AB: C5]

> dies- | solche | ein- solch- | solch ein- | ein- derartig- | derartige | so etwas

1. Die Verbraucher sagen den Herstellern zu selten, was sie stört – *solche / derartige* ............................ Rückmeldungen wären aber wichtig für die Techniker.
2. Viele Verbraucher zweifeln bei Technikproblemen zuerst an sich. ............................ Beobachtungen kann man oft machen.
3. Der Autor sieht die Verbraucher als Opfer der Technik. ............................ Sichtweise ist ungewöhnlich.
4. Manche Techniker träumen davon, Häuser komplett zu automatisieren. ............................ schreckt jedoch viele Verbraucher ab.

# Roboterwelten

### 1 Künstliche Intelligenz (KI)

a   Tauschen Sie sich in Gruppen über folgende Fragen aus.

- Was könnte „Künstliche Intelligenz" bedeuten?
- Haben Sie schon etwas über „Künstliche Intelligenz" gehört oder gelesen? Wenn ja, was? Berichten Sie.

ⓟ DSH  b   Lesen Sie den Bericht über die Ziele der KI-Forschung aus der Wochenendbeilage einer Tageszeitung und beantworten Sie die Fragen in Stichworten.  AB: D1 ▶

1. Worin zeigt sich Intelligenz bei einem Lebewesen?
2. Was für Roboter will man langfristig entwickeln?
3. Was bedeutet die Aussage, dass man künftig den Menschen in den Mittelpunkt der Informationstechnik stellen soll?
4. Was versteht man unter einem One-Button-Computer?
5. Was ist die technische Voraussetzung für intelligente Maschinen?

## ■ ■ ■ KI-Forschung will Informationstechnik vereinfachen ■ ■ ■

Die Ergebnisse der Forschung auf dem Gebiet der Künstlichen Intelligenz (KI) sind nicht immer leicht als solche zu erkennen. „Wenn Künstliche Intelligenz schließlich funktioniert, dann wird es nicht mehr KI genannt,
5 sondern Informatik, weil wir es dann verstehen", fasst Wilfried Brauer, Professor an der Technischen Universität München, ein Paradoxon des Forschungsgebietes zusammen. Heute begegnen uns überall Systeme, in denen KI steckt: Spracherkennung im Laptop, telefoni-
10 sche Reservierungssysteme für Kino- und Bahntickets, Medizintechnik oder Haushaltsroboter. Bei einem Lebewesen zeige sich Intelligenz darin, wie gut es sich in einer unbekannten Umwelt zurechtfinde, wie es auf unerwartete Situationen reagiere, beschreibt Profes-
15 sor Hans-Dieter Burkhard von der Berliner Humboldt-Universität das Forschungsfeld. „Fußball ist in gewisser Weise so eine unbekannte Umwelt, da man nie genau weiß, was der Gegner als Nächstes macht." Das Fernziel der Wissenschaftler ist es, Roboter zu erschaffen, die
20 mit Menschen zusammen agieren können. Man denkt dabei gar nicht an eine Maschine, die ein Problem besser lösen soll, sondern modelliert in der Maschine Verfahren, die für Menschen typisch sind, wenn sie Probleme lösen. „Technologien, die sich im Versuchsfeld Fußball
25 bewähren, haben gute Aussichten, auch in anderen Gebieten wie Haushalt, Büro oder Fabrik eine gute Figur zu machen", sagt auch Ubbo Visser, Professor an der University of Miami.
Für Professor Wolfgang Wahlster vom Deutschen For-
30 schungszentrum für Künstliche Intelligenz (DFKI) in Saarbrücken steht der Begriff der „Usability" (Brauchbarkeit, Verwendbarkeit) im Fokus der KI-Forschung. „Wir kommen in der Informationstechnik bei Massenanwendungen nicht weiter, wenn wir nicht den Menschen
35 in den Mittelpunkt der künftigen IT stellen. Im PC-, Notebook- oder Smartphone-Markt geht es heute vor allem um bequeme Bedienbarkeit." In Japan, so Wahlster, spreche man bereits vom „One-Button-Computer": „Ein und aus, alles andere geschieht über Sprache, Mi-
40 mik und Gestik, für die man kein Handbuch studieren muss."
Roboter, die uns in tiefsinnige Gespräche verwickeln, sind zwar noch Science-Fiction. Aber in Call-Centern, Behörden oder Krankenhäusern kommt Spracherken-
45 nungstechnologie längst zum Einsatz. Und Smartphones zum Beispiel können inzwischen auf sprachliche Anweisungen hin Termine verwalten, Musik anmachen und mit einem interagieren. „In den nächsten Jahren werden Sprachdialogsysteme immer weiter an
50 Bedeutung gewinnen", sagt Wahlster. Das Ziel aus den Anfangstagen der Disziplin vor 50 Jahren, künstliche Intelligenzen im Rechner zu erschaffen, ist somit heute konkreten anwendungsorientierten Fragestellungen gewichen: KI-Systeme sollen mit menschenfreundli-
55 chen Dienstleistungen den Alltag unterstützen. Aus Sicht vieler Forscher können intelligente Maschinen jedoch nur dann entstehen, wenn es der KI-Forschung gelingt, sensorische Systeme zu entwickeln, die erstmals das Lernen aus Erfahrung ermöglichen. Und bis dahin
60 ist es noch ein weiter Weg.

## 2 Haushaltsroboter

**a** Lesen Sie die Fragen in 2b und unterstreichen Sie die Wörter, die am wichtigsten sind, um die jeweilige Frage zu beantworten.

**P** DSH /
TestDaF

LB ②
16 – 17

**b** Hören Sie eine Radioreportage über Haushaltsroboter und notieren Sie Stichworte zu folgenden Fragen. AB: D2

1. Seit wann gibt es Haushaltsroboter?
2. Welche Faktoren machen laut Herrn Hägele die Saugroboter in der Entwicklung teuer? (3 Infos)
3. Welche Marktstrategie verfolgt der Marktführer von Robotersaugern? (2 Infos)
4. Was können die Haushaltsroboter der neuen Generation? (4 Infos)
5. Wie weit ist der praktische Einsatz von Robotern als Alltagsassistent heute gekommen?
6. Welche Bedenken hat Professor Dillmann gegenüber dem Einsatz von „denkenden" Robotern? (2 Infos)
7. Welche Probleme muss die zukünftige Roboterforschung noch lösen? (2 Infos)

*1. seit Mitte der 90er-Jahre auf dem Markt*

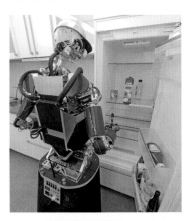 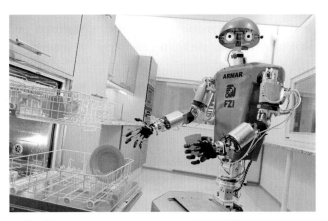

## 3 Referat: „Moderne Roboterwelten"

**a** Erarbeiten Sie mit einem Partner / einer Partnerin ein Referat zum Thema „Moderne Roboterwelten". Orientieren Sie sich dazu an Ihren Notizen in 1b sowie in 2b. Gehen Sie dabei auf die unten stehenden Aspekte ein und überlegen Sie sich eine sinnvolle Gliederung. Das Gliederungsmodell im Arbeitsbuch kann Ihnen dabei helfen. AB: D3a–c

**Wichtige Aspekte:**
- Was können Roboter heute?
- Künstliche Intelligenz
- Zukunftsplanung
- Stellungnahme
- Technische Voraussetzungen

… lassen sich einsetzen in … | … beherrschen folgende Aufgaben: … | Probleme gibt es bei … | Noch nicht zufriedenstellend ist … |
Unter … versteht man … |
Für die Zukunft plant man … | An folgende Einsatzfelder ist gedacht: … |
Von Vorteil wäre hierbei … | Für die Verbreitung wäre (es) hilfreich, wenn … | Größere Akzeptanz ließe sich erreichen, wenn … | Notwendig ist … |
Dies erfordert / setzt voraus, dass … | Folgendes Problem muss dafür noch gelöst werden: …

**b** Schließen Sie sich zu Sechsergruppen aus jeweils drei Paaren zusammen und tragen Sie sich gegenseitig Ihre Referate vor. Gehen Sie dabei auch auf die Fragen der anderen ein. Redemittel dazu finden Sie im Arbeitsbuch. AB: D3d–e

**c** Besprechen Sie im Anschluss, was gut war bzw. was man verbessern könnte. Wählen Sie eins der drei Referate aus und tragen Sie es im Kurs vor.

# Neue Medizin – neuer Mensch?

## ① Hoffnungen und Versprechen

Besprechen Sie in Gruppen folgende Fragen. `AB: E1a`

- Was erwarten und erhoffen sich Menschen von der Medizin?
- Welche Versprechungen der Medizin sind Ihnen bekannt?

## ② Medizinische Hoffnungsträger, ethische Stolpersteine

a Klären Sie in Gruppen folgenden Wortschatz. Benutzen Sie ggf. ein Lexikon.

> Embryo | adult | Zelle | Eizelle |
> Schutzanspruch | Schutzwürdigkeit

b Lesen Sie folgende Abschnitte aus einem Kommentar zur Stammzellenforschung und bringen Sie sie in die richtige Reihenfolge. Markieren Sie dabei alle Wörter, die für die Verknüpfung der Abschnitte sorgen. `AB: E1b–d`

☐ Demgegenüber können die Stammzellen eines Embryos wesentlich mehr: Aus einer befruchteten Eizelle kann schließlich noch ein ganzer Mensch wachsen. Diese sehr frühen Stammzellen können noch alles. Auch bei einem drei Tage alten Embryo sind die Zellen noch kaum spezialisiert, aus ihnen kann noch jede der rund 210 Zellarten eines Menschen werden. Ihr Vorteil: Man kann sie im Labor halten.

☐ Für die forschende Medizin sind diese embryonalen Stammzellen deshalb besonders interessant. Außerdem erwartet man von ihnen Antworten auf viele offene Fragen, z.B. wann und wie sie sich auf einen Zelltyp spezialisieren und wie man das steuern kann. Von den embryonalen Stammzellen erhofft man sich die Möglichkeit, verschiedene Krankheiten – wie Parkinson, Diabetes oder Krankheiten des Herz-Kreislaufsystems etc. – effektiver behandeln zu können. Doch ihr Einsatz in der Praxis ist noch recht begrenzt.

☐ 1  Stammzellen? – Was versteht man darunter, was erhofft man sich von ihnen, welche Bedenken gibt es? Die meisten Zellen in unserem Körper sind Spezialisten. So bauen Leberzellen Alkohol ab, Blutkörperchen transportieren Sauerstoff und Muskeln verrichten Arbeit. Diese Zellen können sich untereinander nicht vertreten, ihre Funktionen sind festgelegt.

☐ Wie erklärt sich das? Das Thema „Stammzellenforschung" ist nämlich nicht nur eine Frage der medizinischen Machbarkeit, sondern es wirft auch grundlegende ethische Fragen auf. Denn im Mittelpunkt der Diskussion steht die Frage, inwieweit menschliche Embryonen geschützt sind. Gestattet es dieser Schutzanspruch, Embryonen zur Gewinnung von Stammzellen einzusetzen? Bei dieser Frage gibt es zwei unterschiedliche Grundpositionen:

☐ Die Unterschiedlichkeit der nationalen und internationalen Regelungen zur Forschung mit humanen embryonalen Stammzellen spiegelt diesen Grundkonflikt. Der europäische Gerichtshof hat zwar die Patentierung solcher Zellen verboten, nicht aber ihre Gewinnung. In Deutschland gibt es eine umstrittene Kompromissregelung: Der Import solcher Zellen ist mit Einschränkungen erlaubt, die Gewinnung jedoch nicht.

☐ Letztere haben etwa zwanzig verschiedene Stammzelltypen. Man nennt sie „adult", sie sind organspezifisch und werden gebraucht, wenn Reparaturen nötig sind, etwa in der Leber. Sie decken aber auch den Bedarf kurzlebiger Zellen. So bilden Stammzellen im Knochenmark z.B. immer frische Blutbestandteile.

☐ 2  Stammzellen hingegen haben keine solche feste Funktion. Sie können sich aber teilen und vermehren. Sie sind die Mütter der Spezialisten und einzig dafür da, den Nachschub dieser Zellen zu sichern. Bei den Stammzellen unterscheidet man zwischen Stammzellen von Embryos und denen von Erwachsenen.

☐ Die erste Grundposition spricht dem Embryo von Beginn an dieselbe Schutzwürdigkeit zu wie dem geborenen Menschen. Vertreter dieser Position sagen, der Embryo besitze von Anfang an das Potenzial, zur Person zu werden. Ein Embryo darf folglich niemals für fremde Zwecke, so hochrangig sie auch sein mögen, instrumentalisiert werden.

☐ Aktuelle Forschungsergebnisse könnten jedoch einen Ausweg aus diesen Widersprüchen bieten: Wissenschaftlern ist es nämlich gelungen, Hautzellen in Stammzellen „zurückzuprogrammieren". Damit haben sie möglicherweise einen Weg gefunden, die in der Medizin so begehrten, aber ethisch umstrittenen embryonalen Stammzellen zu ersetzen.

☐ Gemäß der zweiten Position kommt dem Embryo erst mit dem Erreichen einer bestimmten Entwicklungsstufe die gleiche Schutzwürdigkeit wie dem geborenen Menschen zu. Von Vertretern dieser Position wird die Forschung mit Embryonen moralisch nicht ausgeschlossen, solange diese nicht in der Gebärmutter eingenistet sind – besonders wenn es um die Heilung bisher unheilbarer Krankheiten geht.

Ⓟ DSH c Welche Positionen zum Einsatz embryonaler Stammzellen werden im Kommentar in 2b genannt und wie begründen ihre Vertreter ihre Meinung? Welche Haltung vertreten Sie? Warum?

○ G 2,1–2,4 ③ **Sprache im Mittelpunkt: Textkohärenz**

a Ordnen Sie die Wörter, die Sie im Kommentar in 2b markiert haben, in die Tabelle ein. (Sie können bei diesem Arbeitsschritt noch nicht alle Tabellenspalten füllen.)

| Konjunktionen | Verbindungsadverbien | zweiteilige Konnektoren | Nebensatzkonnektoren |
|---|---|---|---|
| | *hingegen,* | | |
| **Aufzählungen** | **Demonstrativpronomen / -artikel** | **Personalpronomen Possessivpronomen / -artikel** | **Präpositionaladverbien** |
| | *solche,* | | |

b Lesen Sie den Kommentar in 2b noch einmal. Markieren Sie dabei alle weiteren Wörter, die für die Verknüpfung der Sätze sorgen und ordnen Sie sie in die Tabelle in 3a ein. `AB: E2a`

c Sehen Sie sich noch einmal die Tabelle in 3a an und ergänzen Sie die Regeln.

> 1. Konjunktionen, Nebensatzkonnektoren, zweiteilige Konnektoren und ............................ zeigen den logischen Zusammenhang zwischen den Gedanken.
> 2. Für weitere Textkohärenz sorgen auch Demonstrativ-, Personal-, Possessivpronomen, einige Artikelwörter und Präpositionaladverbien: Sie beziehen sich auf Dinge, die ............................ gesagt wurden oder verweisen voraus.

d Formulieren Sie die Sätze neu, indem Sie passende Kohärenzmittel aus der Tabelle in 3a verwenden. Vergleichen Sie im Anschluss Ihre Lösungen. `AB: E2b–d`

1. In der Bundesrepublik gibt es eine Kompromissregelung zum Stammzellengebrauch. Diese Regelung ist unter Wissenschaftlern umstritten.
2. Embryonale Stammzellen können sich noch unterschiedlich spezialisieren. Die embryonalen Stammzellen sind ein vielversprechender Forschungsansatz.
3. Für manche Stammzellenforscher hat das Heilen absoluten Vorrang. Für andere Stammzellenforscher ist der Aspekt der Schutzwürdigkeit von Embryonen wichtig.
4. Embryonale Stammzellen können sich zu unterschiedlichen Zelltypen entwickeln. Embryonale Stammzellen können einen vollständigen bzw. eigenständigen Organismus bilden.
5. Es gibt Hinweise, dass embryonale Stammzellen beim therapeutischen Einsatz zu genetischen Defekten neigen. Dass embryonale Stammzellen beim therapeutischen Einsatz zu genetischen Defekten neigen, ist für die Anwendung ein Risiko.

*1. In der Bundesrepublik gibt es eine Kompromissregelung zum Stammzellengebrauch. Diese ist unter Wissenschaftlern jedoch umstritten.*

# Ideen für die Zukunft

## 1 Wozu soll das gut sein?

Was ist auf den Fotos oben abgebildet? Wozu dienen wohl diese Erfindungen von Studenten? Tauschen Sie sich in Gruppen aus.

## 2 Studenten als Erfinder

**a** Lesen Sie den Bericht aus dem Tagesspiegel und entscheiden Sie bei jeder Antwort zwischen „stimmt mit dem Text überein" (j), stimmt nicht mit Text überein" (n) und „Text gibt darüber keine Auskunft" (?). AB: F1

1. Der Schwerpunkt an der Erfinder-Akademie liegt auf dem Design-Studium.  [j] [n] [?]
2. Das Studium an der Erfinder-Akademie ist vollkommen praxisorientiert.  [j] [n] [?]
3. Die Studenten werden gezielt aus unterschiedlichen Bereichen ausgewählt, damit sie sich gegenseitig inspirieren können.  [j] [n] [?]
4. Ein Einzelner kann nicht so kreativ sein wie eine Gruppe.  [j] [n] [?]
5. Das Studium wird vom Hasso-Plattner-Institut (HPI) finanziert.  [j] [n] [?]
6. Nach Abschluss des Studiums gründen die Studenten in der Regel eigene Firmen.  [j] [n] [?]

### Erfinder-Akademie – die Potsdamer „HPI School of Design Thinking"

Ein Student mit Lockenkopf hat sich einen improvisierten Döner-Kebab-Spieß vor den Bauch geschnallt: eine Schaumstoffmatratze, die er um einen Besenstiel gewickelt hat. „Knoblauch?
5 Kräuter? Scharf?", mimt er mit breitem Grinsen einen Kebab-Verkäufer. Das Fladenbrot ist aus WC-Papier, Salat und Zwiebeln sind bunte Papierschnipsel, und ein Stück Gartenschlauch hat er zum Saucenspender umfunktioniert.
10 Ulrich Weinberg, der Leiter der Erfinder-Akademie, lacht und hebt den rechten Daumen. „Jeden Vormittag machen die Studierenden in kleinen Gruppen erst einmal Aufwärmübungen. Sie bekommen exakt 60 Minuten Zeit, um
15 eine Idee zu entwickeln. Die Vorgabe für das Team, das gerade den „Walking Döner" erfunden hat, lautete „Fast Food neu denken".

„Was wir anbieten, ist keine Design-Ausbildung, sondern ein Innovations-Studiengang", stellt Weinberg klar. Die Absolventen sollen in 20 unterschiedlichen Bereichen Impulse setzen: in der Privatwirtschaft, in Wissenschaft, Verwaltung, Bildung. Vor fünf Jahren wurde die Erfinder-Akademie ins Leben gerufen. Sie ist ans Hasso-Plattner-Institut (HPI) der Universi- 25 tät Potsdam angegliedert, eine Kaderschmiede für Software-Ingenieure. Die Ausbildung dauert nur ein bis zwei Semester. Vorlesungen und Seminare gibt es keine. Jede Lehrveranstaltung hat Praxisbezug. Rund 300 Studierende aus 17 30 Ländern haben sich im vergangenen Jahr um die 80 Plätze beworben. Aufgenommen wurden angehende Ingenieure, Designer, Naturwissenschaftler, Ökonomen, Grafiker, Musiker und Sozialwissenschaftler – denn Ulrich Weinberg 35 ist überzeugt, dass sich unterschiedlichen Zugänge beim „Design Thinking" gegenseitig befruchten.

Die „Klassenzimmer" der Teams sind nur durch
40 Stellwände getrennt. Mit Filzstift kritzeln die
Studierenden Stichworte an diese „Tafeln", fertigen Skizzen an, kleben gelbe Zettel und allerlei
Krimskrams fest. Taubenfedern etwa oder Fotos
von Politikern. Auf den Arbeitstischen herrscht
45 kreatives Chaos: Silberfolie, Klebstoff, Wasser-
gläser, Laptops, benutzte Kaffeetassen, Messer,
Schaumgummi, Seide. Die Studenten sollen ihre
Ideen praktisch umsetzen und Prototypen bau-
en – wie den mobilen Dönerspieß aus Besenstiel
50 und Schaumstoffmatratze.
Die Gruppe zählt an der Erfinder-Akademie
mehr als der Einzelne „Nichts gegen Leute wie
Leonardo da Vinci", sagt Weinberg. „Aber kleine
Teams von vier bis sechs Personen eignen sich
55 besonders gut, wenn es darum geht, kreativ zu
sein." In der Regel sind es vier Studierende und
ein bis zwei Trainer, die zusammenarbeiten.
„Für viele Anfänger ist das eine Umstellung",
räumt Weinberg ein. „Das gesamte Bildungssys-
60 tem fördert das Einzelkämpfertum. Manche unserer Studenten brauchen das erste Semester
daher vor allem zur Resozialisierung."

Das Studium ist unentgeltlich. Partnerfirmen,
die mit einem Forschungs- oder Entwicklungs-
auftrag an das Institut herantreten, bezahlen da- 65
für. Mehrfach haben Unternehmen aus solchen
Kooperationen Gewinn gezogen: Für die deutsche Supermarktkette REWE hat ein Team un-
längst ein Homeshopping-Konzept erarbeitet,
das – leicht modifiziert – umgesetzt wurde. Für 70
eine Staubsaugerfirma wurde ein Gerät mit Was-
serfiltern konzipiert, das sich selbst reinigt. Und
auch die Sicherheitskontrollen an Flughäfen
könnten dank der Erfinder-Akademie angeneh-
mer werden. Ein Team schlug vor, dass am 75
Check-in-Schalter jeder Kunde eine Art Klapp-
stuhl mit Rädern ausgehändigt bekommt. Das
Rollwägelchen hat eine Schublade für Wertsa-
chen, ein Fach für Handtasche und Laptop. Ein
Kleiderbügel für Jacke oder Mantel ist ebenfalls 80
integriert. Jeder könnte in Ruhe seine Sieben-
sachen verstauen und den Trolley hinter sich
herziehend durch die Sicherheitsschleuse spa-
zieren. Ehemalige Mitglieder dieser Arbeitsgrup-
pe haben bereits ein Start-up-Unternehmen ge- 85
gründet, um die Idee zur Marktreife zu bringen.

Till Hein

b   Was halten Sie von der Idee der Erfinder-Akademie? Würden Sie dort gern studieren? Warum / Warum nicht?

## 3 Eigene Erfindungen

a   Sie sind Teilnehmer eines Projekts für zukunftsweisende Ideen. Entwickeln Sie in Gruppen eine eigene Erfindung.

• Überlegen Sie sich, was Sie im Alltag ärgert und was Sie gern verbessern würden.
• Einigen Sie sich auf ein Problem und überlegen Sie, wie man es technisch lösen könnte.
• Überlegen Sie, wer die Erfindung gebrauchen kann und wie sie eingesetzt werden kann.
• Machen Sie sich darüber Gedanken, wie man die Erfindung herstellen kann, und zeichnen Sie eine Skizze.

b   Präsentieren Sie Ihre Erfindung im Kurs.

c   Besprechen Sie anschließend die Erfindungen im Kurs,
gehen Sie dabei auf folgende Punkte ein. AB: F2 ▶

**Präsentieren**

Tipps und Redemittel für Produkt-
präsentationen finden Sie in
Mittelpunkt neu B2, Lektion 4.

• Ist die Erfindung hilfreich? Welche Vorteile bringt sie?
• Wie würde diese Erfindung unsere Alltagswelt verändern?
• Stehen Aufwand und Kosten für die Herstellung bzw. den Kauf im Verhältnis zum Nutzen?
• Vielleicht haben Sie Ideen, was man wie verbessern könnte. Machen Sie Vorschläge.

Man könnte … verbessern, indem … | Als Material würde ich eher … nehmen. | Warum haben Sie / habt
ihr … so aufgebaut? | Könnte man nicht stattdessen …? | Wie wäre es, wenn Sie / du … statt … nehmen
würden / würdest? | Bei der Konstruktion sollten Sie / solltest du noch … berücksichtigen. | Es wäre
bequemer / einfacher, … herzustellen / zu benutzen, wenn … | Vorteilhaft / Von Vorteil wäre …

d   Tauschen Sie sich über alle Erfindungen im Kurs aus und wählen Sie die beste.

# Von innen und außen – Deutschland im Blick

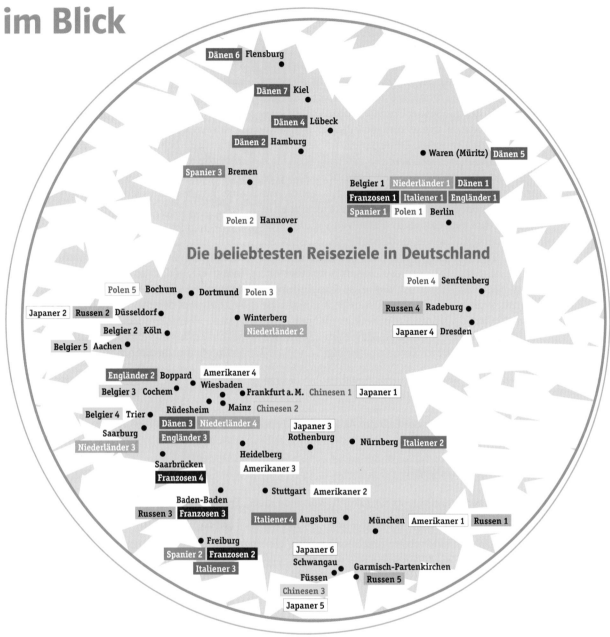

Die beliebtesten Reiseziele in Deutschland

Dänen 6 Flensburg
Dänen 7 Kiel
Dänen 4 Lübeck
Dänen 2 Hamburg
Waren (Müritz) Dänen 5
Spanier 3 Bremen
Belgier 1 Niederländer 1 Dänen 1
Franzosen 1 Italiener 1 Engländer 1
Spanier 1 Polen 1 Berlin
Polen 2 Hannover

Polen 5 Bochum • Dortmund Polen 3
Polen 4 Senftenberg
Japaner 2 Russen 2 Düsseldorf
Russen 4 Radeburg •
Winterberg
Niederländer 2
Japaner 4 Dresden
Belgier 2 Köln
Belgier 5 Aachen

Engländer 2 Boppard Amerikaner 4
Wiesbaden
Belgier 3 Cochem Frankfurt a. M. Chinesen 1 Japaner 1
Mainz Chinesen 2
Belgier 4 Trier Rüdesheim
Saarburg Dänen 3 Niederländer 4
Niederländer 3 Engländer 3
Japaner 3
Rothenburg Nürnberg Italiener 2
Saarbrücken Heidelberg
Franzosen 4 Amerikaner 3
Stuttgart Amerikaner 2
Baden-Baden
Russen 3 Franzosen 3 Italiener 4 Augsburg • München Amerikaner 1 Russen 1
• Freiburg
Spanier 2 Franzosen 2 Japaner 6
Italiener 3 Schwangau Garmisch-Partenkirchen
Füssen Russen 5
Chinesen 3
Japaner 5

## ① Zu Besuch in Deutschland

a  Welche deutschen Städte oder Regionen zählen für Reisende aus Ihrem Heimatland zu den interessanten Reisezielen? Sprechen Sie in Gruppen.

b  Betrachten Sie die Karte oben und erstellen Sie mit Ihrer Gruppe eine Rangliste für eine der auf der Karte vertretenen Nationalitäten. Vergleichen Sie das Ergebnis mit dem einer anderen Gruppe und suchen Sie im Gespräch Antworten auf folgende Fragen. AB: A1 ▶

• Was könnten die Besucher an den jeweiligen Urlaubsorten reizvoll finden?
• Wohin zieht es die Urlauber aus den Nachbarländern, wohin die aus ferneren Ländern?
• Was können die Gründe für dieses Reiseverhalten sein?

c  Recherchieren Sie im Internet Informationen zu den Orten auf der Karte oben, die Sie besonders interessant finden, die Sie gar nicht kennen oder bei denen Sie sich wundern, dass sie als Reiseziel angegeben werden.

## 2 Träumen für Deutschland

a   Arbeiten Sie zu dritt. Jeder liest zwei Aussagen bekannter Persönlichkeiten über ihren „Traum für Deutschland" aus dem Buch „German Dream. Träumen für Deutschland" und gibt den anderen die Aussagen kurz wieder. Die Redemittel unten können Ihnen helfen. AB: A2

> Die Deutschen sind sehr engagiert, in allem, was sie tun. (…) Und es gelang ihnen letztlich, (…) die Mauer einzureißen, die Ost- und Westdeutschland voneinander trennte. (…) Ich wünschte, dass Deutschland nun jenseits seiner Grenzen sehen könnte, dass es sich der Menschen in anderen Teilen der Welt stärker annehmen würde, damit diese Menschen dasselbe Maß an Freiheit, an Einigkeit und Fortschritt genießen könnten wie Deutschland.
>
> *(Wangari Maathai, kenianische Umweltschützerin und Friedensnobelpreisträgerin)*

> Es ist ja so, dass ihr in der ganzen Welt den Ruf habt, dass ihr die beste Ausrüstung, die besten Maschinen, Autos und Motorräder herstellt; und selbst die besten Fahrräder kommen noch aus Deutschland. Mein Traum ist deshalb, dass Deutschland als Beispiel vorangeht und die alternativen Technologien entwickelt, die wir jetzt alle brauchen, um uns von Benzin und Erdöl abzunabeln.
>
> *(Anne Cameron, kanadische Schriftstellerin)*

> Ich hoffe ernstlich, dass die Deutschen nie ihre Geschichte vergessen. Wann immer sich ein Land verändert, besteht die Gefahr, dass es seine Geschichte vergisst, und das birgt dann auch das Risiko, dass sich bestimmte Fehler wiederholen. (…) Zweitens denke ich, Deutschland sollte sicherstellen, dass die Europäer nie ihre Geschichte vergessen.
>
> *(Henning Mankell, schwedischer Schriftsteller)*

> Mein Traum wäre, dass die Deutschen mit Fug und Recht klarmachen würden, dass die deutsche Sprache hier in diesem Raum eine feste Position hat und dass wir nicht nur darüber reden, sondern dass diese wichtige Sprache auch in allen Gremien offiziell neben Englisch und Französisch verwendet wird.
>
> *(Helena Hanuljaková aus der Slovakei, ehemalige Präsidentin des Internationalen Deutschlehrerverbands)*

> Mein Traum für Deutschland ist, dass Deutschlands Jugend viel aktiver wird und sich international viel mehr für Menschen in Not einsetzt. Ich hoffe, dass eure Jugend dabei über Deutschlands Grenzen hinauswächst, dass sie ein Gespür für die internationale Gemeinschaft entwickelt und diese Erfahrungen mit zurück nach Deutschland bringt. Und dieser Bewusstseinswandel wird dann hoffentlich dazu beitragen, dass Deutschland mit all seinen Möglichkeiten und Fähigkeiten nicht mehr so nach innen fokussiert sein wird.
>
> *(Roméo Dallaire, kanadischer Ex-Blauhelm-Kommandant)*

> Ich glaube, der deutsche Traum (…) hat etwas mit Tiefe zu tun und mit Sinn. (…) Die Menschen sind schließlich eher bereit zu sterben, als den Sinn ihres Lebens zu verlieren. (…) Deutschland könnte der Welt hier einen Gefallen tun und sich auf seine kulturelle Neigung stützen, stets nach Sinn und Bedeutung zu suchen. (…) Was ist der wahre Sinn der Wissenschaften? Was ist der Sinn der Politik? Was ist der Sinn des Geldes? Die Welt sehnt sich verzweifelt danach, die tiefere Bedeutung des Lebens zu verstehen. Ich glaube, es gibt keine andere Kultur als die Deutschlands, die für so eine Erkundung die nötige Tiefe aufbringt.
>
> *(Clotaire Rapaille, französischer Psychologe)*

---

In seiner / ihrer Aussage bezieht er / sie sich auf… | Er / Sie bringt Deutschland in Verbindung mit … | Für ihn / sie ist durchaus vorstellbar, dass … | Er / Sie setzt große Erwartungen in …

---

b   Was denken Sie über die Träume für Deutschland in 2a? Haben Sie Träume für Deutschland? Wenn ja, welche?

## 3 Träume für mein Land

Haben Sie einen Traum für Ihr Land? Sie können dabei auf folgende Aspekte eingehen. Notieren Sie zunächst Stichworte und formulieren Sie sie dann schriftlich zu einer kurzen Antwort aus. AB: A3

- gesellschaftliche Bedingungen, die individuelle Chancen vergrößern würden
- gesellschaftliche Ziele, für die es sich lohnt, sich einzusetzen
- Beziehungen zu den Nachbarn, die ausbaufähig sind

# Klein, aber fein

## 1 Deutschland und seine Wirtschaft

a  Was wissen Sie über die deutsche Wirtschaft? Sammeln Sie im Kurs.

b  Überfliegen Sie den Kommentar aus dem Wirtschaftsteil einer überregionalen Zeitung und vergleichen Sie die Informationen mit Ihren Ergebnisse in 1a. Gab es neue Informationen? Wenn ja, welche? AB: B1

### „Hidden Champions" – die Weltmarktführer aus dem Mittelstand

Deutsche Unternehmen – wem fielen da nicht zunächst die Namen der börsennotierten Großkonzerne ein – sei es, dass sie wie Adidas der Sportartikel- oder wie Porsche der Automo-
5 bilbranche angehören. Ihre Bekanntheit manifestiert sich in der Erfolgsgeschichte ihrer Marken und in deren Präsenz auf den internationalen Märkten. Nicht weniger traditionsreich, jedoch weitgehend unbekannt sind ca. 1.300 kleine und mittelständi-
10 sche Betriebe (KMU) aus Deutschland, für die der Begriff „Hidden Champions" – also „verborgene Meister" – geprägt wurde. Auch wenn die so Bezeichneten mit anderen mittelständischen Unternehmen vieles gemein haben, so unterscheiden sich
15 die „Hidden Champions" von diesen doch in einem wesentlichen Punkt:
Sie sind, was ihre Produkte und Dienstleistungen betrifft, zumeist hochgradig spezialisiert und besetzen eine TOP-3-Position auf dem Weltmarkt res-
20 pektive eine Nummer-eins-Position in Europa. Unter ihnen findet sich beispielsweise die norddeutsche Enercon GmbH, die Windkraftanlagen herstellt, oder die badische Firma Herrenknecht, die die größten Tunnelbohrmaschinen der Welt produziert
25 und überall dorthin exportiert, wo man bei Bauvorhaben buchstäblich auf Granit beißt.
Zwei Beispiele, die zeigen, dass nicht – wie andernorts üblich – die großen Konzerne den Export bestimmen, sondern jene 1.300 „Weltmarktführer aus der zweiten
30 Reihe". Mit ihren Exporten bestreiten sie nämlich etwa 70 Prozent des deutschen Außenhandels.
Dass sie ungeachtet dessen ihre Erfolge im Verborgenen feiern, hat hauptsächlich mit ihren Kunden zu tun. Denn die „Hidden Champions" fertigen
35 nur selten gängige Konsumgüter, sondern stellen meist hoch technisierte Investitionsgüter her. Ein weiterer Grund für die fehlende Beachtung durch die Öffentlichkeit sind die oftmals kleinen Märkte, auf denen die „verborgenen Meister" agie-
40 ren, nur dass diese nicht im regionalen Sinne als klein verstanden werden dürfen. Ein Beispiel ist

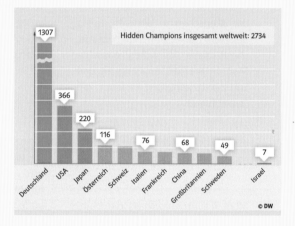

Hidden Champions insgesamt weltweit: 2734

Deutschland 1307 | USA 366 | Japan 220 | Österreich 116 | Schweiz 76 | Italien | Frankreich 68 | China | Großbritannien 49 | Schweden | Israel 7

© DW

die bayerische Metallwarenfabrik Wanzl. Mit 3.700 Mitarbeitern an sieben Standorten in Europa und China sowie Niederlassungen auf allen Kontinenten ist sie der weltweit größte Hersteller für Einkaufs-
45 wagen.
Analysten, die den Erfolg der „Hidden Champions" untersuchen, haben ein weiteres Phänomen ausgemacht, das als entscheidend für die Export- und Wettbewerbsstärke deutscher Mittelständler gelten
50 kann. Rund ein Drittel der untersuchten Firmen hat – wie der genannte Einkaufswagenhersteller – seinen schärfsten Konkurrenten am selben Platz beziehungsweise in regionaler Nähe. Die harte interne Konkurrenz ist somit prägend für den Erfolg in der
55 Welt. Dieser hat zudem seine Grundlage in der durch den scharfen Wettbewerb gesteigerten Innovationskraft der Unternehmen. So verzeichnet der Siemens-Konzern zwar die meisten Patentanmeldungen in Deutschland; in Relation zur Betriebsgröße
60 wird diese Zahl jedoch von den mittelständischen Betrieben um das Drei- bis Vierfache übertroffen. Jeder einzelne „Hidden Champion" investiert überdurchschnittlich viel in Forschung und Entwicklung und manch einer profitiert direkt von der Exzellenz
65 benachbarter Hochschulen und Universitäten. Der im Hochschwarzwald gelegene Ort Furtwangen zum Beispiel beheimatet eine ganze Reihe von Firmen

für Steuerungstechnik, die Kooperationspartner der
70 dortigen Hochschule sind.
Bei all dem wird klar, dass die „verborgenen Meister"
zur unternehmerischen Avantgarde gehören und für
die Wettbewerbsfähigkeit der deutschen Wirtschaft
von zentraler Bedeutung sind. Die KMU und mit ih-
75 nen die „Hidden Champions" sind nämlich für den
Erhalt und Ausbau des industriellen Sektors praktisch unverzichtbar geworden. Denn während der
Anteil der von Großkonzernen gestellten Arbeits-
plätze in der Industrie auf 20 Prozent geschrumpft
80 ist, beläuft er sich bei den Mittelständlern auf stolze
80 Prozent.
Doch die Globalisierung geht zweifellos weiter und
wird dabei vieles strukturell verändern. Bereits heute sind zwei der bekannteren „Hidden Champions",
85 der Betonpumpenhersteller „Putzmeister" sowie der

weltweit führende Produzent von PKW-Schließsys-
temen „Kiekert" in einer Holding mit chinesischen
Wettbewerbern aufgegangen. In diesem Wettbewerb
zu bestehen, wird für die „verborgenen Meister" sicher nicht leichter, es sei denn, dass sie ihre bereits 90
vorhandene Fähigkeit zur schnellen Anpassung und
Innovation noch weiter erhöhen.
Wie komplex die Herausforderungen für die „Hidden
Champions" auch sein mögen, es gelingt ihnen bisher
gut, mit der Internationalisierung Schritt zu halten. 95
Und ein Blick auf die diversen kulturellen und histo-
rischen Wurzeln des wirtschaftlichen Erfolgs macht
deutlich, dass das Vertrauen auf eine Fortsetzung der
Erfolgsgeschichte durchaus berechtigt ist.

*Herbert Stern*

**(P) DSH   C**   Lesen Sie den Kommentar in 1b noch einmal und beantworten Sie die Fragen mit eigenen Worten in ganzen Sätzen. AB: B2

1. In welchem Fall bezeichnet man eine Firma als „Hidden Champion"?
2. Was trägt dazu bei, dass diese Firmen nicht sehr bekannt sind?
3. Wie begründet der Autor den Erfolg der „Hidden Champions"?
4. Welche Bedeutung haben die beschriebenen KMU in wirtschaftlicher Hinsicht?

**G 2.2, 2.3  2   Sprache im Mittelpunkt: Konnektoren – Erweiterung**

Welche Bedeutung haben die folgenden Konnektoren im Kommentar in 1b: a oder b? Kreuzen Sie an. AB: B3–7

1. auch wenn
   (Z. 12)
   - **a** Obwohl die „verborgenen Meister" mit anderen mittelständischen Unternehmen vieles gemein haben, unterscheiden sie sich von diesen in einem wesentlichen Punkt.
   - **b** Die „verborgenen Meister" haben mit anderen mittelständischen Unternehmen nicht viel gemein, sondern sie unterscheiden sie sich von diesen in einem wesentlichen Punkt.

2. respektive
   (Z. 19 / 20)
   - **a** „Hidden Champions" sind Unternehmen, die sowohl eine Top-3-Position auf dem Weltmarkt, als auch eine Nummer-eins-Position in Europa erreicht haben.
   - **b** „Hidden Champions" sind Unternehmen, die entweder eine Top-3-Position auf dem Weltmarkt oder eine Nummer-eins-Position in Europa erreicht haben.

3. nur dass
   (Z. 40)
   - **a** Ein Grund sind die kleinen Märkte, aber diese sind nicht im regionalen Sinne klein.
   - **b** Ein Grund sind die kleinen Märkte, denn diese sind nicht im regionalen Sinne klein.

4. beziehungsweise
   (Z. 53 / 54)
   - **a** Die Firmen haben einen Konkurrenten am selben Ort und in regionaler Nähe.
   - **b** Wenn die Firmen keinen Konkurrenten am selben Ort haben, dann haben sie einen in regionaler Nähe.

5. es sei denn, dass
   (Z. 90)
   - **a** Im Wettbewerb werden sie dadurch bestehen, dass sie ihre Innovation und Anpassungsfähigkeit weiter erhöhen.
   - **b** Nur wenn sie ihre Innovation und Anpassungsfähigkeit weiter erhöhen, werden sie im Wettbewerb weiter bestehen.

6. wie ... auch
   (Z. 93 / 94)
   - **a** Unabhängig davon, wie komplex die Herausforderungen sein mögen, ...
   - **b** Abhängig davon, wie komplex die Herausforderungen sein mögen, ...

# Fremdbilder

## 1 Preuße und Österreicher – ein Schema

a Lesen Sie die Gegenüberstellung des österreichischen Schriftstellers Hugo von Hofmannsthal von 1917 und vergleichen Sie sie mit der Abbildung. `AB: C1`

### der Preuße

- unvergleichlich in der geordneten Durchführung
- handelt nach der Vorschrift
- Selbstgefühl
- behauptet und rechtfertigt sich selbst
- selbstgerecht, anmaßend, schulmeisterlich
- drängt zu Krisen
- Unfähigkeit sich in andere hineinzudenken
- Streberei
- Vorwiegen des Geschäftlichen

### der Österreicher

- rascher in der Auffassung
- handelt nach der Schicklichkeit
- Selbstironie
- bleibt lieber im Unklaren
- verschämt, eitel, witzig
- weicht den Krisen aus
- Hineindenken in andere bis zur Charakterlosigkeit
- Genusssucht
- Vorwiegen des Privaten

b Lesen Sie die Definitionen von „Vorurteil" und „Stereotyp" und besprechen Sie in Gruppen, was der Unterschied ist. `AB: C2`

## Vorurteil

Vorurteile sind vorab wertende, generalisierende und mit Emotionen besetzte Urteile von Gruppen oder Einzelpersonen. Sie sind in aller Regel negativer Natur, zielen meist auf andere Personen, Gruppen, Objekte oder auch Sachverhalte ab und schaffen Denkmuster, die es der eigenen Gruppe erleichtern, eine abwehrende Haltung einzunehmen. Entsprechende Einstellungen entwickeln sich auf der Grundlage einer Weltsicht, die weniger auf direkter Erfahrung als auf Verallgemeinerung beruht. Vorurteile verfälschen die Wirklichkeit stärker als andere Formen der Fremdwahrnehmung. Insoweit laden Vorurteile nicht nur zu diskriminierendem Verhalten ein, sondern rechtfertigen es gleichermaßen.

## Stereotyp

Stereotype sind kulturell bedingte, nicht hinterfragte Meinungen einer Gruppe über Eigenschaften und Besonderheiten einer anderen Gruppe oder über sich selbst. Es handelt sich um Formen der Wahrnehmung von Fremdem (Heterostereotyp) oder Eigenem (Autostereotyp), wobei die komplexe gesellschaftliche Wirklichkeit vereinfacht wird. Dadurch erhalten sie eine wichtige, Orientierung gebende Funktion. Ein weiteres Merkmal ist, dass sie relativ starr und sehr langlebig sind. Sie sind nicht notwendigerweise bösartig, sondern können genauso gut positiv besetzt sein. Als solche übernehmen sie oft eine wichtige Funktion bei der Selbstdarstellung von Gruppen, indem sie zur Bildung von Identifikationsmustern (Images) beitragen.

c Lesen Sie noch einmal die Beschreibung des Preußen und des Österreichers in 1a und überlegen Sie, ob es sich dabei eher um Vorurteile oder um Stereotype handelt. Begründen Sie Ihren Standpunkt mit Informationen aus den Lexikonartikeln in 1b. `AB: C3`

## 2 Selbstbilder – Fremdbilder

a Schreiben Sie nach dem Muster aus Aufgabe 1a nun selbst ein Schema, in dem Sie Ihnen bekannte Stereotype über die Einwohner Ihres Landes denen eines anderen Landes gegenüberstellen.

b Stellen Sie Ihre Ergebnisse im Kursraum aus und organisieren Sie kleine Führungen durch die Ausstellung. Die Redemittel unten können Ihnen helfen. AB: C4 ▸

- Bilden Sie dazu drei bis vier Gruppen, in denen jeweils eine Person die anderen durch die Ausstellung führt. Wechseln Sie auch die Rollen.
- Bereiten Sie sich auf Ihre Rollen vor:
  – Ausstellungsführer / -führerin: Wählen Sie drei Schemata aus, die Sie präsentieren möchten.
  – Publikum: Jeder wählt einige Schemata aus und überlegt im Vorfeld, was er / sie zu diesen anmerken möchte. Ggf. sprechen Sie bei der Führung auch die Schemata an, die nicht präsentiert werden.

> **eine Darstellung interpretieren:** Hier sind … gegenübergestellt. | In den Beschreibungen kommt für mich zum Ausdruck, dass … | Die … werden hier überwiegend positiv / negativ dargestellt. | Hier wird ein witziges / realistisches / klischeehaftes Bild der … gezeichnet.
> **auf Äußerungen eingehen:** Ihre / Deine Bemerkung bringt mich zu einem weiteren interessanten Punkt: … | Damit haben Sie / hast du einen wichtigen Punkt angesprochen: … | Ich kann Ihnen / dir insoweit folgen, dass … | Das stellt sich für mich etwas anders dar: …

## 3 Das Bild der Fremde

a Welche Vorstellungen verbinden Sie mit folgenden Abbildungen. Sammeln Sie zu zweit Assoziationen und tauschen Sie sie mit einer Partnergruppe aus.

LB ②
18–19

b Hören Sie die Glosse „Die Indianer von Berlin" des brasilianischen Autors João Ubaldo Ribeiro ein erstes Mal. Was ist das Thema der Glosse?

c Hören Sie die Glosse zum zweiten Mal und besprechen Sie folgende Fragen im Kurs. Machen Sie sich dazu beim Hören Notizen.

1. Was nimmt sich der Autor am Anfang der Erzählung vor?
2. Warum fasst der Autor diesen Vorsatz? Welche Erfahrung hat er gemacht?
3. Mit welcher Taktik reagiert er bei Lesungen auf die Fragen aus dem Publikum?
4. Was möchte der Autor Ihrer Meinung nach mit dieser Glosse darstellen?

# Selbstbild

## 1 Anleitung zum Unschuldigsein

a Lesen Sie die Kurzrezension und die Kapitelüberschriften aus Florian Illies' Buch „Anleitung zum Unschuldigsein". Worum geht es in dem Buch? AB: D1

> Glaubt man der Diagnose von Florian Illies, dann hat man es als Deutscher nicht eben leicht. In seinem Buch „Anleitung zum Unschuldigsein" lässt er die Folgen der Erziehung zum „anständigen Deutschen" Revue passieren, nicht ohne auf die „seelischen Bauchschmerzen" und kollektiven Neurosen zu verweisen, die nach seiner Beobachtung durch diese Form der Sozialisation hervorgerufen werden. Die Liste der Symptome für den beständigen Skrupel ist lang und reicht von der Frage nach der gesunden Ernährung über das richtige Maß sportlicher Ertüchtigung bis zur Mülltrennung. Mit einer guten Portion Ironie versehen, bietet er im Anschluss an jedes Kapitel Übungen für all jene an, die sich vom permanenten Druck des schlechten Gewissens befreien möchten.

1. Heute trenne ich den Müll nicht.

2. Heute bleibe ich einen Tag zu Hause.

3. Heute gehe ich rauchend bei Rot über eine Ampel, an der drei Mütter mit ihren Kindern warten.

4. Heute kaufe ich dem Mann mit den Rosen keine Rosen ab.

5. Heute ernähre ich mich falsch.

6. Heute kaufe ich einen Tisch aus Tropenholz, einen Teppich, der in Kinderarbeit hergestellt wurde, und zehn Schachteln Eier aus einer Legebatterie.

7. Heute gehe ich am Schild einer Zahnarztpraxis vorbei.

8. Heute besuche ich jemanden.

b Welche vom Autor diagnostizierten Neurosen können Sie in den Titeln der Kapitel erkennen? Stellen Sie Ihre Vermutung im Kurs dar und begründen Sie sie. Gehen Sie auch auf die Äußerungen der anderen Teilnehmer ein.

## 2 Das Selbstbild der Deutschen

a Lesen Sie den Bericht über eine Studie zum Selbstbild der Deutschen. Machen Sie Notizen zu folgenden Punkten. AB: D2

1. öffentliches Selbstbild
2. Selbstwahrnehmung
3. Wahrnehmung der Nation
4. eigene Prioritäten
5. Gründe für das „Doppelleben"
6. mögliche Entwicklung

### *Das Doppelleben der Deutschen*

Die Deutschen führen ein Doppelleben: Wie eh und je halten sie vermeintlich deutsche Tugenden hoch, aber sie leben ganz anders. Das ist der zentrale Befund der OeTTINGER-
5 Deutschland-Studie zum Selbstbild der Deutschen, durchgeführt in Zusammenarbeit mit der Kölner rheingold salon GmbH und dem Zentrum für Kognitionswissenschaften an der Uni Bremen. Zur Ermittlung dessen,
10 wie die Deutschen über ihr Land und über sich selbst denken, wurden zahlreiche Einzelinterviews und eine repräsentative Bevölkerungsumfrage durchgeführt. Wie schon in früheren Studien bezeichnen jeweils über 90 Prozent der Befragten Pünktlichkeit, Zuver-
15 lässigkeit, Ordnung, Sauberkeit und Fleiß als „typisch deutsch". Werte wie Humor (55 %) oder Schlitzohrigkeit (33 %) wurden hingegen in deutlich geringerem Umfang als typisch deutsch eingestuft. Im Gegensatz zu diesem stereotypen Bild vom Deutsch-Sein leisten
20 sich die Deutschen jedoch eine Vielfalt unterschiedli-

cher persönlicher Haltungen zu ihrer Nation: Ca. ein Drittel der Deutschen stuft sich als typisch deutsch ein, ein weiteres Drittel jedoch explizit als nicht typisch deutsch. Das restliche Drittel möchte weder das eine noch das andere sein. 25
Die Studie macht deutlich, dass sich jenseits des stereotypen und tugendhaft normierten Bildes vom Deutschen de facto längst ein vielfältiges Leben im „privaten" Deutschland entwickelt hat. 82 % der Befragten sind der Auffassung, 30 dass jeder Mensch nach seinen eigenen Vorstellungen leben sollte, und 79 % der Befragten sagen, dass ihnen ihre „individuelle Freiheit am wichtigsten" ist. Diese Haltung zeigt sich u. a. in einer großen Variationsbreite an Einstellungen, Hobbys und Lebensformen. 35
Die große Mehrheit der Deutschen hat trotz der anscheinend guten Wirtschaftslage das Gefühl, dass sich ihr Land nicht weiterentwickelt. Etwa drei Viertel stimmen der Aussage zu: „Die Deutschen bleiben weit hinter ihren Möglichkeiten zurück, dabei hat Deutschland ein 40

enormes Potential." 88 % finden ihr Land zu bürokratisch. Mehr noch: Es besteht allgemein eine tiefe Sorge über den Zustand und die Perspektiven der Nation. 70 % der Deutschen stimmen der drastischen Aussage zu:
45 „Deutschland geht immer mehr den Bach runter". Infolge dieser als unsicher eingeschätzten Lage legen viele großen Wert auf private Sicherheit und persönliches Glück: So ist es 96 % der Deutschen „wichtig, Menschen zu haben, auf die sie sich verlassen können, egal was
50 passiert". Aber obwohl die Deutschen ihre Zukunft gefährdet sehen, ist die Bereitschaft zu Engagement nur wenig ausgeprägt, Beispiele hierfür sind: politisches Engagement (30 %) oder „viele Kinder haben" (28 %). Trotz der starken Unterschiede zwischen dem öffentli-
55 chen Bild und den privaten Vorstellungen wird am Stereotyp vom funktionierenden Deutschen festgehalten. Denn hinter dem Musterknaben-Bild kann man sich nicht nur gut verstecken, sondern es täuscht auch darüber hinweg, dass die Deutschen im Privaten keine so

tugendhafte Meinung von sich selbst haben. Bei den 60 Interviews sagten 73 % der Befragten nämlich: „Die Deutschen sind gar nicht alle so ehrlich, pünktlich und gewissenhaft, wie man immer denkt – es gibt auch eine ganze Menge Schlawiner darunter."
Psychologisch gesehen, ist dieses Doppelleben eine tolle 65 gesellschaftliche Konstruktion: Hinter einer scheinbar intakten normierten öffentlichen Fassade können die Deutschen überwiegend ein vielfältiges, unbeschwertes Leben im Privaten führen. Aufgrund der sich verschlechternden Bedingungen gerät das Doppelleben jedoch 70 unter Druck. Der deutsche „Apparat" droht, überlastet zu werden und nicht mehr zu funktionieren. Die Sekundärtugenden schützen nicht mehr und werden sogar vom Ausland angegriffen. Das Land steht folglich unter sehr viel Druck, die aktuelle Form der Aufspaltung in das 75 Doppelleben aufzugeben und ein neues Bild für Deutschland zu entwickeln. Aber noch zögern die Deutschen, sich diesen Erfordernissen zu stellen.

b Wo gibt es Überschneidungen zwischen der Studie in 2a und Florian Illies' Beschreibung des Selbstbilds der Deutschen?

c Vergleichen Sie das deutsche Selbstbild mit den ggf. auf Doppelseite C, 2a dargestellten Fremdbildern zu Deutschland.

## G 1.5 ❸ Sprache im Mittelpunkt: Nominalisierung von Haupt- und Nebensatzkonstruktionen

DSH a Folgenden Sätzen entspricht jeweils eine Textstelle im Bericht in 2a. Markieren Sie diese und notieren Sie sie.

1. Um zu ermitteln, wie die Deutschen über ihr Land und über sich selbst denken, wurden ...
   *Zur Ermittlung dessen, wie die Deutschen über ihr Land und über sich selbst denken, wurden ...*

2. Obwohl die Wirtschaftslage anscheinend gut ist, hat die große Mehrheit der Deutschen das Gefühl, dass ...
   ...........................................................................................................................................................

3. Diese Lage wird als unsicher eingeschätzt, folglich legen viele großen Wert auf private Sicherheit.
   ...........................................................................................................................................................

4. Als sie interviewt wurden, sagten 73 % der Befragten nämlich: ...
   ...........................................................................................................................................................

5. Weil die Bedingungen sich verschlechtern, gerät das Doppelleben jedoch unter Druck.
   ...........................................................................................................................................................

b Markieren Sie die Unterschiede in den verbalen und nominalen Konstruktionen in 3a. Ergänzen Sie die Regeln. AB: D3–5

Aussagen im verbalen Stil – z.B. Aussagen in inhaltlich verbundenen Hauptsätzen oder Hauptsatz-/Nebensatzkonstruktionen – lassen sich oft dadurch verkürzen, dass man
1. die vorhandenen Konnektoren durch die entsprechende Präposition ersetzt und statt des Verbs ein passendes Nomen verwendet, das zur Wortfamilie gehört, Sätze: ....................... .
2. Prädikatsergänzungen – Adjektive / Partizipien, die mit dem Verb „sein" verbunden sind – als Attribut mit dem Nomen verbindet. Dabei fällt „sein" weg, Satz: ....................... .
3. Verben in ein Partizipialattribut umformt, Sätze: ....................... .

# Multikulturelles Deutschland

## 1 Einwohner mit Migrationshintergrund in Deutschland

**DSH / TestDaF**

**a** Sehen Sie sich die Grafik an. Aus welchen Ländern kommen die meisten Einwohner in Deutschland, die selbst bzw. deren Eltern aus anderen Ländern stammen?

**b** Sehen Sie sich die Abbildungen unten an und ordnen Sie sie den Beispielen für Einwanderung in Deutschland zu.

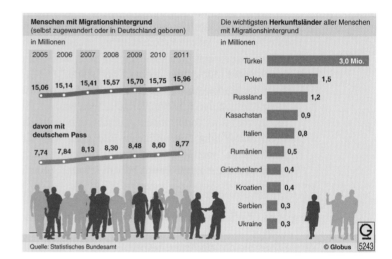

1. Potsdamer Toleranzedikt von 1685: Hugenotten aus Frankreich wandern nach Preußen aus.

2. Preußisches Einladungspatent von 1732: Salzburger Protestanten siedeln sich in Ostpreußen an.

3. Industrialisierung im 19. Jahrhundert: Menschen aus den deutschen, österreich-ungarischen und russischen Teilen Polens kommen als Arbeitskräfte ins Ruhrgebiet.

4. Wirtschaftswunder in der Bundesrepublik Deutschland in den 1950- und 1960-Jahren: Arbeitskräfte z.B. aus Italien, Spanien, Griechenland oder der Türkei werden als sogenannte Gastarbeiter angeworben.

A

C

B

D

## 2 Zuwanderungsland Deutschland

a Hören Sie das Radiogespräch über Deutschlands Entwicklung als Zuwanderungsland und kreuzen Sie jeweils die richtige Lösung an. AB: E1–2 ▶

1. Die Zeitungen berichten
   - a von einem Phänomen der Globalisierung.
   - b von einer neuen Freizügigkeit in Europa.
   - c von den aktuellen Auswirkungen der Euro-Krise.

2. Ein Unterschied zwischen den heutigen und früheren Formen der Migration besteht darin, dass
   - a heute junge, gut ausgebildete Menschen ihre Heimat verlassen.
   - b zurzeit die Migranten angeworben werden.
   - c man früher leichter einen Arbeitsplatz fand.

3. Im Zeitalter der Industrialisierung
   - a war das Elend überall weit verbreitet.
   - b konnte der Bedarf an Arbeitskräften im Bergbau nicht gedeckt werden.
   - c suchten tausende Weber Arbeit in westdeutschen Fabriken.

4. Die „Polen" im Ruhrgebiet
   - a spielten alle beim FC Schalke 04.
   - b hatten ständig Streit.
   - c waren eine sehr heterogene Gruppe.

5. Ein negativer Wanderungssaldo bedeutet, dass
   - a mehr Einwohner auswandern als Neubürger zuwandern.
   - b mehr Neubürger zuwandern als Einwohner auswandern.
   - c viel zu viele Neubürger zuwandern.

6. Herr Prof. Keller betont, dass man bei der Beschäftigung mit der Migration
   - a die ökonomischen Gründe zu wenig beachtet.
   - b den Aspekt der Leiharbeit außer Acht lässt.
   - c kurzfristige Arbeitseinsätze im Ausland, z.B. bei der Ernte, nicht mitberücksichtigt.

7. Das Königreich Preußen war im 17. und 18. Jahrhundert ein Zufluchtsort für
   - a jüdische Flüchtlinge aus aller Welt.
   - b aus religiösen Gründen verfolgte Protestanten.
   - c Menschen, die man ihrer Privilegien beraubt hatte.

8. Die in dritter Generation geborenen Kinder aus Zuwandererfamilien
   - a sind alle sehr erfolgreich.
   - b sollten endlich als deutsche Mitbürger angesehen werden.
   - c sind immer noch in ihrer alten Heimat verwurzelt.

b Bilden Sie Paare. Hören Sie das Radiogespräch in 2a noch einmal. Ein Partner achtet auf das, was Herr Prof. Keller sagt, der andere auf das, was Frau Dr. Günther sagt. Notieren Sie Stichworte.

| Herr Prof. Keller | Frau Dr. Günther |
|---|---|
|  |  |

c Berichten Sie sich mithilfe Ihrer Notizen in 2b gegenseitig, was Herr Prof. Keller bzw. Frau Dr. Günter zum Thema „Zuwanderung in Deutschland" gesagt hat.

d Gab bzw. gibt es in Ihrer Heimat auch Zuwanderungsbewegungen? Berichten Sie im Kurs.

# Deutsche Einheit und Vielfalt

## 1 Gedanken über die Nation

a Lesen Sie den ersten Teil des von J. P. Eckermann aufgezeichneten Gesprächs mit J. W. von Goethe vom 23. Oktober 1828 und machen Sie Notizen zu folgenden Punkten.

1. Welche Empfehlungen gibt Goethe einer noch zu gründenden Nation mit auf den Weg?
2. Sehen Sie aktuelle Bezüge oder Gegenbewegungen in der gegenwärtigen Politik, z. B. in Europa?

(…) Wir sprachen sodann über die Einheit Deutschlands und in welchem Sinne sie möglich und wünschenswert.

„Mir ist nicht bange", sagte Goethe, „dass Deutschland nicht eins werde; unsere guten Chausseen und künftigen Eisenbahnen werden schon das Ihrige tun. Vor allem aber sei es eins in der Liebe untereinander, und immer sei es eins gegen den auswärtigen Feind. Es sei eins, dass der deutsche Taler und Groschen im ganzen Reich gleichen Wert habe; eins dass mein Reisekoffer durch alle sechsunddreißig Staaten ungeöffnet passieren könne. Es sei eins, dass der städtische Reisepass eines weimarischen Bürgers von den Grenzbeamten eines großen Nachbarstaates nicht für unzulänglich gehalten werde als der Pass eines Ausländers. Es sei von Inland und Ausland unter deutschen Staaten überall keine Rede mehr. Deutschland sei ferner eins in Maß und Gewicht, in Handel und Wandel und hundert ähnlichen Dingen, die ich nicht alle nennen kann und mag. (…)"

b Besprechen Sie Ihre Antworten im Kurs.

## 2 Wo Deutschland liegt

a Lesen Sie nun zum Vergleich einen Auszug aus dem Artikel „Wo Deutschland liegt" von Jan Philipp Reemtsma aus dem Jahre 2006. AB: F1

(…) Es ist, aus guten Gründen, immer unklar, was eine Nation ausmacht. Die Grundlage ihrer Legitimation bleibt stets umstritten. Die Nation setzt sich nämlich als Idee aus gänzlich verschiedenartigen Elementen zusammen, die, für sich genommen, durchaus unterschiedlichen Ursprungs sind. Die Einheit, die sie repräsentiert, hat ihre territoriale wie ihre politische und ihre kulturelle Seite. Alle diese Aspekte spielen eine Rolle und es macht das Leben der Nation aus, dass man sich darüber streitet, welcher dieser Faktoren entscheidend ist. Dieser Streit ist die Lebensform der Nation. Wo immer er zugunsten eines Faktors entschieden wird, geht die Nation zugrunde und macht anderen Konzepten Platz, etwa der ethnischen Volksgemeinschaft. In diesem Modus der Unklarheit – man könnte auch sagen: indem sie einfach da ist und durch Gesetze, Pass- und Zollbestimmungen hinreichend bestimmt ist, (…) schafft die Nation jenes Maß an Überschaubarkeit, das es braucht, um Vertrauen bilden zu können. (…)

b Ergänzen Sie die Textkarte auf der nächsten Seite mit Informationen aus beiden Texten und sprechen Sie im Kurs über die Ergebnisse Ihres Vergleichs.

| Goethe – Reflexionen über die Nation | Reemtsma – Reflexionen über die Nation |
|---|---|
| Bedingungen für die Einheit im Inneren:<br><br>• ........................................................<br><br>• ........................................................ | Aspekte einer Nation:<br><br>• ........................................................ |
| Bedingungen für die Einheit nach außen:<br><br>• ........................................................ | Lebensform der Nation:<br><br>• ........................................................ |
| Die Einheit möge hervorbringen:<br><br>• ........................................................<br><br>• ........................................................<br><br>• ........................................................<br><br>• ........................................................<br><br>• ........................................................ | Die Nation wird bestimmt durch:<br><br>• ........................................................<br><br>• ........................................................ |

### ③ Goethe – Eckermann, Teil zwei

a Lesen Sie nun die Fortsetzung des „Gesprächs" vom 23. Oktober 1828. Was erfahren Sie im Text über die Entstehung des kulturellen Föderalismus in Deutschland? Welche Beispiele aus dem heutigen Deutschland kennen Sie?

„(…) Wodurch ist Deutschland groß als durch eine bewundernswürdige Volkskultur, die alle Teile des Reichs gleichsam durchdrungen hat. Sind es aber nicht die einzelnen Fürstensitze, von denen sie ausgeht und welche ihre Träger und Pfleger sind? – Gesetzt, wir hätten in Deutschland seit Jahrhunderten nur die beiden Residenzstädte Wien und Berlin oder gar nur eine, da möchte ich doch sehen, wie es um die deutsche Kultur stände, ja auch um einen überall verbreiteten Wohlstand, der mit der Kultur Hand in Hand geht.

Deutschland hat über zwanzig im ganzen Reich verteilte Universitäten und über hundert ebenso verbreitete öffentliche Bibliotheken, an Kunstsammlungen (…) gleichfalls eine große Zahl; (…). Gymnasien und Schulen für Technik und Industrie sind im Überfluss da; ja es ist kaum ein deutsches Dorf, das nicht seine Schule hätte. (…) –

Und wiederum die Menge deutscher Theater, deren Zahl über siebenzig hinausgeht (…). (…) –

Nun denken Sie aber an Städte wie Dresden, München, Stuttgart, Kassel, Braunschweig, Hannover und ähnliche; (…) denken Sie an die Wirkungen, die von ihnen auf die benachbarten Provinzen ausgehen und fragen Sie sich, ob das alles sein würde, wenn sie nicht seit langen Zeiten die Sitze von Fürsten gewesen. –

Frankfurt, Bremen, Hamburg, Lübeck sind groß und glänzend, ihre Wirkung auf den Wohlstand von Deutschland gar nicht zu berechnen. Würden Sie aber bleiben, was sie sind, wenn sie ihre eigene Souveränität verlieren und irgendeinem großen deutschen Reich als Provinzialstädte einverleibt werden sollten? – Ich habe Ursache, daran zu zweifeln."

b Sprechen Sie in Gruppen über die Verteilung von politischen und kulturellen Institutionen in Ihrem Heimatland und berichten Sie im Kurs. AB: F2 ▸

# A Netzwerke

## 1 Ein Netz von Redemitteln – aber wie gehe ich damit um?

Lesen Sie den Tipp unten und tauschen Sie sich mit anderen darüber aus, wie Sie Redemittel lernen. Notieren Sie die Tipps und heften Sie dann an eine Wand im Kurs.

> Im Laufe der Lektionen werden Sie zu vielen Situationen ein reiches Angebot an Redemitteln finden.
> Am besten legen Sie sich ein Heft oder einen Redemittelteil in Ihrem Ringbuch an, z. B. so:
>
> | Was | Kenne ich schon | Wähle ich aus |
> | --- | --- | --- |
> | Bildbeschreibung: | – Das Bild zeigt … <br> – Auf dem Bild sieht man … <br> – Auf dem Bild ist … zu sehen. | – Auf dem Bild ist … dargestellt. |
> | Gedanken zu Bild: | – Mit dem Bild verbinde ich … | – Wenn ich das Bild betrachte, dann … |
>
> Wählen Sie dann jeweils zu jeder Kategorie ein oder zwei Redemittel aus, die Sie lernen möchten.
> Nach und nach wird so Ihr persönliches Redemittelnetz entstehen.

## 2 Wie verfasse ich eine Anzeige?

a Lesen Sie die Tipps. Welche sind sinnvoll (s), welche nicht (n)? Kreuzen Sie an.

1. Möglichst viele Details aufzählen. `s` ☒

2. Eine aussagekräftige Überschrift finden. `s` `n`

3. Besondere Fähigkeiten und Stärken hervorheben, ohne zu übertreiben. `s` `n`

4. Unbedingt witzig sein. `s` `n`

5. Ruhig mal nicht so ganz bei der Wahrheit bleiben. `s` `n`

6. Überlegen, welches Ziel ich mit der Anzeige verfolge und wen ich ansprechen will. `s` `n`

7. Kontrollieren, ob der Text Fehler enthält (Orthografie, Interpunktion, Grammatik). `s` `n`

8. In sehr gehobenem Stil schreiben. `s` `n`

9. Die Informationen logisch bzw. nach Wichtigkeit anordnen. `s` `n`

10. Darauf achten, dass durch das Layout das Wichtigste hervorgehoben wird. `s` `n`

b Lesen Sie die Anzeigen. Überprüfen Sie sie anhand der Tipps in 2a. Was wurde falsch gemacht?

**A**
Kontakt: 02247 / 50982
Jeden Mittwoch,
16 Uhr
vor den Supermarkt
Walking-Treff

**B**
Sie verspüren den tiefen Wunsch,
Ihre bis zu einem gewissen Maße
verschütteten Sprachkenntnisse
aufzufrischen. Wenden Sie sich
voller Vertrauen an uns.
Konversation mit Niveau,
0178-40976

**C**
Wassergymnastik privat
Grupe mit bisher 12 Mitglieder sucht
weitere Interessenten.
Training jeden Freitag von 18 Uhr bis
ungefähr 19:30, **manchmal auch ein
bisschen länger**, in einer sehr schönen
Halle im Keller von „Wald-Hotel"
Kontackt: Frida Schulz, 0233/4578

**D**
*Ikebana in der Toskana???*
Nicht mit uns!
Wir sind wahre Kulturhelden, was italienische
Ess- und sonstige Kultur betrifft! Interessiert?
amicitoscana@wek.de

**E**
**Antiquariat Weber**
Ein malig: die erfahrensten,
das umfangreichste
Sortiment, die Besten Preise
der Stadt! Immer für Sie da!
Wilhelmstr. 15
53804 Much
Mo, Mi, Do:
10.00–19.00 Uhr.

c Tauschen Sie Ihre Ergebnisse im Kurs aus und verbessern Sie die Anzeigen in 2b.

# B Netzwerken, was bringt das?

**G 4.2** **1** **Wortbildung: Nomen aus Verben**

a Notieren Sie zu folgenden Verben die Nomen bzw. zu den Nomen die Verben aus den Handbuchtexten A bis C im Lehrbuch 1B, 1a, und ordnen Sie sie dann der passenden Kategorie unten zu. Einige Zuordnungen können Sie erst in 1b machen.

> **Text A:** verbinden | fördern | (s.) entwickeln | studieren | lernen | gewähren | teilnehmen | Auffrischung | Angebot
>
> **Text B:** (s.) austauschen | verbessern | zusammenleben | diskutieren | kommunizieren | bereitstellen | organisieren | fortbilden | publizieren | schärfen
>
> **Text C:** Zugriff | gehen | vertrauen | umsetzen | kontaktieren | ausbauen | pflegen | tragen | Fund

| | | Verb | Nomen | Kommentar zum Nomen |
|---|---|---|---|---|
| A. | 1. | verbinden | die Verbindung, -en | feminin, Endung „-ung", drückt meist ein Geschehen / einen Prozess aus |
| | 2. | | | |
| | 3. | | | |
| | 4. | | | |
| | 5. | | | |
| | 6. | | | |
| | 7. | | | |
| | 8. | | | |
| | 9. | | | |
| | 10. | | | |
| B. | 1. | | | „das" + Infinitiv, drückt eine Handlung aus |
| | 2. | | | |
| | 3. | | | |
| C. | 1. | | | oft mit Vorsilbe „Ge-" und / oder Endung „-nis" |
| | 2. | | | oft mit Änderung des Vokals, bezeichnet ein Ergebnis |
| D. | 1. | | | aus dem Partizip I oder II des Verbs entstanden, Nomen wird oft wie Adjektiv dekliniert |
| | 2. | | | |
| | 3. | | | |
| E. | 1. | | | maskulin, ohne Endung, manchmal Änderung des Vokals, drückt eine Handlung oder ihr Ergebnis aus |
| | 2. | | | |
| | 3. | | | |
| | 4. | | | |
| | 5. | | | |
| | 6. | | | |
| F. | 1. | | | maskulin, Endung „-er" oder „-e", bezeichnet den Handelnden |
| | 2. | | | |
| | 3. | | | |
| G. | 1. | | | maskulin, Endung „-er", bezeichnet Geräte |
| | 2. | | | |
| H. | 1. | | | feminin, Endungen „-ion", „-(a)tion", meist bei Fremdwörtern |
| | 2. | | | |
| | 3. | | | |
| | 4. | | | |
| I. | 1. | | | feminin, Endung „-e", drückt eine (meist andauernde) Handlung aus |
| | 2. | | | |

b   Ordnen Sie die Nomen den passenden Kategorien in 1a zu, notieren Sie auch die entsprechenden Verben.

> der Bohrer, - | das Ergebnis, -se | das Gespräch, -e | die Suche |
> der Wasserkocher, - | der Erbe, -n | das Besprochene

## 2   Vernetzte Wörter

In den Handbuchtexten im Lehrbuch 1B, 1a, finden Sie viele zusammengesetzte Adjektive und Nomen.
Lesen Sie die Erklärungen und finden Sie heraus, um welche es sich handelt.

1.  Ein Verein, der nicht profitorientiert ist und dem allgemeinen Wohl dient, ist *gemeinnützig* .

2.  Wenn alle die gleichen Rechte haben, sind sie .

3.  Das deutsche Wort für Kooperation lautet .

4.  Einen Aufenthalt, um zu studieren, nennt man .

5.  Ein Synonym für „Zur-Verfügung-Stellung": .

6.  Eine Diskussion unter verschiedenen Fachrichtungen ist .

7.  Ein Netzwerk, das das Internet als Grundlage hat, bezeichnet man als .

8.  Verbindungen zwischen Geschäftsleuten nennt man auch .

9.  Personen, die im Unternehmen wichtige Entscheidungen fällen, sind .

## Ⓟ TestDaF  3   Netzwerke für Einsteiger

LB 🔘 2–4   Hören Sie das Radiogespräch im Lehrbuch 1B, 2a, noch einmal und beantworten
Sie die Fragen in Stichworten.

1.  Wie wird das Aufbauen von Beziehungen in der Arbeitswelt genannt?
2.  Was ist das Ziel des Gesprächs?
3.  Was hat Thomas Weizel vor seiner jetzigen Tätigkeit gemacht?
4.  Welche Redewendung benutzt Thomas Weizel, um gegenseitige Hilfe auszudrücken?
5.  Welche Kritik äußert der Moderator daran, wie Maria Blecher ihre Erfolgsgeschichte beschreibt?
6.  Mit welchen Argumenten widerspricht Maria Blecher dem Moderator?
7.  Warum musste Maria Streng auf Jobsuche gehen?
8.  Welche Rolle hat das Alumni-Forum von ASA bei Frau Strengs Jobsuche gespielt?
9.  Warum spricht die Moderatorin bei Frau Strengs Geschichte von einem „unglaublichen Zufall"?
10. Worum soll es im zweiten Teil der Sendung gehen?

*1. netzwerken, Networking*

## ⚷ 4   Wie komme ich bloß zu Wort?

Ⓟ DSH   a   Lesen Sie den Informationstext aus einem Rhetorikbuch auf der nächsten Seite und notieren Sie, worauf sich die
folgenden Wörter jeweils beziehen.

1.  Dies (Z. 3): *auf die Vergabe des Rederechts*

2.  sie (Z. 7):

3.  Letzteres (Z. 9):

4.  Diese (Z. 15):

5.  also (Z. 20):

6.  Hier (Z. 20):

7.  Dieser (Z. 25):

8.  die (Z. 26):

## Rederecht, Turn und Sprecherwechsel im Diskurs

Im institutionellen Diskurs, d.h. bei offiziellen Kommunikationsanlässen wie Besprechungen, Interviews, Diskussionsrunden etc., vergibt der Moderator das Rederecht, indem er einen der Teilnehmenden bittet, sich zu äußern. Dies kann verbal oder nonverbal, z.B. durch Nicken, Augenkontakt, Handzeichen geschehen. Den Beitrag, den der Sprecher mit Rederecht realisiert, nennt man in der Fachsprache

5 „Turn" (vom englischen „It's your turn." – „Sie sind an der Reihe." abgeleitet und entsprechend ausgesprochen: „Törn"). Unterbrechungen eines Turns durch einen anderen Sprecher ohne Rederecht können zu Konflikten führen, außer sie werden durch höfliche Ankündigungen eingeleitet, wie z.B. „Entschuldigen Sie, wenn ich hier mal kurz einhake…"/„Darf ich mal (ganz) kurz …?" Der Sprecher kann die Unterbrechung akzeptieren oder abwehren. Letzteres geschieht meist mit

10 formelhaften Wendungen wie: „Dürfte ich bitte (erst) ausreden?"/„Ich möchte das noch (kurz) zu Ende bringen."/„Ich bin noch nicht (ganz) fertig." Das Ende eines Turns kann auf unterschiedliche Weise signalisiert werden, z.B.:
– intonatorisch: durch eine deutliche Pause oder durch verminderte Lautstärke,
– lexikalisch: Als Nachfrage formulierte Wörter und Ausdrücke wie z.B. „…, ja?"/„…, nicht wahr?"/

15 „…, nicht?"/„…, ne?"/„…, gell?"/„… oder (nicht)?"/„…, wissen Sie?" werden nachgestellt. Diese zielen auf die Bestätigung durch die Hörer.
– oder nonverbal: Der Sprecher wendet sich mit dem Kopf, Rumpf und den Augen demjenigen zu, der nächster Sprecher werden kann bzw. soll. Diese Signale führen zu einem sogenannten Übergangspunkt, mit dem eine Übergangsphase anfängt,

20 also eine Pause, in der eine Turnübernahme durch andere Sprecher erwartet wird. Hier kann das Rederecht vom Moderator an den nächsten vergeben werden, oder ein potentieller Sprecher kann das Rederecht verlangen, z.B. durch Wendungen wie „Dürfte ich auch (mal) etwas dazu sagen?"/„Dazu möchte ich etwas sagen."/"Dazu soll ich etwas sagen." (Ich habe den Auftrag eines Dritten.)/„Dazu sollte ich etwas sagen." (kraft meiner Kompetenz). Häufig ergibt sich auch eine Art Konkurrenzkampf

25 um das Rederecht. Dieser ist besonders stark beim nicht institutionellen Diskurs ausgeprägt, bei dem es keine ordnende Autorität wie die des Moderators gibt. Die Regeln zur Vergabe des Rederechts, der Turns und der Sprecherwechsel sind je nach Kulturkreis unterschiedlich. Auch die Länge der Pausen (Übergangsphase) kann sich von Kultur zu Kultur erheblich unterscheiden.

LB ① 2-4  **b**  Hören Sie nun das Radiogespräch im Lehrbuch 1B, 2a, noch einmal und kreuzen Sie an, ob die folgenden Ausdrücke zum Sprecherwechsel dort vorkommen (j) oder nicht vorkommen (n).

1. Verzeihung, aber dazu muss ich gleich etwas sagen.  [j] [n]
2. Können Sie uns erzählen, …?  [j] [n]
3. Entschuldigung: Ich würde das gern noch zu Ende bringen.  [j] [n]
4. …, nicht wahr?  [j] [n]
5. Aber jetzt hat erst einmal Frau Blecher das Wort.  [j] [n]
6. Lassen Sie mich doch bitte ausreden!  [j] [n]
7. …, wissen Sie?  [j] [n]
8. Entschuldigen Sie, wenn ich Sie unterbreche.  [j] [n]
9. Das sollten Sie aber ein bisschen genauer erläutern, bitte!  [j] [n]
10. Aber wir müssen jetzt noch Frau Streng zu Wort kommen lassen.  [j] [n]

**c**  Ordnen Sie die Ausdrücke aus 4b folgenden Kategorien zu.

| vergewissernde Nachfrage | Rederecht verlangen | Rederecht vergeben | Turn/Rederecht behaupten |
|---|---|---|---|
|  |  |  |  |

d Sprechen Sie im Kurs darüber, wie Diskurse in Ihrem Land ablaufen und welche Regeln es dort gibt. Folgende Fragen können Ihnen helfen.

- Machen Redner am Ende eines Turns längere oder kürzere Pausen?
- Versucht man, sofort am Anfang einer Pause das Wort zu ergreifen, oder wartet man ab?
- Spricht man mit anderen Teilnehmenden, während der / die Vortragende redet?
- Ist es üblich, Zwischenfragen zu stellen?
- Signalisiert man seine Gefühle?
- Schaut man möglichst viele Zuhörer an? / Gibt es überhaupt Augenkontakt zu den Zuhörern?

○ G 4.1 **5 Das Genitivattribut – Wer tut was?**

a Lesen Sie die Stichpunkte und notieren Sie, ob die markierten Genitivattribute dem Subjekt (S) oder der Akkusativergänzung (A) im Ausgangssatz entsprechen.

1. Weltweite Verbindungen von Menschen werden geschaffen.  [S] [A]
   → Schaffung weltweiter Verbindungen von Menschen
2. Im Alumni-Bereich kann man persönliche Nachrichten übermitteln.  [S] [A]
   → Übermittlung persönlicher Nachrichten im Alumni-Bereich
3. SIETAR sucht einen kompetenten Referenten.  [S] [A]
   → Suche eines kompetenten Referenten durch SIETAR
4. Das Netzwerk wird von engagierten Menschen ehrenamtlich gepflegt.  [S] [A]
   → ehrenamtliche Pflege des Netzwerkes durch engagierte Menschen

b Vergleichen Sie jeweils die Stichpunkte rechts und die Informationen links. Welche Stichpunkte geben den Inhalt der Information jeweils unmissverständlich wieder: a oder b? Begründen Sie Ihre Wahl.

1. ASA sucht ehrenamtliche Mitarbeiter.
   [a] Suche von ehrenamtlichen Mitarbeitern von ASA
   [X] Suche von ehrenamtlichen Mitarbeitern durch ASA

2. Ehrenamtliche Vertreter (EVs) bündeln die Ideen und Interessen des Netzwerkes.
   [a] Bündelung der Ideen und Interessen des Netzwerkes von EVs
   [b] Bündelung der Ideen und Interessen des Netzwerkes durch EVs

3. Mitglieder bauen eine Datenbank auf.
   [a] Aufbau einer Datenbank von Mitgliedern
   [b] Aufbau einer Datenbank durch Mitglieder

*1a. ist missverständlich, weil man denken könnte, jemand sucht Mitarbeiter von ASA.*

c Schauen Sie sich die Übungsteile 5a und 5b noch einmal an und tragen Sie die Nummern der Sätze ein, auf die sich die folgenden Regeln beziehen.

1. Das Genitivattribut kann, je nach Inhalt, folgendermaßen gebildet werden: mit einem bestimmten Artikel (Sätze: .............), mit einem unbestimmten Artikel (Sätze: .............), mit einer Genitivform eines Adjektivs (Sätze: .............) oder mit der Ersatzform „von" + Nullartikel (Sätze: .............).
2. Ein „Agens", also wer etwas tut oder bewirkt, kann mit „durch" angeschlossen werden, wenn der Anschluss mit „von" zu Missverständnissen führen könnte. Sätze: .............

d Lesen Sie die Stichpunkte eines SIETAR-Mitarbeiters und kreuzen Sie an, ob der Genitiv in einem aktivischen (a) oder passivischen (p) Bezug zum Nomen steht.

1. Ausbau des Netzwerkes bis Jahresende  [a] [p]
2. große Bedeutung des Netzwerkes  [a] [p]
3. Engagement der Nutzer  [a] [p]
4. bessere Information der Nutzer  [a] [p]
5. Funktionieren der Kommunikation  [a] [p]
6. Verbesserung der Kommunikation  [a] [p]

e   Welche Sätze geben jeweils die Bedeutung des Genitivs richtig wieder: a oder b? Kreuzen Sie an.

1. ehrenamtliches Engagement der Mitglieder
   a   Die Mitglieder engagieren sich ehrenamtlich.
   b   Die Mitglieder werden ehrenamtlich engagiert.

2. stärkere Einbindung deutscher Führungskräfte in die internationale Zusammenarbeit
   a   Die deutschen Führungskräfte binden sich stärker in die internationale Zusammenarbeit ein.
   b   Die deutschen Führungskräfte sollen stärker in die internationale Zusammenarbeit eingebunden werden.

3. Förderung der internationalen Ausrichtung von Führungsnachwuchs
   a   Der Führungsnachwuchs fördert die internationale Ausrichtung.
   b   Die internationale Ausrichtung des Führungsnachwuchses wird gefördert.

4. Kommunikation der Mitglieder im Alumni-Bereich
   a   Die Mitglieder kommunizieren im Alumni-Bereich.
   b   Man kommuniziert mit den Mitgliedern im Alumni-Bereich.

5. praktische Umsetzung der Theorie „Jeder kennt jeden über sechs Ecken"
   a   Die Theorie „Jeder kennt jeden über sechs Ecken" umzusetzen, ist praktisch.
   b   Die Theorie „Jeder kennt jeden über sechs Ecken" wird in die Praxis umgesetzt.

▶ G4.1  6  **alumni-clubs.net e.V. – das Ehemaligen-Netzwerk**

a   Überfliegen Sie den Informationstext und unterstreichen Sie die Informationen, die sich auf die folgenden Fragen beziehen.

1. Was ist alumni-clubs.net?
2. Wie viele Mitglieder hat der Verein?
3. Welche Aufgaben hat der Verein?

# Über uns

Das Ehemaligen-Netzwerk „alumni-clubs.net e.V." ist
die Plattform und Drehscheibe für Kommunikation und
Kooperation in der Alumni-Arbeit für Alumni-Organisationen,
Hochschulen und für alle in diesen Organisationen beruflich
oder ehrenamtlich Tätigen.
Der Verein ermöglicht den Erfahrungsaustausch zwischen
den Alumni-Organisationen und sammelt Informationen
über die Alumni-Thematik in einer Wissensdatenbank
zur schnellen und umfassenden Unterstützung von Alumni-Organisationen und -Projekten. Durch die zentrale
Zusammenführung von Erkenntnissen ermöglicht er ein Vielfaches an Nutzen.

Aufgaben von alumni-clubs.net e.V. sind:
• Unterstützung der Alumni-Organisationen in der Alumni-Arbeit,
• Informations- und Erfahrungsaustausch zwischen den Alumni-Organisationen und Hochschulen,
• Hilfestellung bei neuen Alumni-Projekten, -Initiativen und beim Aufbau von Alumni-Netzwerken,
• Hilfeleistung bei Forschung, Studien und Öffentlichkeitsarbeit im Alumni-Bereich,
• Beteiligung an wissenschaftlichen Arbeiten und Forschungen zur Alumni-Thematik,
• Durchführung von eigenen Analysen und Studien,
• Veröffentlichung von Arbeiten zum Thema „Strategien und Management für die Alumni-Arbeit".
Derzeit sind über 250 Hochschulen und Alumni-Organisationen Mitglied im Verband „alumni-clubs.net e.V.", über
450 Alumni-Organisationen sind offiziell in unserem Internet-Verzeichnis registriert; außerdem bestehen Kontakte
zu mehr als 400 weiteren Hochschulen und Absolventen-Netzwerken.

Ⓟ DSH  **b**  Sie sollen die Rubrik „Über uns" der Webseite „alumni-clubs.net" in flüssigem, verbalem Stil verfassen. Lesen Sie dazu noch einmal den Informationstext in 6 a und ergänzen Sie den folgenden Text wie im Beispiel.

---

**Aktivitäten:**

Über uns können die Alumni-Organisationen ihre Erfahrungen *austauschen* ; wir sammeln Informationen in einer Wissensdatenbank, um Alumni-Organisationen und -Projekte ............... . Dadurch, dass Erkenntnisse zentral ..............., ermöglichen wir ein Vielfaches an Nutzen.

**Aufgaben:**

– *Wir unterstützen die Alumni-Organisationen in der Alumni-Arbeit.*

– *Wir ermöglichen, dass ...*

– ...............

– ...............

– ...............

– ...............

– ...............

---

# C Netzwelten

Ⓟ DSH ❶ **Textnetz**

Lesen Sie den Kommentar „Online-Spiel als Lebensinhalt?" im Lehrbuch 1C, 1b, noch einmal und notieren Sie, worauf sich jeweils die folgenden Wörter beziehen.

1. Kein Problem (Z. 1): *Langweile in der freien Zeit*
2. nun (Z. 4): ...............
3. dieser Gruppe (Z. 5): ...............
4. daraus (Z. 12): ...............
5. diese (Z. 14): ...............
6. dadurch (Z. 15): ...............
7. Dies (Z. 15): ...............
8. hier (Z. 18): ...............

⚷ ❷ **Einen Kommentar schreiben**

**a**  Lesen Sie rechts unten den Tipp zur Struktur eines Kommentars. Welche Redemittel passen zu welchem Punkt im Tipp?

`1` A. In diesem Text geht es um …

☐ B. Viele halten es jedoch für abwegig, …

☐ C. Dieses Argument lässt sich leicht entkräften.

☐ D. Unabhängig davon, wie man die Sache sieht, …

☐ E. Ich halte es demgegenüber für richtig, dass …

☐ F. Während die einen meinen, …, entgegnen die anderen …

☐ G. Der Artikel … behandelt / setzt sich auseinander mit …

☐ H. Meiner Ansicht nach sollte man … unbedingt mit … verbinden.

☐ I. Dem kann ich nur zustimmen, dem anderen Argument hingegen muss ich widersprechen.

☐ J. Pessimisten sagen voraus, dass …

☐ K. Man muss auch bedenken, dass …

☐ L. In naher Zukunft …

☐ M. Mittelfristig wird …

---

**Der Kommentar**

1. Er beginnt mit einer kurzen Einleitung.
2. Er bringt Meinungen geordnet zum Ausdruck.
3. Er nimmt zu Aussagen anderer Stellung.
4. Er endet mit einem persönlichen Fazit.
5. Er macht ggf. Vorhersagen.

b Um welchen Kommentarstil handelt es sich bei folgendem Beispielkommentar? Lesen Sie ggf. noch einmal die Beschreibung der Stile im Lehrbuch 1C, 2a.

## Computer im Kinderzimmer? Ja, aber …

Bei dem Artikel „Computer im Kinderzimmer, nein danke!" von Professor Ralf Lenz handelt es sich bedauerlicherweise um ein sehr subjektives und polemisches Traktat. Er behauptet dort,
5 dass Computer im Kinderzimmer das größte Übel unserer Zeit seien und dass Eltern, die dieses zuließen, unverantwortlich, ja sogar quasi kriminell handelten.
Dieser Äußerung muss widersprochen werden.
10 Am kritikwürdigsten erscheint mir zunächst, dass Professor Lenz den Ausdruck „kriminell" in Verbindung mit den Eltern gebraucht. Gegen seine Meinung
15 sprechen insbesondere folgende Gründe: Es gibt, und dies wird ja auch heute allerseits anerkannt, durchaus positive Auswirkungen der Computernutzung auf
20 Kinder. Mit seiner Hilfe können Kinder zum Beispiel schneller Lesen, Schreiben und Rechnen lernen. Dies wurde bereits durch zahlreiche Studien belegt. Hirnforscher führen zudem an, Computer seien positiv für die Ent-
25 wicklung von Kindern, weil sie das Denken in Zusammenhängen förderten und die Vernetzung im Gehirn unterstützten, sofern natürlich sinnvolle Aufgaben bearbeitet würden. Im Gegensatz dazu behauptet Professor Lenz, das

Surfen im Netz bringe die Kinder dazu zu den- 30 ken, Klicken sei Lernen. Angeblich ersetzten sie sogar Denken durch Klicken. Gegen diese Ansicht sprechen nicht nur die bereits oben genannten Argumente, sondern auch die Erfahrungsberichte von Lehrern, die beobachten, 35 dass Kinder durch das Arbeiten am Computer selbstständiger in ihrer Arbeit werden. Auch das Problem, dass dies zur Isolierung des einzelnen Kindes führen kann, ist zu lö- sen, weil durch die Vernetzung 40 von Computern gemeinschaft- liches Arbeiten möglich wird. Das Allerwichtigste scheint mir zu sein, dass der Computer do- siert eingesetzt wird. Eltern 45 und Lehrer sollten sinnvolle Re- geln für die Nutzung aufstellen. Außerdem ist m.E. besonders zu bedenken, dass der Umgang mit dem Computer eine Kulturtechnik ist, die 50 künftig immer wichtiger werden wird und die deshalb jeder möglichst früh beherrschen sollte. Mein persönliches Fazit lautet: Computer im Kinderzimmer ja, aber von den Eltern begleitet und als Hilfsmittel für Lernen und Lebensgestal- 55 tung, denn das Wichtigste ist immer noch die Zeit, die Kinder im persönlichen Kontakt mit anderen Menschen verbringen.

c Lesen Sie den Tipp zur sprachlichen Gestaltung von Kommentaren und markieren Sie im Beispielkommentar in 2b die sprachlichen Mittel, die im folgenden Tipp genannt sind.

**Die folgenden sprachlichen Mittel werden häufig in einem Kommentar gebraucht:**
- wertende Adverbien und Adjektive: bedauerlicherweise / angeblich / aggressiv / unüberlegt …
- Passiv und Ersatzformen zur objektiveren Darstellung von Sachverhalten: „… wird überall diskutiert."/ „… wurde wie folgt bewertet: …"/ „… ist (nicht) zu lösen."/ „… lässt sich so nicht sagen / beweisen."/ „… ist nicht nachvollziehbar."
- Konjunktiv I / II (für die indirekte Rede): „…, er habe davon gewusst."/ „…, sie hätten dies nicht beabsichtigt."
- andere Mittel der Redewiedergabe: „Er behauptet, …"/ „Sie geben vor, …"/ „Sie will … gemacht haben."
- Konjunktiv II (für Vermutungen): „Dies könnte dazu führen,…"/ „Wenn sie (nicht) … hätten, wäre / hätte …"
- Nebensätze – kausal, konditional, konzessiv: weil / da / wenn / falls / sofern / obwohl / obgleich / obschon

d Notieren Sie nun die Redemittel, die den Kommentar in 2b strukturieren.

*Bei dem Artikel „…" von … handelt es sich um …,*

e   Ordnen Sie die Redemittel in die Tabelle ein.

> Ich sehe das wie folgt: … | Das Allerwichtigste ist … | Meine Ansicht dazu ist folgende: … | Das überzeugendste Argument ist, dass … | Meine Bewertung / Mein (persönliches) Fazit sieht wie folgt aus: … | Das Hauptargument ist … | Ich beurteile … positiv / negativ, (insbesondere) weil … | Für … / Gegen … sprechen insbesondere folgende Gründe: … | Am stichhaltigsten finde ich: … | Ich vertrete da einen dezidierten Standpunkt, denn … | Besonders wichtig dabei ist, dass … | Meines Erachtens sollte man besonders bedenken, dass … | Dafür / Dagegen spricht vor allem, dass … | Angeblich ist …, aber …

| Standpunkte darstellen und begründen | Hauptpunkte hervorheben |
|---|---|
| Ich sehe das wie folgt: …, | |

# D Gemeinsam allein?

## 1 Tausend Freunde und doch allein

Ⓟ GI   a   Ergänzen Sie in der Zusammenfassung des Interviews mit Sherry Turkle jeweils das fehlende Wort. Lesen Sie dazu das Interview im Lehrbuch 1D, 2b, noch einmal.

| | | |
|---|---|---|
| Prof. Turkle ist der Meinung, dass Smartphones ihren [1]............. das Empfinden geben, nie | **1** | *Nutzern* |
| [2]............. zu sein. Dieses scheinbar angenehme Gefühl erzeugt aber zugleich eine große | **2** | ............. |
| [3]............. vor dem Alleinsein, was die Abhängigkeit vom Smartphone wiederum verstärkt. | **3** | ............. |
| Als Grund dafür, dass Jugendliche z. B. lieber simsen, als zu [4]............., sieht sie die Gewohnheit | **4** | ............. |
| unserer Generation, sich zu präsentieren, wie man es gerade [5]............. . Die Technik hilft ihnen | **5** | ............. |
| dabei, sich nicht mit den Problemen in [6]............. auseinandersetzen zu müssen. Denn was auf | **6** | ............. |
| [7]............. stoßen könnte, wird ausgeblendet. Ein weiteres Problem ist das sog. Multitasking, | **7** | ............. |
| also die Fähigkeit, mehreres [8]............. zu tun. Denn es führt dazu, dass Jugendliche sich immer | **8** | ............. |
| schlechter [9]............. können. Prof. Turkle betont am Schluss, dass sich das Internet eigentlich | **9** | ............. |
| erst am [10]............. befindet. Wir hätten daher viel Zeit, über seinen Ausbau und seine | **10** | ............. |
| [11]............. nachzudenken. | **11** | ............. |

b   Stellung nehmen: Ergänzen Sie die Redemittel mit folgenden Wörtern. Zweimal gibt es zwei Lösungen.

> andererseits | Ansicht | Argument | Auffassung | bedenkt | berechtigt | Einwand | entspricht | Erfahrungen | Erachtens | gemacht | überzeugen | unrecht | stimme … zu

**Argumenten (nicht) zustimmen**

1. Meiner Ansicht nach ist die Kritik (nicht) ......................, weil …
2. Ich ...................... Herrn / Frau (nicht) ......................, denn …
3. Die Argumente von … ...................... mich nicht ganz, weil …
4. Ich bin (nicht) der gleichen ...................... wie …, weil …
5. Meines ...................... hat … recht / ......................, wenn er / sie sagt, …
6. Ich teile die ...................... von …, denn …

**Argumente abwägen**

7. einerseits – ......................
8. Dem ......................, dass …, stimme ich eher zu als …
9. ...................... man, dass …, dann…
10. Der ...................... scheint logisch, jedoch …

**eigene Erfahrung einbringen**

11. Nach meinen ...................... ist …
12. Ich habe (jedoch) die Erfahrung ......................, dass …
13. … ...................... auch / nicht meiner Erfahrung.

# E Wenn der Schwarm finanziert ...

**①  Crowdfunding – eine Radiosendung**

LB ① 5  Hören Sie Teil 1 des Radiointerviews im Lehrbuch 1E, 1d, noch einmal und kreuzen Sie an: richtig (r) oder falsch (f).

1. Mithilfe von Crowdfunding ist eine Werkstatt für Künstler gegründet worden.  `r` `f`
2. Frau Maier meint, „Crowd" mit „Schwarm" zu übersetzen, trifft die Sache nicht richtig.  `r` `f`
3. In Phase 1 eines Projekts erhalten potentielle Spender eine Gegenleistung.  `r` `f`
4. Phase 2: Für das Projekt wird geworben, Spender werden informiert und Spenden gesammelt.  `r` `f`
5. In Phase 3 bekommen die Spender ihr Geld zurück, falls das Projekt nicht realisiert wird.  `r` `f`
6. Ein Hauptmotiv für Spenden ist, dass man auch eigene Vorstellungen realisieren kann.  `r` `f`

⊙ G 4.3, 4.4  **②  Wortbildung: Nomen aus Adjektiven**

a  Bilden Sie Nomen aus den Adjektiven und Partizipien in Klammern. Achten Sie dabei auch auf die Deklination.

1. (jugendlich) Ein *Jugendlicher* ........... präsentierte ein Crowdfunding-Projekt auch in seinem Sportverein.

2. (anwesend) Die dort ..................... waren begeistert.

3. (originellst-) Das war das ..................... , was sie je gesehen hatten.

4. (gekommen) Die zu spät ..................... ärgerten sich, die Präsentation verpasst zu haben.

5. (interessant / passend) Auf der Plattform sahen wir viel ..................... , aber fanden nichts ..................... .

6. (homogen / heterogen) Ein Schwarm ist etwas ..................... , eine Crowd eher etwas ..................... .

b  Lesen Sie die Sätze in 2a noch einmal. Was fällt auf? Ergänzen Sie die Regeln.

> 1. Aus Adjektiven und ..................... kann man Nomen bilden, die Folgendes bezeichnen:
>     `a` ..................... , z. B. der / die Jugendliche, der / die Anwesende, die zu spät Gekommenen.
>     `b` abstrakte Konzepte, z. B. das Originellste, viel ..................... , nichts ..................... .
> 2. Die nominalisierten Adjektive behalten auch als Nomen ihre Adjektiv ..................... .
>     Aber: Nach viel, wenig, ..................... , ..................... trägt das nominalisierte Adjektiv die
>     Signalendung des Neutrums, z. B. viel Gut**es**, nichts Passend**es**, mit etwas Neu**em**.

c  Bilden Sie mithilfe von Suffixen Nomen aus den Adjektiven. Oft gibt es mehrere Möglichkeiten.

| | | | |
|---|---|---|---|
| 1. gesellig: *die Geselligkeit* | 5. schwach: ......... | 9. gesund: ......... | 13. hilflos: ......... |
| 2. zufällig: ......... | 6. schön: ......... | 10. schüchtern: ......... | 14. hoffnungslos: ......... |
| 3. flüssig: ......... | 7. klein: ......... | 11. offen: ......... | 15. ernsthaft: ......... |
| 4. neu: ......... | 8. klug: ......... | 12. trocken: ......... | 16. schwatzhaft: ......... |

d  Sehen Sie sich die Adjektive und die Nomen in 2c noch einmal an und ergänzen Sie die Regeln.

> 1. Adjektive auf „-ig" bilden Nomen in der Regel mit dem Suffix „- keit"; es gibt aber auch Ausnahmen,
>     wie z. B. ..................... → .....................
> 2. Einsilbige Adjektive bilden Nomen häufig mit dem Suffix „-e", mit „..................... " oder seltener mit „-igheit";
>     manchmal gibt es zwei Varianten mit unterschiedlicher Bedeutung, z. B. neu → Neuheit oder ..................... .
> 3. Mehrsilbige Adjektive, deren letzte Silbe betont ist, bilden Nomen mit dem Suffix „..................... "; ebenso
>     Adjektive, die auf unbetontem „-en" oder „-ern" enden, z. B. ..................... , ..................... .
> 4. Adjektive auf „-los" oder „-haft" bilden Nomen mit dem Suffix „..................... ".
> 5. Man kann mit der Endung „......... " und den Artikeln „......... ", „......... ", „......... " aus Adjektiven
>     abstrakte Nomen, z. B. „das Schöne", oder Personenbezeichnungen, z. B. „der / die Schöne", bilden.

# F Für immer im Netz

### 1 Der Autor Daniel Kehlmann

Lesen Sie die Kurzbiografie und tragen Sie folgende Begriffe ein.

> Bühnenautor | Episoden | Essays | ~~Germanistik~~ | Preisen |
> Poetikdozenturen | Rezensionen | Roman | Schriftsteller

Daniel Kehlmann (* 13. Januar 1975 in München) ist ein österreichisch-deutscher Schriftsteller.

Die Familie zog 1981 nach Wien, wo Kehlmann Philosophie und [1] *Germanistik* studierte. 1997 erschien sein

erster [2].......................... „Beerholms Vorstellung". Sein Roman „Ich und Kaminski" aus dem Jahr 2003 wurde ein

internationaler Erfolg. Den bisher größten Erfolg feierte er mit seinem Roman „Die Vermessung der Welt" von

2005, der in vierzig Sprachen übersetzt wurde. 2009 erschien „Ruhm – Ein Roman in neun Geschichten", neun

[3].........................., die sich nach und nach zu einem Gesamtbild ordnen, ein raffiniertes Spiel mit Realität

und Fiktion. Kehlmann hatte [4].......................... u.a. in Mainz, Wiesbaden und Göttingen inne und wurde mit

zahlreichen [5].......................... ausgezeichnet. Seine [6].......................... und [7].......................... erscheinen in

vielen Magazinen und Zeitungen, darunter „Der Spiegel", „Frankfurter Allgemeine Zeitung", „Süddeutsche Zeitung",

„Literaturen", „Volltext" und „The Guardian". Seit 2011 tritt Kehlmann auch als [8].......................... in Erscheinung.

Er lebt als freier [9].......................... in Wien und Berlin.

# Aussprache

### 1 Sätze und ihre Melodie

AB ◉ 1  **a** Hören Sie ein Gespräch aus „Ruhm" zwischen Ralf Tanner und seinem Diener Ludwig und markieren Sie die Pausen mit | .

1. **a** „Ich bin es.  **b** „Und wer ist das?"
2. **a** „Ich bin Ralf Tanner!"  **b** „Das wird den Chef überraschen."
3. **a** „Ich bin früher zurück."  **b** „Der Chef ist längst zu Hause, wenn Sie bitte gehen würden."
4. **a** „Das ist mein Haus."  **b** „Wir rufen die Polizei."
5. **a** „Kann ich mit dem Mann sprechen, | der behauptet, Ralf Tanner zu sein?"  **b** „Das sind Sie."
6. **a** „Bitte?"  **b** „Der Mann, der behauptet, Ralf Tanner zu sein, sind Sie."

**b** Hören Sie das Gespräch in 1a noch einmal und achten Sie auf die Satzmelodie: Markieren Sie, ob die Melodie ansteigt ↗, gleich bleibt → oder abfällt ↘.

*Ich bin es.* ↘

**c** Lesen Sie die Sätze in 1a noch einmal. Was fällt auf? Ergänzen Sie und kreuzen Sie an.

1. Aussagesatz, Satz: *1a, ...*  **a** ↗  **b** ↘      3. Ja / Nein-Frage, Satz: ..............  **a** ↗  **b** ↘
2. W-Frage, Satz: ..............  **a** ↗  **b** ↘      4. Nachfrage, Satz: ..............  **a** ↗  **b** ↘

**d** Lesen Sie nun das Gespräch in 1a mit einem Partner / einer Partnerin und achten Sie auf die Pausen und die Satzmelodie.

# Grammatik: Das Wichtigste auf einen Blick

**G 4.2** **1** Wortbildung: Nomen aus Verben

| Bildung des Nomens | Verb | Nomen |
|---|---|---|
| feminin, Endung „-ung", drückt meist Geschehen aus | verbinden | die Verbindung, -en |
| feminin, Endung „-e", drückt (andauernde) Handlung aus | pflegen | die Pflege |
| maskulin, ohne Endung, Änderung des Vokals möglich | zugreifen | der Zugriff, -e |
| maskulin, Endung „-er"/„-e", bezeichnet Handelnden | teilnehmen<br>erben | der Teilnehmer, -<br>der Erbe, -n |
| maskulin, Endung „-er", bezeichnet Geräte | bohren | der Bohrer, - |
| Artikel „das" + Infinitiv, drückt Handlung aus | lernen | das Lernen |
| Vorsilbe „Ge-"/ Endung „-nis", oft Änderung des Vokals, bezeichnet Ergebnis | sprechen<br>ergeben | das Gespräch, -e<br>das Ergebnis, -se |
| aus Partizip I oder II des Verbs, Nomen wird oft wie Adjektiv dekliniert | studieren<br>anbieten | der / die Studierende, -n<br>das Angebot, -e |

**G 4.3, 4.4** **2** Wortbildung: Nomen aus Adjektiven

| Bildung des Nomens | Adjektiv | Nomen |
|---|---|---|
| sehr viele Adjektive / Partizipien: Artikel „der"/„die" + Beibehaltung der Endung der Adjektivdeklination → für Personenbezeichnung | schön<br>jugendlich<br>anwesend | der / die Schöne<br>der / die Jugendliche<br>der / die Anwesende |
| fast alle Adjektive / Partizipien: Artikel „das" + Beibehaltung der Endung der Adjektivdeklination, nach „viel", „wenig", „nichts", „etwas" etc. trägt das nominalisierte Adjektiv die Signalendung des Neutrums → für abstrakte Konzepte | schön<br>am originellsten<br>interessant<br>passend | das Schöne<br>das Originellste<br>viel Interessantes<br>nichts Passendes |
| Adjektive mit Endung „-ig": meist mit Suffix „-keit" | flüssig | die Flüssigkeit |
| einsilbige Adjektive: häufig mit Suffix „-e" oder „-heit" | schwach<br>schön | die Schwäche<br>die Schönheit |
| mehrsilbige Adjektive, letzte Silbe betont: häufig mit Suffix „-heit" | gesund | die Gesundheit |
| Adjektive mit Endung „-en" oder „-ern" (unbetont): mit Suffix „-heit" | trocken<br>schüchtern | die Trockenheit<br>die Schüchternheit |
| Adjektive mit Endung „-los" oder „-haft": mit Suffix „-igkeit" | hoffnungslos<br>ernsthaft | die Hoffnungslosigkeit<br>die Ernsthaftigkeit |

**G 4.1** **3** Das Genitivattribut

Genitivattribute können auf verschiedene Weise gebildet werden:

- Bildung mit **bestimmten Artikel:** Man bündelt die Ideen des Netzwerkes. → Bündelung der Ideen des Netzwerkes
- Bildung mit **unbestimmten Artikel:** Ein Referent wird gesucht. → die Suche eines Referenten
- Bildung mit **Adjektiv bei Nullartikel:** Weltweite Verbindungen werden geschaffen. → Schaffung weltweiter Verbindungen
- Ersatzform **„von" + Nullartikel:** Geschäftsbeziehungen werden gefördert. → Förderung von Geschäftsbeziehungen

Anschluss des Agens mit **„durch",** wenn der Anschluss mit „von" missverständlich ist: Eine Datenbank wird von Mitgliedern aufgebaut. → Aufbau einer Datenbank durch Mitglieder

Der Bezug des Genitivattributs zum Nomen kann sein:

- **aktivisch:** Die Nutzer engagieren sich. → Engagement der Nutzer
- **passivisch:** Die Nutzer werden informiert. → Information der Nutzer

# A Generationen

## 1 Was ist synonym?

Was bedeuten die Ausdrücke aus den Monologen im Lehrbuch 2 A, 1d: a oder b? Kreuzen Sie an.

1. als altes Eisen gelten
   - a als reaktionär gelten
   - b als unbrauchbar angesehen werden
2. der Zoff
   - a der Krach, der Streit, der Zank
   - b die Schlägerei
3. im Vollbesitz seiner körperlichen und geistigen Kräfte sein
   - a sehr intelligent und sportlich sein
   - b physisch und psychisch fit sein
4. allem gewachsen sein
   - a alt genug für alles sein
   - b allen Herausforderungen gerecht werden
5. was das Leben ausmacht
   - a was der Lebensinhalt ist
   - b was man in seinem Leben braucht
6. sich etw. vergegenwärtigen
   - a sich einer Sache bewusst sein
   - b sich etw. ins Bewusstsein / in die Erinnerung rufen
7. das Abi in der Tasche haben
   - a das Abiturzeugnis bei sich haben
   - b das Abitur bestanden haben
8. tun und lassen, was man will
   - a sich nichts vorschreiben lassen
   - b bei Entscheidungen Interessen anderer berücksichtigen
9. jdm. zur Last fallen
   - a jdn. belästigen
   - b jdm. Arbeit, Mühe, Kosten bereiten und ihm dadurch lästig werden
10. alles unter einen Hut kriegen
    - a etw. so regeln, dass nichts zu kurz kommt
    - b alles sammeln

## 2 Rund ums Au-pair 50+

a Lesen Sie den Textauszug aus dem Informationsblatt von „Au-pair 50+". Notieren Sie, welche Vorteile ein Au-pair 50+ hat.

Sich für ein Au-Pair 50+ zu entscheiden, bietet gleich mehrere Vorteile: Sie haben mehr Erfahrung als ganz junge Erwachsene und können daher oft besser mit Problemen umgehen. Sie kommen als private Besucher, weshalb die Einreise- und Visumsbestimmungen in der Regel wesentlich unkomplizierter sind. Außerdem gehen Au-pairs 50+ kein Arbeitsverhältnis ein und unterliegen folglich nicht den strengen Regeln und Schutzkriterien für jugendliche Au-pairs. Stattdessen handeln sie die Bedingungen für den Aufenthalt in einer Gastfamilie selbst aus. Da aus diesem Grund keine Vermittlungsgebühr mit einer Agentur und keine vorgeschriebenen Taschengelder anfallen, sind sie zudem oft preiswerter.

Au-pair 50+

b Finden Sie mindestens sechs Komposita. Beachten Sie die Fugenstelle (Wortstamm, „-s" bzw. Pluralform des 1. Wortes).

Mutter | Sprache | Gast | Kind | Leben | Sehen | Hausaufgabe

Familie | Kurs | Erfahrung | Sprache | Hilfe | Würdigkeit | Betreuung

die Muttersprache, ...

c Schreiben Sie mit Ihren Komposita aus 2b einen fantasievollen Text über eine 50-jährige Au-pair-Person. Hängen Sie die Texte im Kurs auf.

## 3 Ähm! Tja, wie soll ich's sagen?

a Wie reagieren Sie in der rechts beschriebenen Situation? Tauschen Sie sich zunächst in Gruppen aus und sammeln Sie dann die Vorschläge im Kurs.

Sie befinden sich in einem wichtigen Gespräch, werden nach etwas gefragt und sind plötzlich sprachlos. Sie wissen nicht, was Sie sagen sollen oder wie Sie etwas Bestimmtes ausdrücken sollen.

b   Welche der folgenden Strategien finden Sie hilfreich (h), welche weniger hilfreich (w), um Sprachlosigkeit zu
    überwinden? Kreuzen Sie an und ergänzen Sie ggf. weitere nützliche Strategien. Tauschen Sie sich dann im Kurs aus.

1.  **Füllwörter**: Tja, mmmhhh, ääähhhh, ähm, also, nun, …                                                  h  w

2.  Die **Frage** des Vorsprechers **wiederholen** oder das **Gesprächsthema** noch einmal                    h  w
    **zusammenfassen,** ehe man antwortet, z. B. Wie ich mir meine Arbeit bei Ihnen vorstelle?
    Welche Eigenschaften ich mitbringe? Also Sie meinen, …? Sie möchten also damit sagen, dass …

3.  **Allgemeine Aussage** (auch um Zeit zu gewinnen), z. B. Das ist eine schwierige Frage.                   h  w
    Dieser Punkt ist nicht so leicht zu beantworten. Das ist ein interessanter Aspekt.

4.  **Umschreibung eines Begriffs**: Wenn einem z. B. der Ausdruck „Ich bin sehr                              h  w
    verlässlich.“ nicht einfallen will, kann man sagen: „Ich bin immer pünktlich.“

5.  **Direkte Antwort**, z. B. Auf diese Frage habe ich so spontan keine Antwort. Mir fällt das Wort         h  w
    jetzt nicht ein. Da muss ich erst kurz überlegen. Darüber muss ich noch einmal nachdenken.

6.  …

c   Besprechen Sie in Dreiergruppen Ihr Vorstellungsgespräch aus dem Lehrbuch 2 A, 3 c, sowie die erhaltenen
    Rückmeldungen. Tauschen Sie dann die Rollen und spielen Sie das Vorstellungsgespräch erneut durch.

# B Jugendliche heute

## 1 Generationenkonflikt

Was bedeuten folgende Wörter aus der Talkshow im Lehrbuch 2 B, 2 c? Notieren Sie sie mitsamt dem Artikel.

Auswuchs | Brut | Exzess | Pragmatismus | Tendenz | zerrütten

1. negative Folge: *der Auswuchs*                           4. Kinder: ...............................

2. Maßlosigkeit: ...............................             5. Strömung: ...............................

3. zerstören: ...............................               6. auf praktisches Handeln gerichtet: ...............................

## 2 Jetzt will ich aber auch mal was sagen!

LB ① 12–15

a   Lesen Sie den Text über „Rederecht, Turn und Sprecherwechsel im Diskurs" im Arbeitsbuch Lektion 1 B, 4 a. Hören Sie dann
    noch einmal die Talkshow im Lehrbuch 2 B, 2 c, und besprechen Sie, ob der Moderator seine Rolle gut wahrnimmt oder nicht.

b   Hören Sie die Talkshow noch einmal. Konkurrieren folgende Personen in der hier angegebenen Reihenfolge miteinander
    um das Rederecht: ja (j) oder nein (n)? Woran merkt man das?

1. Frau Büren mit Frau Warig               ☒  n    *unterbricht Frau Warig* .....................

2. Alex mit Lisa                            j  n    .....................

3. Lisa mit Alex                            j  n    .....................

4. Herr Dirschel mit Alex                   j  n    .....................

5. Frau Büren mit Herrn Dirschel            j  n    .....................

6. Frau Warig mit Herrn Dirschel            j  n    .....................

7. Frau Büren mit Frau Warig                j  n    .....................

8. Herr Dirschel mit Frau Warig             j  n    .....................

9. Herr Dirschel mit Lisa und Alex          j  n    .....................

c   Was könnte der Moderator besser machen? Was könnte er zum Beispiel an bestimmten Punkten tun oder sagen? Tauschen Sie sich im Kurs aus.

### 3 Ich pfeife auf deinen Rat!

a   Wie heißen die Ausdrücke, die in der Talkshow gebraucht werden? Verbinden Sie.

| | | |
|---|---|---|
| 1. jdm. sein Leid | A. auf jdn. zeigen | 1. [C] |
| 2. ohne Rücksicht | B. zusammenbeißen | 2. ☐ |
| 3. hinter dem Mond | C. klagen | 3. ☐ |
| 4. wie landläufig | D. auf Verluste | 4. ☐ |
| 5. die Zähne | E. stehen | 5. ☐ |
| 6. dran | F. alles | 6. ☐ |
| 7. jdm. stinkt | G. dargestellt | 7. ☐ |
| 8. hoch im Kurs | H. leben | 8. ☐ |
| 9. mit dem Finger | I. bleiben | 9. ☐ |

b   Bilden Sie mit den Ausdrücken aus 3a Sätze, die sich auf den Inhalt der Talkshow beziehen.

*1. Eltern klagen einander ihr Leid.*

### 4 In Stellungnahmen Formulierungen variieren

Was hat die gleiche Bedeutung wie das Markierte: a oder b? Kreuzen Sie an.

| | a | b |
|---|---|---|
| 1. Mit dem Thema müssen wir uns auseinandersetzen. | begegnen | befassen |
| 2. Dieses Thema betrifft uns alle, denn … | geht uns alle an | überzeugt uns alle |
| 3. Besonders wichtig erscheint mir … | ist mir | ist meiner Meinung nach |
| 4. Dies möchte ich besonders betonen. | vorstellen | hervorheben |
| 5. Dies möchte ich wie folgt verdeutlichen: … | veranschaulichen | klären |
| 6. Dafür lassen sich viele Beispiele nennen. | beschreiben | anführen |
| 7. Abschließend lässt sich sagen, … | In aller Kürze | Als Fazit |
| 8. Betrachtet man die heutige Situation, lässt sich sagen, dass … | Lage | Tatsache |

### 5 Die Jungen und die Alten

a   Eine Jugendzeitschrift veranstaltet einen Schreibwettbewerb. Sie wollen hierfür einen Artikel zum Thema „Wie sollten Jugendliche und Ältere miteinander umgehen, um tief gehende Konflikte zu vermeiden?" schreiben. Gehen Sie dabei wie folgt vor.

- Sammeln Sie Ideen und Argumente zum Thema.
- Ordnen Sie sie nach Wichtigkeit.
- Bringen Sie sie in eine logische Reihenfolge und verdeutlichen Sie sie mit Beispielen.
- Ziehen Sie am Ende ein Fazit.

DSH / telc / telc H

b   Schreiben Sie nun einen Artikel von ca. 200 Wörtern. Orientieren Sie sich dabei an Ihren Notizen und Ihrer Gliederung in 5a und verwenden Sie auch Redemittel aus 4.

## 6 Fremdwörter über Fremdwörter

a Versuchen Sie, die Bedeutung folgender Adjektive zu erklären. Benutzen Sie ggf. ein Wörterbuch.

adaptiv | expeditiv | experimentell | hedonistisch | konservativ |
materialistisch | pragmatisch | prekär | sozialökologisch

b Ordnen Sie nun den Erklärungen die Adjektive aus 6a zu.

1. auf Anpassung beruhend: ........................................................................

2. nach Lustgewinn / Sinnengenuss strebend: ........................................................................

3. auf die anstehende Sache und entsprechendes praktisches Handeln gerichtet: ........................................................................

4. am Althergebrachten, Überlieferten orientierte Einstellung: ........................................................................

5. das Verhältnis zwischen sozialem Verhalten und seiner Umwelt betreffend: ........................................................................

6. auf Gewinn, Besitz bedachte Einstellung dem Leben gegenüber (abwertend): ........................................................................

7. auf Experimentieren beruhende Haltung: ........................................................................

8. unsicher, heikel, misslich: ........................................................................

9. neue Gebiete erkundend: ........................................................................

# C Demografischer Wandel

## 1 Schaubilder beschreiben

Schreiben Sie die Redemittel in eine Tabelle in Ihr Heft und ergänzen Sie anschließend weitere (z. B. aus LB 2C, 1a).

Folglich werden … | Vergleicht man die Entwicklung im Zeitraum …, so erkennt man, dass … | Als Beleg lässt sich anführen, dass … | Betrachtet man die Entwicklung in …, dann … | Diese Entwicklung wird möglicherweise dazu führen, dass … | Dafür spricht, dass … | Ein Grund hierfür ist … | Die / Eine Konsequenz wird sein, dass … | Im Vergleich dazu sieht die Entwicklung in meinem Heimatland folgendermaßen aus: … | Die Entwicklung von … bis … macht deutlich, dass … | Hierfür lassen sich folgende Beispiele anführen / nennen: … | Ursachen dieser Entwicklung sind … | … wird zu … führen.

| Vergleich | Beschreibung der Entwicklung | Gründe | Folgen | Argumente / Beispiele |
|---|---|---|---|---|
| | | | *Folglich werden …,* | |

## 2 Tendenzen

Wie lauten die Nomen zu den Verben? Bei welchen Ausdrücken gibt es keine gebräuchlichen Nomen.

| ↑ | → | ↓ |
|---|---|---|
| (an)steigen | zunehmen | größer werden (bei Prozentsatz, Zahl, Anteil) | (sich) verdoppeln | (sich) verdreifachen | wachsen | sich ausweiten | (sich) vergrößern | (sich) nicht ändern | (sich) nicht verändern | stagnieren | gleich bleiben | unverändert bleiben | sinken | abnehmen | zurückgehen | kleiner werden (bei Prozentsatz, Zahl, Anteil) | (sich) halbieren | (ab)fallen | (sich) vermindern | schrumpfen | (sich) verringern | (sich) verkleinern |

*der Anstieg, das Steigen,* ........................................................................

### 3 Altersaufbau der Bevölkerung in Deutschland

a Ersetzen Sie die markierten Ausdrücke durch Synonyme aus dem Informationstext zur Grafik im Lehrbuch 2C, 1b.

**am 31.12.2008 und am 31.12.2060**
Untergrenze der „mittleren" Bevölkerung
Obergrenze der „mittleren" Bevölkerung
Alter in Jahren

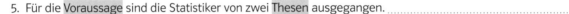

1. 2060 wird jeder Dritte Deutsche über 60 Jahre alt sein.

   *ein Drittel der Deutschen*

2. Der Anteil junger Menschen wird weiter sinken.

   ..............................................................

3. Für 2060 sagt das Statistische Bundesamt einen Anteil von nur noch 16%

   voraus.

4. Der Altersaufbau wird sich in einem Zeitraum von ca. hundert Jahren umgekehrt

   haben. ..............................................................

5. Für die Voraussage sind die Statistiker von zwei Thesen ausgegangen. ...............

6. Eine Annahme ist, dass die Lebenserwartung weiter zunehmen wird. ..................

7. 2060 wird sie wahrscheinlich um jeweils weitere sieben Jahre zugenommen haben. ...............

b Bewerten Sie die Tendenz der Entwicklungen mithilfe der Adjektive im Schüttelkasten und formulieren Sie Stichpunkte wie im Beispiel. Meist gibt es mehrere Lösungen.

> enorm | extrem | deutlich | drastisch | gering | gleichmäßig | leicht | stark | stetig

1. Der Anteil der Alten an der Gesamtbevölkerung ist gestiegen.
2. Seit 1950 ist der Anteil junger Menschen unter 20 zurückgegangen.
3. Bis 2060 wird sich dieser Anteil auf 16% verringern.
4. Die Geburtenhäufigkeit hat abgenommen.
5. In diesem Jahr ist die Geburtenzahl gestiegen.
6. Die Bevölkerung wird bis 2060 auf ca. 70 Millionen schrumpfen.
7. Die Lebenserwartung steigt an.
8. Die Gruppe der über 80-Jährigen vergrößert sich.
9. Die Bevölkerungspyramide verändert sich nach 2060 weiter.

*1. extremer Anstieg des Anteils der Alten an der Gesamtbevölkerung*

**Schaubilder beschreiben**

Legen Sie sich eine Extra-Seite mit Wortschatz und Redemitteln zum Thema „Beschreibung/ Erläuterung von Schaubildern" an. Versuchen Sie, die Ausdrücke auch grafisch darzustellen. Notieren Sie dazu typische sowie für Sie wichtige Beispielsätze.

### ⊙ G3.2 4 Schreckensvisionen

Formulieren Sie Schreckensvisionen im Futur I. Ergänzen Sie auch eigene Beispiele. Tauschen Sie sich dann im Kurs aus.

1. leben – alle Menschen – in riesigen Städten – in 100 Jahren (Aktiv)
2. die Menschen – von gigantischen Computersystemen – überwachen (Passiv)
3. rund um die Uhr – beobachten – man (Passiv)
4. Wasser – sein – ein Luxusgut (Aktiv)
5. man – kein Obst – essen können (Aktiv)
6. viele – einsperren – in unterirdischen Arbeitslagern (Zustandspassiv)
7. nur noch – lesen dürfen, – Computer – was – verfassen (Aktiv)
8. verbreiten können – nicht mehr eigene Texte – frei – im Web (Passiv)
9. …

*1. In 100 Jahren werden alle Menschen in riesigen Städten leben.*

**Futur I**

Achten Sie darauf, dass Sie, wenn Sie Prognosen mit „werden" ausdrücken, jeweils den Zeitpunkt des Geschehens nennen. Sonst könnten sie als Vermutung über die Gegenwart missverstanden werden. Vergleichen Sie: „Anna wird am Nachmittag zu Hause sein." (Prognose), aber: „Anna wird zu Hause sein." (jetzt, wahrscheinlich).

○ G 3.2  **5**  ## Schon gelöst?

a  Formulieren Sie Prognosen im Futur II darüber, ob
folgende Probleme in der Zukunft schon gelöst sein
werden oder nicht.

1. Genügend Kindergärten gebaut? (Passiv)
2. Mehr Ganztagsschulen eingerichtet? (Aktiv)
3. Umweltzerstörung gestoppt? (Aktiv)
4. Alternative Energiequellen entwickelt? (Passiv)
5. Gesundheitsversorgung verbessert? (Passiv)
6. Steuern gesenkt? (Aktiv)

*1. In der Zukunft werden genügend Kindergärten gebaut worden sein.*

*2. Man ...*

b  Formulieren Sie die Aussagen in 5a im Perfekt.

*1. In der Zukunft hat man genügend Kindergärten gebaut.*

> **Tipp**
> In der gesprochen Sprache wird häufiger
> das Perfekt verwendet, wenn Prognosen
> über in der Zukunft abgeschlossene
> Handlungen angestellt werden.

○ G 3.2  **6**  ## Wie werden die Menschen wohl im Jahr 2060 leben?

a  Formulieren Sie Vermutungen. Entscheiden Sie, ob Sie das Futur I oder II
verwenden, und ergänzen Sie auch Wörter wie „wohl", „vermutlich", „wahrscheinlich"
etc., damit die Sätze eindeutig als Vermutung verstanden werden.

1. 2060 – mehr Personen – leben – auf engem Raum
2. auf – den Komfort – von heute – verzichten müssen – man
3. Umweltprobleme – sich verstärken – bis dahin
4. Autofahren – teurer – noch – werden – dann
5. Schulen – schließen müssen – in naher Zukunft – wegen – des Geburtenrückgangs
6. mehr Altersheime – bauen – bis 2060
7. viele neue Ideen – entwickeln – in den nächsten Jahrzehnten
8. neue Formen – des Zusammenlebens – ausprobieren können – Jung und Alt
9. die meisten – aktuellen Probleme – lösen – aber – entstehen – neue

*1. 2060 werden vermutlich mehr Personen auf engem Raum leben.*

b  Beschreiben Sie, wie im Jahr 2060 das Leben in Ihrer Heimat bzw. auf der Welt aussehen wird. Welche Probleme
werden gelöst sein, welche nicht? Was wird besser oder schlechter als heute sein?

Ⓟ GI /
DSH /
TestDaF  **7**  ## Bevölkerungsentwicklung in Deutschland und anderswo

Wählen Sie eines der zwei Themen (A oder B) und schreiben Sie einen Aufsatz (mind. 200 Wörter). Gehen Sie dabei auf
alle Punkte unten ein.

A: Weltweite Bevölkerungsentwicklung 2010 bis 2100
B: Die demografische Entwicklung in Deutschland 1910 bis 2060

- Beschreiben Sie die Entwicklung des Altersaufbaus.
- Was ist besonders auffällig?
- Welche Gründe kann es für die prognostizierte künftige Entwicklung der Altersstruktur geben?
- Welche Veränderungen bringt diese Entwicklung Ihrer Meinung nach für eine Gesellschaft mit sich?
- Vergleichen Sie die beschriebene Situation mit der in Ihrem Heimatland.

# D Immer älter und was dann?

**GI 1 Was passt in die Lücke?**

Ergänzen Sie in der Zusammenfassung des Online-Berichts im
Lehrbuch die fehlenden Informationen. Lesen Sie dazu den
Bericht im Lehrbuch 2 D, 2, noch einmal.

In Deutschland stand lange Zeit die drohende Überbevölkerung

der Erde im Mittelpunkt der [1] _Diskussion_ . Inzwischen

aber ist der demografische Wandel zum Spitzenthema

[2]........................... . Glaubt man den Prognosen, so wird Deutschland in naher Zukunft insgesamt vergleichsweise

mehr alte [3]........................... und weniger junge haben. In der Spitzengruppe der weltweit alternden

Gesellschaften ist auch Deutschland zu finden, denn seit [4]........................... der Siebzigerjahre werden stets

weniger Geburten als Sterbefälle registriert. Eine gravierende Folge davon ist die Überalterung in wirtschaftlich

schwachen Regionen, deren [5]........................... zahlenmäßig stark abnimmt. Dies führt dazu, dass dort einerseits

weniger Straßen, Gewerbe- und Wohnraum benötigt werden wird, andererseits aber mehr Wohnungen gebaut werden

müssen, die den Ansprüchen von Senioren [6]........................... werden. Auch die Berufswelt wird sich vor dem

Hintergrund des demografischen Wandels in Deutschland [7]..........................., denn dadurch, dass weniger

Menschen jedes Jahr ihr [8]........................... beginnen, können die Älteren erst später in Rente gehen. Dies verlangt

zum einen die [9]........................... flexiblerer Arbeitszeitmodelle. Zum anderen führt dies dazu, dass die Aus- und

Weiterbildung [10]........................... werden muss. Denn der [11]........................... kann nur mithilfe aller gelingen.

**G 1.4, 4.1 2 Altersgerechte städtische Infrastruktur**

**DSH a** Verbal formulieren: Drücken Sie die Satzinhalte mit „zu" + Infinitiv aus.

1. Die Anpassung der Betreuungsangebote wird sicher schwierig sein.
2. Unerlässlich ist die Einrichtung von Seniorenzentren in allen Stadtteilen.
3. Denkbar wäre natürlich der Umbau von Kindertagesstätten in Seniorentagesstätten.
4. Die Anwohner fordern die Ansiedlung von Geschäften im Stadtzentrum.
5. Die Beachtung der Interessen aller Einwohner in einer Stadt ist günstig.

*1. Es wird sicher schwierig sein, die Betreuungsangebote anzupassen.*

**b** Wie haben sich in 2a die Genitivattribute bzw. die Ausdrücke mit „von" verändert? Ergänzen Sie die Regel.

> Wenn man Nominalstrukturen in Infinitivsätze umformuliert, wird das Genitiv-Attribut bzw. die Konstruktion mit „von"
>
> häufig zur ...........................ergänzung.

**DSH c** Nominalstil: Drücken Sie nun umgekehrt die Satzinhalte mit einer nominalen Struktur aus.

1. Es ist dringend geboten, bestehenden Wohnraum in barrierefreie Wohnungen umzugestalten.
2. Es ist schon heute notwendig, weitere bezahlbare Pflegeplätze bereitzustellen.
3. In ländlich geprägten Regionen befürchtet man, eine große Anzahl jüngerer Bewohner zu verlieren.
4. Es ist beabsichtigt, eine bessere innerstädtische Infrastruktur für die Mobilität aller Bevölkerungsgruppe zu schaffen.
5. Viele Senioren planen, eine altersgerechte Wohnung zu kaufen.

*1. Die Umgestaltung von bestehendem Wohnraum in barrierefreie Wohnungen ist dringend geboten.*

## 🔵 G1.4, 4.1 ③ Die Senioren von morgen

🅿 DSH

Lesen Sie den Tipp und markieren Sie in den Sätzen jeweils das Adverb bzw. das Pronomen. Drücken Sie dann die Satzinhalte mit einer Nominalstruktur aus.

> **Tipp**
> 1. Adverbien werden bei der Nominalisierung in der Regel zu Adjektiven, z.B. Sie sprechen davon, dass sie sich sehr / besonders freuen. → Sie sprechen von ihrer großen / besonderen Freude.
> 2. Personalpronomen können bei der Nominalisierung zu Possessivartikeln werden, z.B. Er sagt oft, dass er sich für Kunst interessiert. → Er spricht oft von seinem Interesse an / für Kunst.

1. Die Senioren berichten, dass sie sich sehr über eine eigene Interessenvertretung freuen.
2. Für die kommenden Jahre erhoffen sie sich, besser politisch vertreten zu sein.
3. Ihre Interessenvertreter fordern, dass sie in die Zukunftsplanung konkret eingebunden werden.
4. Viele von ihnen bezweifeln, dass eine neue Seniorenpartei dringend notwendig ist.
5. Die Parteien haben zugesagt, den demografischen Wandel stärker zu berücksichtigen.

*1. Die Senioren berichten von ihrer großen Freude über eine eigene Interessenvertretung.*

## 🔵 G1.4 ④ Studenten in neuen Studiengängen

a Notieren Sie die passenden Präpositionen zu den Nomen. Ergänzen Sie auch den Kasus. Zwei passen nicht.

> an | auf | bei | mit | nach | über | um | vor

1. Ärger _____
2. Bitte _____
3. Hilfe _____
4. Hoffnung _____
5. Interesse _____
6. Wunsch _____

b Wählen Sie nun eine Nominalstruktur, um folgende Informationen in Stichworten zu notieren. Die Zuordnungen in 4a helfen.

Studien haben ergeben, dass Studenten:
- sich sehr für neue Studiengänge interessieren,
- sich ärgern, dass in den Hörsälen so wenig Platz ist
- hoffen, bessere Chancen auf dem Arbeitsmarkt zu haben,
- wünschen, genauer über den Arbeitsmarkt informiert zu werden
- bitten, dass man ihnen bei der Studienplanung mehr hilft.

*Ergebnis von Studien über Studenten:*

*– großes Interesse an neuen Studiengängen*

*–*

## 🔵 G1.4, 4.1 ⑤ Große Umwälzungen

🅿 DSH

Markieren Sie zuerst die Präpositionaladverbien. Formulieren Sie die Sätze dann so um, dass Sie statt der Präpositionaladverbien plus Nebensatz eine nominale Struktur verwenden.

1. Niemand zweifelt daran, dass die Prognosen zur Bevölkerungsentwicklung richtig sind.
2. Die meisten sind überzeugt davon, dass sich viel in unserer Gesellschaft verändern wird.
3. Alle sind dazu aufgefordert, an den Umgestaltungsprozessen aktiv mitzuwirken.
4. Die Politiker bitten die Bürger darum, sich stärker für ihre Interessen zu engagieren.
5. Viele junge Leute sind schon jetzt dazu bereit, über die künftigen Probleme zu diskutieren.
6. Die Wirtschaft richtet sich schon heute darauf ein, dass sich die Gesellschaft wandeln wird.

*1. Niemand zweifelt an der Richtigkeit der Prognosen zur Bevölkerungsentwicklung.*

G1.4 **6** „dass-Satz" oder „zu" + Infinitiv?

**DSH  a** Lesen Sie die Sätze und überlegen Sie sich, ob Sie die „dass-Sätze" in Konstruktionen mit „zu" + Infinitiv umformulieren können oder nicht. Warum? Ergänzen Sie die Regeln unten.

1. Die Regierung verspricht, dass sie ältere Menschen besser in den Arbeitsmarkt integrieren wird.
2. Die Regierung fordert die Unternehmen auf, dass sie flexiblere Arbeitszeitmodelle für ältere Mitarbeiter einführen.
3. Die Regierung fordert zudem, dass sie auch flexiblere Arbeitsortmodelle installieren.
4. Außerdem plant die Regierung, dass ältere Menschen noch als Rentner arbeiten dürfen.
5. Die Wirtschaft wünscht sich von der Regierung, dass sie passende Verrentungsmodelle entwickelt.
6. Die Wirtschaft bittet die Regierung, dass ihre Vorschläge aufgegriffen werden.
7. Die Mitarbeiter beschweren sich beim Betriebsrat, dass das Unternehmen bei der Planung zu wenig auf ihre Wünsche eingeht.
8. Die Mitarbeiter verlangen, dass man ihre Bedürfnisse stärker berücksichtigt.

*1. Umformulierung möglich: Die Regierung verspricht, ältere Menschen besser in den Arbeitsmarkt zu integrieren.*

................................................................................................................

> Damit ein „dass-Satz" **und** eine Infinitivkonstruktion möglich sind, müssen identisch sein:
>
> 1. das Subjekt des Hauptsatzes und des Nebensatzes, Satz: *1* .
> 2. oder: die Ergänzung im Hauptsatz und das Subjekt des Nebensatzes, Sätze: ............ .
> 3. oder: die Ergänzung im Hauptsatz und das implizite Subjekt des Nebensatzes, Satz: ............ .
> 4. oder: die implizite Ergänzung im Hauptsatz und das Subjekt des Nebensatzes, Sätze: ............ .
>
> Andernfalls sind nur „dass-Sätze" möglich.

**Tipp**
Es können auch die Ergänzung im Hauptsatz **und** das Subjekt im Nebensatz implizit sein.

**b** Formulieren Sie „dass-Sätze" bzw. Sätze mit „zu" + Infinitiv. Wenn beides geht, formulieren Sie nur Sätze mit „zu" + Infinitiv. Begründen Sie Ihre Entscheidung mit einer Regel oder dem Tipp aus 6a.

**Tipp**
Ist ein „dass-Satz" sowie eine Infinitivkonstruktion möglich, klingt die Infinitivkonstruktion in der Regel besser.

1. Wissenschaftler – davor – warnen, – zukünftig – Fachkräftemangel – herrschen werden
2. viele Unternehmen – daher – planen, – junge Arbeitskräfte – gezielt – ausbilden
3. die Arbeitskräfte – fordern, – die Vereinbarkeit – von Arbeit und Familie – sicherstellen
4. die Gewerkschaften – verlangen, – die Kinderbetreuung – verbessern
5. die Arbeitnehmer – von den Gewerkschaften – erwarten, – für ihre Bedürfnisse – eintreten
6. die Arbeitgeber – hoffen, – es – in Zukunft – in den Firmen – keine Generationskonflikte – geben werden

*1. Wissenschaftler warnen davor, dass zukünftig Fachkräftemangel herrschen wird. (es trifft keine Regel aus 6a zu, daher nur „dass-Satz" möglich)*

# E Neues Miteinander

## **1** Neues Miteinander

Erklären Sie die Komposita aus den Berichten im Lehrbuch 2E, 1b, wie im Beispiel.

1. Arbeitsalltag: *der Alltag bei der Arbeit*
2. Geschäftsidee: ...................................
3. Tatendrang: ...................................
4. Erfahrungsschatz: ...................................
5. Geschäftskontakte: ...................................

6. Mehrgenerationenhaus: ...................................
7. Renteneintritt: ...................................
8. Flüchtlingsrat: ...................................
9. Förderunterricht: ...................................
10. Wohnraumangebot: ...................................

## 2 Das Mehrgenerationenhaus

a Hören Sie den Radiobeitrag im Lehrbuch 2E, 2a, noch einmal und ergänzen Sie die folgenden Sätze sinngemäß auf der Basis von Informationen aus dem Beitrag.

1. Frau Koch fühlte sich einsam, weil *ihr Mann gestorben ist* und weil ihre Tochter .

   Sie fühlte sich nutzlos, denn . Moritz hatte ,

   deshalb hat sie ihn . Sie kann schlecht laufen, deshalb ist .

2. Helge ist froh, im Mehrgenerationenhaus zu leben, weil .

   Er findet am Mehrgenerationenhaus gut, dass man .

3. Frau Uhlig findet es toll, dass Moritz und dass Helge ihm .

   Sie kann keinen Nachhilfeunterricht bezahlen, weil . Frau Uhlig hilft den

   Mitbewohnern bei Folgendem: Sie und .

4. Valerie und ihr Mann sind aus Gründen in Deutschland. Es ist für sie nicht leicht,

   Kontakte zu knüpfen, weil .

5. Frau Stein findet es schön, wenn man sich mit Nachbarn versteht, aber .

   Seit ihre Kinder aus dem Haus sind, , und sie ist froh darüber.

b In den Ausdrücken aus dem Radiobeitrag im Lehrbuch 2E, 2a, ist jeweils ein Wort falsch. Korrigieren Sie.

1. den Halt verlieren = die Erde unter den Füßen verlieren
2. sich elend fühlen = ganz schön zu Ende sein.
3. sich schlecht fühlen = ein Berg Elend sein
4. sehr schnell = ratz, Spatz

5. gut betreut werden = in guten Armen sein
6. ein kurzes Gespräch = ein kleiner Tausch
7. ausgezogen sein = aus der Wohnung sein

1. *den Boden unter den Füßen verlieren*

## 3 Paare

Wie heißen die Wortpaare? Ergänzen Sie.

Im Mehrgenerationenhaus wohnen Jung und [1] zusammen. Sie haben schon einige Hochs und

[2] erlebt. Meist gehen sie aber gemeinsam durch dick und [3] . Oft feiern Groß und

[4] zusammen. Hier gibt's kein Problem zwischen Arm und [5] , weil jeder jedem hilft.

„Gleich und [6] gesellt sich gern", aber auch Gegensätze ziehen sich an.

# F Alt oder jung sein – wie ist das?

## 1 Warnung

Ordnen Sie die Synonyme A bis F den Wörtern und Ausdrücken 1 bis 6 aus dem Gedicht „Warnung" im Lehrbuch 2F, 1b, zu.

| | | |
|---|---|---|
| 1. die Warenprobe | A. schimpfen | 1. ☐ |
| 2. horten | B. ein Vorbild sein | 2. ☐ |
| 3. klappern | C. belohnen | 3. ☐ |
| 4. entschädigen | D. ansammeln | 4. ☐ |
| 5. fluchen | E. anschlagen | 5. ☐ |
| 6. ein leuchtendes Beispiel sein | F. das Testexemplar | 6. ☐ |

## 2 Sinnsprüche über Alt und Jung

Wie heißen die Sinnsprüche? Ergänzen Sie die fehlenden Wörter.
Lesen Sie dafür ggf. noch einmal die Sprüche im LB 2 F, 3 a.

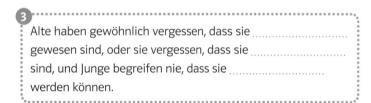

**1** Mit 20 hat jeder das Gesicht, das ........................... ihm gegeben hat, mit 40 das Gesicht, das ihm das ........................... gegeben hat, und mit 60 das Gesicht, das er ............................

**2** Für die Jungen ist nichts besser als das ..........................., für die Alten nichts besser als das ............................

**3** Alte haben gewöhnlich vergessen, dass sie ........................... gewesen sind, oder sie vergessen, dass sie ........................... sind, und Junge begreifen nie, dass sie ........................... werden können.

**5** Man muss ........................... geworden sein, also ........................... gelebt haben, um zu ..........................., wie ........................... das Leben ist.

**4** Vom Standpunkt der Jugend aus gesehen ist das Leben eine unendlich lange ...........................; vom Standpunkt des Alters aus eine sehr kurze ............................

# Aussprache

## 1 Satzakzent

a  Lesen Sie den Tipp und dann die Sinnsprüche. Überlegen Sie sich, welche Wörter wohl am stärksten betont sind und markieren Sie sie. Vergleichen Sie anschließend Ihre Markierungen mit einem Partner / einer Partnerin.

> **Satzakzent**
>
> In deutschen Sätzen oder Wortgruppen wird immer ein Wort stärker betont als die anderen. Es trägt den „Satzakzent" und wird etwas lauter und langsamer gesprochen. Der Satzakzent liegt meist auf Wörtern, die eine Bedeutung tragen, z. B. Nomen, Verben, Adjektive oder Adverbien.

1. Die Begeisterung ist das tägliche Brot der Jugend. Die Skepsis ist der tägliche Wein des Alters.
   •   •   •   •   •   •   •   •   •   •   •   •   •   •   •

2. Die Jugend spricht vom Alter wie von einem Unglück, das sie nie treffen kann.

3. Alte Leute sind gefährlich; sie haben keine Angst vor der Zukunft.

AB ⦿ 2  b  Hören Sie die Sätze in 1a und überprüfen Sie Ihre Markierungen in 1a. Sprechen Sie die Sätze dann in der gleichen Weise nach.

c  Lesen Sie die Sinnsprüche in Übung 2 oben und markieren Sie dort, welche Wörter den Satzakzent tragen.

AB ⦿ 3  d  Hören Sie nun die Sinnsprüche in 2 und überprüfen Sie Ihre Markierungen in 1c.

e  Nehmen Sie nun Ihr Gedicht oder das von Jenny Joseph im LB 2 F, 1b. Überlegen Sie sich, welche Wörter Sie betonen wollen. Üben Sie die Betonung des Gedichts laut und tragen Sie es dann einem Partner / einer Partnerin vor.

f  Geben Sie Ihrem Partner / Ihrer Partnerin Rückmeldung, ob der Gedichtvortrag gelungen ist. Was war gut, was war weniger gut?

# Grammatik: Das Wichtigste auf einen Blick

## ⊙ G3.2 ① Futur I und II

Das Futur verwendet man u. a. dazu, zukünftige Sachverhalte auszudrücken:

- **Futur I:** Das Ereignis findet in der Zukunft statt. (Form: werden + Infinitiv)

  z. B. 2060 wird ein Drittel der Deutschen über 60 Jahre alt sein.
- **Futur II:** Das Ereignis ist in der Zukunft schon abgeschlossen. (Form: werden + Partizip II+ sein / haben)

  z. B. 2060 wird die Lebenserwartung um einige Jahre gestiegen sein.

In der Umgangssprache verwendet man häufig für das Futur I das Präsens und für das Futur II das Perfekt mit einer temporalen Angabe.

- Wir brauchen die Unterlagen morgen Nachmittag.     ☐ O. k., morgen Mittag habe ich alles erledigt.

Das Futur wird auch dazu verwendet, eine feste Absicht, Sicherheit oder eine Vermutung auszudrücken, z. B.

| Futur I | Futur II |
|---|---|
| • Wir werden nächstes Jahr heiraten. | • Nächstes Jahr werde ich das Studium abgeschlossen haben. |
| • Ich werde den Test bestehen. | • Ich werde das sicher bis morgen organisiert haben. |
| • Er wird wohl schon im Hotel sein. | • Er wird wohl schon angekommen sein. |

## ⊙ G1.4, 4.1 ② Nominalisierung von Infinitiv- und „dass-Sätzen"

- Ersetzt man Infinitiv- und „dass-Sätze" durch nominale Ausdrücke, so ist dies ein Stilmittel, um Sachverhalte kürzer und prägnanter wiederzugeben. Diese Nominalstrukturen verwendet man hauptsächlich im formellen Kontext.
- Bei der Nominalisierung wird das konjugierte Verb des „dass-Satzes" bzw. der Infinitiv des Infinitivsatzes in ein Nomen umgewandelt. Dieses Nomen wird häufig mithilfe einer Genitiv-Konstruktion oder einer passenden Präposition mit dem Subjekt bzw. einer Ergänzung des „dass-Satzes" oder des Infinitivsatzes verbunden. Adverbien werden bei der Nominalisierung in der Regel zu Adjektiven.

  z. B. Die Senioren fordern, dass man ihre Interessen stärker berücksichtigt. / ihre Interessen stärker zu berücksichtigen.

  → Die Senioren fordern eine stärkere Berücksichtigung ihrer Interessen.

## ⊙ G1.4 ③ Verbalisierung mithilfe von Infinitiv- und „dass-Sätzen"

Es ist oft möglich, Nominalisierungen in Infinitiv- und „dass-Sätze" aufzulösen. Damit ein „dass-Satz" **und** eine Infinitivkonstruktion möglich sind, müssen identisch sein:

- **das Subjekt des Hauptsatzes und des Nebensatzes:**

  z. B. Die Regierung verspricht eine bessere Integration älterer Menschen in den Arbeitsmarkt.

  → Die Regierung verspricht, dass sie ältere Menschen besser in den Arbeitsmarkt integrieren wird.

  → Die Regierung verspricht, ältere Menschen besser in den Arbeitsmarkt zu integrieren.
- **oder: die Ergänzung im Hauptsatz und das Subjekt des Nebensatzes:**

  z. B. Die Regierung fordert die Unternehmen zur Einführung flexiblerer Arbeitszeitmodelle auf.

  → Die Regierung fordert die Unternehmen auf, dass sie flexiblere Arbeitszeitmodelle einführen.

  → Die Regierung fordert die Unternehmen auf, flexiblere Arbeitsmodelle einzuführen.
- **oder: die Ergänzung im Hauptsatz und das implizite Subjekt des Nebensatzes:**

  z. B. Die Wirtschaft bittet die Regierung um das Aufgreifen ihrer Vorschläge.

  → Die Wirtschaft bittet die Regierung, dass man (irgendjemand in der Regierung) dabei ihre Vorschläge aufgreift.

  → Die Wirtschaft bittet die Regierung, dabei ihre Vorschläge aufzugreifen.
- **oder: die implizite Ergänzung im Hauptsatz und das (implizierte) Subjekt des Nebensatzes:**

  z. B. Die Regierung fordert auch die Installation flexiblerer Arbeitsortmodelle.

  → Die Regierung fordert (von den Unternehmen), dass sie auch flexible Arbeitsortmodelle installieren.

  → Die Regierung fordert (von den Unternehmen), auch flexiblere Arbeitsortmodelle zu installieren.

Andernfalls sind nur „dass-Sätze" möglich.

# A Sagen und Meinen

## 1 Das Kommunikationsquadrat

a Welche Wörter fehlen wo im folgenden Text? Ergänzen Sie.

> Äußerung | Beziehung | Gesprächs | Botschaften | Aussage | Empfänger |
> Erfahrungen | ~~Kommunikation~~ | Kontext | reden | Sender | verstehen | Zungen

[1] _Kommunikation_ ist oft schwieriger, als man denkt. Was wir verstehen, wenn wir etwas hören, ist vom

[2] .............................., der [3] .............................. zum Gesprächspartner, von unterschiedlichen [4] ..............................

und Emotionen abhängig. Friedemann Schulz von Thun hat die vier Seiten einer [5] .............................. als Quadrat

dargestellt und dementsprechend dem [6] .............................. „vier Zungen" und dem [7] .............................. „vier Ohren"

zugeordnet. Psychologisch gesehen, sind also, wenn wir miteinander [8] .............................., auf beiden Seiten vier

[9] .............................. und vier Ohren beteiligt, und die Qualität des [10] .............................. hängt davon ab, wie diese

zusammenspielen. Jede meiner Äußerungen enthält, ob ich will oder nicht – vier [11] .............................. gleichzeitig.

Der Empfänger kann, je nachdem, welches Ohr gerade bevorzugt „eingeschaltet" ist, eine [12] ..............................

ganz unterschiedlich [13] ...............................

b Welche Botschaften enthält eine Äußerung? Kombinieren Sie die Silben und notieren Sie die Wörter.

> sach | pell | hin | tion | barung | be | selbst | informa | offen | weis | ap | ziehungs

1. Worüber ich informiere: ..............................   3. Wie ich zu dir stehe: ..............................
2. Was ich von mir zu erkennen gebe: ..............................   4. Was ich bei dir erreichen möchte: ..............................

## 2 Wenn man die Botschaft „rüberbringen" will – die passende Wortwahl

a Welches Wort ist nicht synonym: a, b oder c? Kreuzen Sie an.

| | | | |
|---|---|---|---|
| 1. so tun als ob | **a** vorgeben | **b** behaupten | **c** vortäuschen |
| 2. versichern | **a** beteuern | **b** als gewiss hinstellen | **c** meinen |
| 3. vorwerfen | **a** beanstanden | **b** erklären | **c** einen Vorwurf machen |
| 4. bewerten | **a** verwerten | **b** beurteilen | **c** einschätzen |
| 5. appellieren | **a** anregen | **b** zureden | **c** befehlen |
| 6. andeuten | **a** anklingen lassen | **b** durchblicken lassen | **c** deutlich machen |
| 7. überzeugen | **a** umstimmen | **b** bezaubern | **c** überreden |

b Bilden Sie Vierergruppen: Eine Person spielt den Chef / die Chefin, die anderen sind Angestellte. Versetzen Sie sich in eine der Rollen und überlegen Sie sich eine passende Antwort. Diskutieren Sie im Anschluss die vermittelten Botschaften und die unterschiedlichen Reaktionen.

> Chef / Chefin: Sie sagt immer denselben Satz: „Wissen Sie nicht, wie spät es ist, Frau / Herr …?"

> Angestellte / r 1: Sie haben bis 16.00 Uhr eine dringende Arbeit zu erledigen.

> Angestellte / r 2: Sie stehen mit Mantel und Aktentasche an der Stechuhr.

> Angestellte / r 3: Sie sitzen am Empfang und sind dort „Mädchen für alles".

# B Nur nicht zu direkt ...!

## 1 Axel Hacke, Schriftsteller und Kolumnist

a Lesen Sie die Kurzbiografie von Axel Hacke und beantworten Sie die Fragen.

**Axel Hacke** (*20. Januar 1956 in Braunschweig): Nach dem Abitur in Braunschweig und dem Wehrdienst begann Hacke 1976 zunächst ein Studium in Göttingen, zog dann aber bald weiter nach München, wo er die Deutsche Journalistenschule besuchte und Politische Wissenschaften studierte. Von 1981 bis 2000 arbeitete er als Redakteur bei der Süddeutschen Zeitung, zunächst vier Jahre lang als Sportreporter, danach als politischer Kommentator, vor allem aber als einer der Autoren des „Streiflichts", einer humorvollen Kolumne, die seit 1946 täglich auf der ersten Seite links oben erscheint und fast immer 72 Zeilen umfasst. Er verfasste auch viele Reportagen auf der „Seite Drei" des Blattes, auf der regelmäßig große Reportagen und Hintergrundartikel erscheinen. Axel Hacke schrieb große Porträts (zum Beispiel über den Modeschöpfer Wolfgang Joop), berichtete über den politischen Alltag in Bonn und Berlin sowie über die Wendezeit in der DDR und den neuen Bundesländern und war Korrespondent bei vielen Olympischen Spielen und Fußballweltmeisterschaften. Seit 2000 ist er als Kolumnist und Schriftsteller freiberuflich tätig.

1. Für welche Ressorts der Süddeutschen Zeitung war Axel Hacke tätig?
2. Was ist das Besondere am „Streiflicht" und an der „Seite Drei"?
3. Was macht Axel Hacke heute?

b Sie können die Glosse und andere Texte von Axel Hacke auf YouTube hören. Vereinbaren Sie im Kurs, wer sich welchen Text anhört, und berichten Sie später über Ihr Hörerlebnis.

## ▶ G1.1 2 Vom „Partnerschaftspassiv" zur (freundlichen) Aufforderung

Formulieren Sie die Sätze zu Situationen in der Glosse als Aufforderung im Aktiv, sodass klar wird, wer was tun soll.

1. Sie: Die Christbaumkugel muss hier endlich mal weggeräumt werden.
2. Er: Sie sollte in den Keller gebracht werden.
3. Sie: Das Regal hätte schon längst aufgehängt werden müssen.
4. Er: Dafür hätten aber zuerst die Löcher gebohrt werden müssen.
5. Sie: Die Blumen müssen unbedingt gegossen werden.
6. Er: Dafür müsste eine neue Gießkanne gekauft werden.

*1. Sie: Du musst hier endlich mal die Christbaumkugel wegräumen. / Könntest du mal die Christbaumkugel wegräumen? /*

*Räum doch bitte mal die Christbaumkugel weg. / ...*

## ▶ G1.1 3 Direkt statt indirekt

a Formulieren Sie in dem Dialog zwischen den Kollegen Mia und Ralf die indirekt formulierten Aufforderungen in direkte bzw. höflich neutrale Aufforderungen um. Verwenden Sie die sprachlichen Mittel aus dem Lehrbuch 3 B, 2 b.

1. Mia: Man müsste in deinem Büro mal Ordnung machen.
2. Ralf: Ich schaff' das allein aber nicht. Jemand sollte mir dabei helfen.
3. Mia: Gut, aber vorher könnten die Akten schon mal gesichtet werden.
4. Ralf: Hm, aber jemand sollte mich unterstützen und könnte ein zusätzliches Regal beantragen.
5. Mia: O. k., man kann aber schon mal damit anfangen, Akten auszusortieren.
6. Ralf: Einer müsste auch den Kollegen Bescheid geben.

*1. Mia: Mach doch mal Ordnung in deinem Büro!*

b Lesen Sie die Aufforderungssätze und kreuzen Sie an, ob sie unhöflich (u), höflich bzw. neutral (n), sehr höflich (s) oder indirekt (i) formuliert sind.

1. Könntest du mir helfen? u n ☒ i
2. Bring die Tasche in den Keller. u n s i
3. Räum mal bitte die Spülmaschine aus. u n s i
4. Man sollte die Christbaumkugel wegräumen. u n s i

5. Du hängst jetzt das Regal auf! u n s i
6. Kannst du den Müll rausbringen? u n s i
7. Lass uns morgen die Fenster putzen. u n s i
8. Würdest du bitte die Musik leiser stellen? u n s i

AB ● 4 c Hören Sie nun die Sätze in 3b und überprüfen Sie Ihre Lösung. Sprechen Sie dann die Sätze nach.

# C Mit anderen Worten

## 1 Ich begrüße Sie zu unserem heutigen Fachgespräch

a Ergänzen Sie die fehlenden Präpositionen.

[1] *In* dem Gespräch geht es [2].......... geschlechtsspezifische Sprachverwendung. Frau Professor Weiß forscht [3].......... dieses Thema und auch Dr. Reinhardt beschäftigt sich [4].......... diesem Thema. Viele Probleme zwischen den Geschlechtern werden [5].......... deren unterschiedliche Art zu kommunizieren zurückgeführt. Frau Weiß kann dies [6].......... linguistischer Sicht bestätigen. Frauen passen sich mehr [7].......... die sozialen Normen und Erwartungen ihrer Umwelt an: Sie sprechen z. B. [8].......... städtischen Bereich eher Standardsprache und [9].......... dem Land eher Dialekt. Herr Reinhardt ist in seinen Untersuchungen [10].......... ähnliche Ergebnisse gestoßen. [11].......... seinen Untersuchungen hat sich herausgestellt, dass Frauen und Männer oftmals [12].......... einen unterschiedlichen Fachwortschatz verfügen. Frauen sprechen oft leiser und sie neigen insgesamt [13].......... kürzeren Sätzen. Ein weiteres Ergebnis ist: Männer tendieren [14].......... verallgemeinernden Aussagen, während Frauen eher „Ich-Aussagen" bevorzugen und häufiger rückversichernde Sprachmittel verwenden. Dr. Reinhard zieht [15].......... diesem Ergebnis den Schluss, dass Frauen sich stärker [16].......... jeweiligen Gesprächspartner orientieren. Beide Wissenschaftler betonen, dass man vorsichtig [17].......... diesen Ergebnissen umgehen und sich [18].......... Verallgemeinerungen hüten müsse.

b Legen Sie sich eine eigene Tabelle von Verben mit festen Präpositionen an.

● G 3.3.1 ## 2 Wiederholung: Perspektivwechsel „Aktiv – Passiv"

a Bilden Sie Sätze im Aktiv oder Passiv. Achten Sie darauf, was betont werden soll.

**Tipp**
Das Passiv wird vor allem dann verwendet, wenn die Handlung / der Vorgang im Mittelpunkt steht und der Handelnde (das Agens) nicht oder weniger relevant ist.

Betonen Sie,
1. wer geforscht hat: die geschlechtsspezifische Sprachverwendung – Frau Weiß – forschen über
2. dass untersucht worden ist: auch – untersuchen – diese Frage – Herr Reinhardt
3. dass man berichtet hat: im Fernsehen – berichten über – die Untersuchung
4. wer kürzere Sätze besser findet: kürzere Sätze – bevorzugen – Frauen
5. die Verwendung der Sprachmittel: verwenden – rückversichernde Sprachmittel – mehr – Frauen
6. wer eher sachorientiert kommuniziert: bevorzugen – Männer – einen sachorientierten Stil – eher

*1. Aktiv: Frau Weiß hat über die geschlechtsspezifische Sprachverwendung geforscht.*

AB 34

b In welchen Sätzen ist die Erwähnung des Agens, also von wem etwas getan wird, sinnvoll und in welchen weniger relevant? Begründen Sie ähnlich wie im Beispiel.

1. Die Konferenz über Umweltfragen wird von einem internationalen Expertenteam vorbereitet.
2. Zur Konferenz sind von den Veranstaltern zahlreiche Vertreter aus Politik und Wirtschaft eingeladen worden.
3. Die ganze Umgebung wird durch die Polizei abgesperrt werden.
4. Damit soll durch die Veranstalter einer Forderung der Politik entsprochen werden.
5. Im Vorfeld wurde von allen intensiv über diese Maßnahme diskutiert.
6. Von der neu gegründeten Aktionsgruppe „Freie Bürger" sind Protestveranstaltungen angekündigt worden.

*1. Die Erwähnung des „internationalen Expertenteams" ist sinnvoll, weil man so weiß, dass die Konferenz nicht nur von deutschen Experten vorbereitet wird.*

○ G 3.3.2 **3** ## Wiederholung: Das unpersönliche („subjektlose") Passiv

a Welche Variante klingt unpersönlicher bzw. härter? Warum? Markieren Sie.

1. a Ab sofort werden wir sparen!  b Ab sofort wird gespart!
2. a Alle werden künftig mehr arbeiten.  b Künftig wird mehr gearbeitet.

Begründung: .......................................................................................................................

b Man sollte nicht immer „man" gebrauchen. Lesen Sie den Tipp unten und schreiben Sie die Sätze im Passiv.

1. In der Lobby durfte man nicht rauchen.     *In der Lobby durfte nicht geraucht werden.*

2. Man diskutierte viel darüber. .......................................................

3. Man hat sogar erwogen, das Verbot wieder aufzuheben. .......................................................

4. Diesem Vorschlag hat man aber nicht zugestimmt. .......................................................

5. Also musste man weiter vor der Tür rauchen. .......................................................

6. Dabei redete man viel. .......................................................

Ⓟ DSH c Betonen Sie den Vorgang. Achten Sie dabei auf die Zeitformen.

1. Wir forschen zurzeit an der Universität zum Thema „Gesprächsstile".
2. Die Forscher werden die Forschungsarbeit vorzeitig abschließen.
3. Trotzdem wollen sie die Ergebnisse erst zum geplanten Termin vorstellen.
4. Jetzt bereitet das Team die Präsentation der Ergebnisse vor.
5. Gestern hat der Assistent die Einladungen verschickt.
6. Wir haben schon viel geschafft.

*1. Zurzeit wird an der Universtiät zum Thema „Gesprächsstile" geforscht.*

.......................................................................................................................

d Zu Befehl! Formulieren Sie Befehle.

1. hier nicht rumquatschen   *Hier wird nicht rumgequatscht!*

2. jetzt Tacheles reden .......................................................

3. nun Schluss machen .......................................................

4. nachher alles aufräumen .......................................................

5. hier gefälligst gehorchen .......................................................

6. dort nicht rumlaufen .......................................................

> **Tipp**
> - Passiv ohne Subjekt: Wenn Position 1 im Satz nicht besetzt ist, kann „es" als Platzhalter stehen, z. B. „Seit Jahren wird viel geforscht." → „Es wird seit Jahren viel geforscht". „es" muss stehen, wenn Position 1 sonst unbesetzt wäre, z. B. „Es wird geforscht."
> - „wollen" in Aktivsätzen → „sollen" in Passivsätzen, z. B. Wir wollen eine Untersuchung durchführen. → Eine Untersuchung soll durchgeführt werden.

> **Tipp**
> Das unpersönliche Passiv wird auch gebraucht, um Befehle auszudrücken.

○ G3.3.3 **4** **Wiederholung: Passiv mit Modalverb im Nebensatz**

Wissen Sie, warum und wie? Beziehen Sie Stellung, indem Sie die folgenden Ausdrücke verwenden.
Variieren Sie die Sätze.

> Es ist doch klar, dass … | Man hat sich gefragt, warum … | Studien haben ergeben, dass … |
> Ich bin der Ansicht, dass … | Es scheint so, dass … | Die Frage ist, ob …

1. Bestimmte Ausdrucksweisen können eher einem weiblichen oder einem männlichen Gesprächsstil zugeordnet werden.
2. Die Ursachen für dieses Phänomen konnten bisher schon gut geklärt werden.
3. Sollte nicht trotzdem noch mehr Forschung zu diesem Thema betrieben werden?
4. Die Geldgeber werden erst davon überzeugt werden müssen, dass weitere Studien sinnvoll sind.
5. Die Gründe für die unterschiedliche Sprachverwendung sollten auf jeden Fall weiter untersucht werden.

*1. Studien haben ergeben, dass bestimmte Ausdrucksweisen eher einem weiblichen oder einem männlichen Gesprächsstil*

*zugeordnet werden können. / Es scheint so, dass …*

**5** **Meines Erachtens – Redemittel für Diskussionen**

a Gedanken und Meinungen ausdrücken: Formulieren Sie sinnvolle Redemittel.

1. Standpunkt – auf – ich – stehen – dass – dem
2. vertreten – in Bezug auf … – ich – Standpunkt – den – dass
3. meinem – Dafürhalten – nach – wie folgt: – Situation – die – sein
4. meiner – aus – Sicht – sagen – ich – würde – dass
5. sein – ich – festen – dass – Überzeugung – der
6. persönliche – meine – Einstellung – folgende – sein – dazu

*1. Ich stehe auf dem Standpunkt, dass …*

b Ergänzen Sie in den Redemitteln die fehlenden Wörter und notieren Sie jeweils die passende Kategorie als Überschrift.
Sehen Sie ggf. im Lehrbuch, 3C, 1d, nach.

> Einwände geltend machen | ~~Argumente einsetzen~~ | Einstellung begründen | Argumente ablehnen

**A** *Argumente einsetzen*

1. Hierzu möchte ich zwei / drei / … Argumente
   *anführen* : …

2. Diesen _____ möchte ich wie folgt erläutern:
   …

**B** _____

3. Meinen _____ möchte ich wie folgt
   begründen: …

4. Das liegt _____ begründet, dass …

5. Das liegt in der _____ der Sache, denn …

6. Das liegt wahrscheinlich _____, dass …

7. Der Grund dafür ist _____ zu suchen, dass …

**C** _____

8. _____ kann ich überhaupt nicht zustimmen,
   weil …

9. Nicht er hat recht, _____ sie, denn …

10. Das kann ich überhaupt nicht _____, weil …

**D** _____

11. Das _____ zwar im ersten Moment
    überzeugend, aber …

12. Ich _____ mich, ob …

13. Man _____ einwenden, dass …

14. Das überzeugt mich nur _____, denn …

# D Was ist tabu?

## 1 Über Tabuisiertes kommunizieren? Aber wie?

a Ergänzen Sie die Sätze mit den Wörtern aus dem Artikel im Lehrbuch 3D, 2c.

anpacken | auftreten | bewältigen | einüben | sensibilisieren | überwinden |
verbrennen | verletzen | versetzen | verwenden | verständigen | wahrnehmen

1. Durch die gekonnte Verwendung sprachlicher Mittel können wir heiße Eisen *anpacken* .

2. Wir vermeiden es dadurch, uns die Zunge zu .

3. So können wir uns über tabuisierte Bereiche verständigen, ohne die Konventionen zu .

4. In diesem Kontext ist es üblich, den Begriff „Tabudiskurs" zu .

5. Tabudiskurse umfassen sprachliche Formen, mit denen wir heikle Situationen .

6. Tabuverletzungen werden von Fremden oft nicht .

7. Wenn dies nicht geschieht, können auch keine Scham- und Schuldgefühle .

8. Interkulturell orientierter Unterricht sollte den Lerner für mögliche Tabuphänomene .

9. Ein solcher Unterricht sollte einen in die Lage , Tabus in anderen Kulturen zu erkennen

   und Tabudiskurse mithilfe bestimmter sprachlicher Mittel beispielhaft .

10. Sensibilisierte Fremdsprachenlerner können Kommunikationsbarrieren und sich

    mit dem Gesprächspartner über tabuisierte Sachverhalte .

b Für welche der in den Artikeln im Lehrbuch 3D, 2a und 2c, genannten Tabubereiche stehen die Ausdrücke 1 bis 5? Welche zusätzlichen Bereiche betreffen die Ausdrücke 6 und 7? Gibt es in Ihrer Heimat ähnliche Ausdrücke?

| Metapher / Euphemismus | Bereich | Erläuterung | Ausdruck aus eigener Kultur |
|---|---|---|---|
| 1. Es hat ihn / sie ganz schön erwischt. | *Krankheit* | *Er / Sie ist sehr krank.* | |
| 2. Er / Sie ist gut beieinander. | | | |
| 3. Er / Sie ist von uns gegangen. | | | |
| 4. Sie haben was miteinander. | | | |
| 5. Er / Sie hat einen sitzen. | | | |
| 6. Er / Sie ist auf die schiefe Bahn geraten. | | | |
| 7. Er / Sie hat nicht alle Tassen im Schrank. | | | |

c Lesen Sie die Beschreibung der Situationen. Um welche Tabuthemen geht es?

**Situation 1**

Sie treffen nach längerer Zeit eine alte Freundin und finden, dass sie sichtbar älter geworden ist. Nun fragt die Freundin Sie, ob sie sich sehr verändert habe.

**Tabuthema:**
*Alter von Frauen*

**Situation 2**

Eine Nachbarin feiert ihre Beförderung. In ihrer neuen Position muss sie viel mehr tun, scheint aber auch ziemlich gut zu verdienen. Sie würden zu gern wissen, wie viel.

**Tabuthema:**

**Situation 3**

Sie sind bei Bekannten zu Besuch. Die Tochter Ihrer Gastgeber möchte von Ihnen wissen, welche Partei Sie bei den bevorstehenden Landtagswahlen wählen werden.

**Tabuthema:**

**Situation 4**

Ihre 90-jährige Nachbarin ist am Herzen operiert worden und liegt auf der Intensivstation. Sie sprechen mit der Tochter darüber.

**Tabuthema:**

**d**  Ordnen Sie die Sätze den Situationen von 1c zu.

> 1    1. Man sieht, dass du kein langweiliges Leben hattest.
>
> ☐    2. Du kommst jetzt ja immer sehr spät nach Hause. Hauptsache die Kasse stimmt, oder?
>
> ☐    3. Wenn die Stunde kommt, müssen wir uns eben alle damit abfinden.
>
> ☐    4. Ja, also, ich denke, es sollte nicht alles so bleiben wie bisher.
>
> ☐    5. Diese größere Verantwortung wird doch hoffentlich auch kompensiert, oder?
>
> ☐    6. Ich finde, dein Gesicht ist noch ausdrucksvoller geworden.
>
> ☐    7. Nun, ich habe Grün ganz gern.
>
> ☐    8. Tja, wir werden halt alle nicht jünger.
>
> ☐    9. Hast du denn auch was von deinem Engagement?
>
> ☐    10. Natürlich sorgt man sich, aber sie hat ja wirklich ein schönes Alter erreicht.
>
> ☐    11. Wer das Sagen hat, ist im Prinzip egal!
>
> ☐    12. Man hofft ja immer, aber gut umsorgt einzuschlafen, ist auch ein Glück.

**e**  Überlegen Sie in Gruppen, was die Sprecher mit den Sätzen in 1d eigentlich sagen wollen.

*1. Das Leben hat seine Spuren hinterlassen, du hast ziemlich viele Falten.*

**f**  Lesen Sie den folgenden Auszug aus einem einsprachigen Wörterbuch und besprechen Sie dann, welche Sätze aus 1d eher etwas andeuten, eher etwas umschreiben oder eher etwas beschönigen.

> **andeuten:** etwas vorsichtig durch einen leisen Hinweis, eine Bemerkung o. Ä. zu verstehen geben. Beispiel: Jemand hat eine neue Stelle in Aussicht und sagt: „Vielleicht gibt es demnächst eine angenehme Überraschung."
>
> **umschreiben:** Sachverhalte anders, besonders mit mehr als den direkten Worten (verhüllend), ausdrücken oder beschreiben. Beispiel: Jemand war mit seinem Vorstellungsgespräch zufrieden und sagt: „Mein Bewerbungsgespräch ist gar nicht so schlecht gelaufen."
>
> **beschönigen:** etwas Schlechtes / Fehlerhaftes als nicht so schwerwiegend darstellen, häufig mithilfe von Verallgemeinerungen. Beispiel: Ihre Gesprächspartnerin hat die Stelle doch nicht bekommen, Sie antworten: „Na ja, jeder hat mal Pech. Es gibt ja noch andere Möglichkeiten."

## 2  Ins Fettnäpfchen getreten

Stellen Sie sich vor, Sie haben ein Tabuthema berührt und merken, dass Ihr Gegenüber beleidigt ist oder sogar das Gespräch abbricht. Welche der folgenden Sätze sind geeignet (g), um die Situation zu retten, welche eher nicht (n)?

1. Da ist doch nichts dabei.   g ☒
2. Entschuldigung, ich wollte Sie / dich nicht verletzen.   g n
3. Oh tut mir leid, wissen Sie, bei uns ist es ganz normal, über dieses Thema zu sprechen.   g n
4. Seien Sie doch nicht gleich beleidigt. Ich habe doch nur eine einfache Frage gestellt.   g n
5. Oh, das ist mir aber jetzt peinlich, ich wollte nicht unhöflich sein.   g n
6. Was ist denn los? Habe ich etwa schon wieder was falsch gemacht?   g n
7. Entschuldigung, ich wusste nicht, dass man darüber in Deutschland nicht gern spricht.   g n
8. Tut mir leid, ich wollte nicht aufdringlich sein.   g n
9. Was ist denn los? Warum sagen Sie plötzlich nichts mehr?   g n
10. Ich merke, dass Sie verstimmt sind. Wenn ich etwas Falsches gesagt habe, tut es mir leid.   g n

**3** **Stilmittel „doppelte Verneinung" –
Sie sind kein schlechtes Team!**

**Tipp**

Mithilfe der doppelten Verneinung wird ein Sachverhalt nicht verneint, sondern bejaht und indirekt bzw. verhüllend ausgedrückt. Man kann das Stilmittel gebrauchen, um eine Situation besonders zu betonen oder auch zu relativieren.

a Lesen Sie den Tipp und markieren Sie zuerst jeweils die zwei
Verneinungselemente. Formulieren Sie dann die Sätze positiv,
verwenden Sie dabei die Wörter in Klammern.

1. Er führt sein Geschäft nicht ohne Erfolg.    (relativ) *Er führt sein Geschäft mit relativ großem Erfolg.*

2. Sie unterstützt ihn nicht unerheblich. ............................................................

3. Er ist kein Unbekannter in der Branche.   (ziemlich) ...............................................

4. Und sie ist keine schlechte Geschäftspartnerin.  (recht) ...............................................

5. Denn sie ist kein Neuling in dem Bereich. ............................................................

6. Ihr Gewinn ist nicht unbedeutend. ............................................................

7. Ihre Zusammenarbeit ist nicht schlecht.  (ziemlich) ...............................................

8. Und beide fühlen sich nicht unwohl dabei.  (ganz) ...............................................

b Drücken Sie den Inhalt der Sätze mithilfe der doppelten Verneinung aus.

1. Sie ist oft etwas zu kritisch.                   *Sie ist nicht selten etwas zu kritisch.*

2. Und er hat sehr viel geschimpft. ............................................................

3. Es war ein schwieriger Konflikt. ............................................................

4. Ihr Gespräch war dann aber doch harmonisch. ............................................................

5. Denn sie arbeiten letztlich gern zusammen. ............................................................

6. Und sie sind wirklich ein gutes Team. ............................................................

# E Lügen, die niemanden betrügen?

**⚷ 1 Wie schreibe ich eine Erörterung?**

Lesen Sie den Tipp und ordnen Sie den Gliederungs-
punkten der Erörterung folgende Begriffe zu.

Aktualität des Themas | Darlegung der
eigenen Meinung | Prognose | Klärung des
Begriffs | Lösungsvorschlag | Thesen der
eigenen Position | Thesen der Gegenposition |
Überleitung zur eigenen Meinung | Vergleich
der Pro- und Contra-Argumente | Widerlegung
der Argumente der Gegenposition

**Die schriftliche Erörterung**

In einer Erörterung wird eine strittige Frage behandelt. Das Problem wird zusammenfassend erläutert (Einleitung), dann folgt eine Auseinander-setzung (Hauptteile 1–3): Dort werden kurz die gegensätzlichen Positionen beschrieben, z. B. Aufzählung der Argumente, die nicht der eigenen Position entsprechen (Antithese), dann Erläuterung der Argumente, die mit der eigenen Position übereinstimmen (These), wobei man auch abwechselnd jeder Antithese eine These direkt gegenüberstellen kann. Am Ende des Hauptteils werden die Argumente gegeneinander abgewogen (Synthese), dies mündet in einer Schlussfolgerung, die häufig mit einer persönlichen Stellungnahme verbunden ist. Diese kann durch einen Ausblick ergänzt werden. Redemittel für eine Erörterung finden Sie in Mittelpunkt neu B2, Lektion 6 (Lehrbuch) und Lektion 9 (Arbeitsbuch).

| Einleitung | Aktualität des Themas, |
|---|---|
| **Hauptteil 1:** Antithese (= Gegenthese zu der eigenen These) | |
| **Hauptteil 2:** These (= die eigene vertretene These) | |
| **Hauptteil 3:** Synthese | |
| **Schluss** | |

## 2 Wie schreibe ich einen leserfreundlichen Text?

Stilmerkmale von schriftlichen Texten: Ordnen Sie die Merkmale zu und besprechen Sie Ihre Ergebnisse im Kurs.

1. Fachwörter sind erläutert | 2. Hauptaspekte sind hervorgehoben | 3. viel Spezialterminologie | 4. unklare Bezüge | 5. variabler Satzbau | 6. Ausdrucksvarianten | 7. gute Beispiele | 8. meist gleicher Satzbau | 9. Stilbrüche | 10. logischer Aufbau | 11. roter Faden | 12. keine Spannungskurve | 13. Absätze willkürlich gesetzt | 14. einleuchtende Übergänge | 15. Schachtelsätze | 16. häufige Wiederholungen | 17. Allgemeinplätze | 18. anschauliche Darstellung | 19. Zwischenüberschriften | 20. unübliche Abkürzungen erklärt | 21. unübersichtliche Anordnung der Argumente

|  | Wortwahl | Satzbau | Aufbau | Inhalt |
|---|---|---|---|---|
| positiv | *1, …* |  |  |  |
| negativ |  |  |  |  |

## 3 Unser Ratschlag heute: Notlügen oder währt ehrlich doch am längsten?

a Lesen Sie die beiden Texte von der Webseite „Alltagsberatung". Welche Kriterien aus 2 wurden in welchem Text befolgt, welche nicht? Notieren Sie.

**A Welche Notlügen wann?**

Manchmal sind Notlügen aus unterschiedlichen Gründen notwendig. Welche sind brauchbar? Die moderne Technik bietet ein wunderbares Notlügen-Reservoir für jeden. Heutzutage beherrschen viele Leute die moderne Technik nicht und reagieren verständnisvoll, wenn es jemandem ebenfalls an deren Beherrschung fehlt. Man kann sagen: „Mein Akku ist leer – ich muss Schluss machen." „Ich hatte noch einen dringenden Anruf auf meinem Handy." „Mein PC ist abgestürzt – ich musste alles noch mal machen." „Die Problematik unseres SMTP-Servers hat zu Komplikationen mit den Mails, die noch zu bearbeiten sind, geführt." Vergessen Sie nicht, welche Notlüge Sie wem erzählt haben. Es wird zwar akzeptiert, aber wenn es häufig vorkommt, könnte das als inkompetent und unzuverlässig eingeschätzt werden. Unser Ratschlag ist, dass nur im Notfall Notlügen gebraucht werden sollten. – Herzliche Grüße von Paul, Ihrem Netzalltagsberater

**B Notlügen? Manchmal ja, aber welche?**

Frau B. ist im Stress. Schon zum dritten Mal ruft ihre Nachbarin an und möchte „nur ein bisschen quatschen". Aber das kann Stunden dauern. Daher heißt es leicht: „Oh, mein Akku ist fast leer …". Ist diese kleine Notlüge nicht verzeihlich? Der kleine Sohn von Herrn P. ist schon wieder krank. Herr P. hat es daher nicht geschafft, den Bericht fertigzustellen. Deshalb sagt er: „Mein PC ist abgestürzt – alle Daten waren weg." Ist „notlügen" nicht menschlich?

**Kleine Notlügen-Hitliste**
Aber welche Notlügen überzeugen? Wo bekomme ich sie her? Da bietet die moderne Technik ein reiches Reservoir für viele Situationen. Sehr beliebt ist zum Beispiel am Telefon: „Entschuldigung, ich bekomme gerade einen wichtigen Anruf auf der anderen Leitung!" oder bei Unpünktlichkeit: „Ich hatte noch einen dringenden Anruf auf dem Handy." Ein Hit ist auch: „Wir hatten Probleme mit unserem Server, ich habe Ihre Mail erst heute bekommen."

**Notlügen nur im Notfall?**
Wenn nun aber der Server fast immer ausfällt, der Akku Ihres Telefons dauernd leer ist und Ihr PC wöchentlich abstürzt, könnte die Notlüge sich jedoch leicht gegen Sie wenden und Sie könnten sogar als inkompetent oder unzuverlässig eingeschätzt werden. Deshalb reservieren Sie sich **Not**lügen für den **Not**fall und – Achtung! Jetzt kommt's: Vergessen Sie nie, wem Sie welche Notlüge erzählt haben! – In diesem Sinne für heute, Paul, Ihr Alltagsberater im Netz

b Welcher Text ist der bessere und warum? Tauschen Sie sich im Kurs über Ihre Ergebnisse in 3 a aus.

# F Worauf spielen Sie an?

## 1 Sag's in Bildern

Welche der Redewendungen im Lehrbuch 3 F, 1a, passt zu welcher Situation?

1. Sie hat mir von all ihren Problemen erzählt.     *Sie hat mir ihr Herz ausgeschüttet.*

2. Sobald er's gehört hat, hat er's schon wieder vergessen.

3. Sie will mich täuschen.

4. Er sagt immer ganz klar, was Sache ist.

5. Sie hört überhaupt nicht zu.

6. Er sagt nie seine Meinung.

7. Sie lügt wie gedruckt.

8. Er hat mich aggressiv unterbrochen.

9. Sie sagt nie genau, worum es geht.

## 2 Kommentare zu einem schlechten Vortrag

a Bilden Sie ironische Sätze aus den Komponenten.

1. Der Vortrag war wirklich eine Katastrophe! → für – was – ein – Vortrag – gelungener – !
2. Der Redner war schlecht vorbereitet. → warum – vorbereiten – sich – wenn's – geht – auch – ohne – ?
3. Der Aufbau war unklar. → wohl – unsere – testen – er – wollte – Intelligenz – .
4. Die Schrift auf den Folien war winzig. → kleiner – nicht – mehr – ging's – wohl – !
5. Der Redner hat sehr eintönig gesprochen. → durch – Betonung – bessere – Vortrag – der – ja – interessant – können – werden – hätte – .
6. Das war ein verlorener Nachmittag! → sich – nichts – man – gönnt – ja – sonst – !

*1. Was für ein gelungener Vortrag!*

b Hören Sie zuerst die Sätze aus 2 a und sprechen Sie sie dann nach.

## ⏵G8 3 Was bedeutet eigentlich was?

a Analysieren Sie die Satzpaare. Welche der markierten Wörter sind Modalpartikeln: a oder b? Kreuzen Sie an.

1. a Sie: Ich achte auf mein Gewicht, aber du nicht.    ☒ Er: Bist du aber dünn geworden!
2. a Er: Hast du auch nichts vergessen?    b Sie: Ich habe auch deine Unterlagen dabei!
3. a Sie am Telefon: Ich habe eben meinen Zug verpasst.    b Er: Dann fangen wir eben ohne dich an.
4. a Sie: Was machst du eigentlich hier?    b Er: Der eigentliche Grund meines Hierseins ist …
5. a Sie: Ich habe etwa 1.500 € für Klamotten ausgegeben.    b Er: Bist du etwa krank?
6. a Sie: Bleib ruhig noch sitzen, die Gäste kommen später.    b Er: Ich kann nicht mehr ruhig sitzen, ich bin schon ganz ungeduldig.
7. a Er: Ich habe für 100 € Lose gekauft. Vielleicht haben wir Glück.    b Sie: Du bist vielleicht naiv!
8. a Er: Du bist aber auch kritisch!    b Sie: Du aber auch!
9. a Sie: Kannst du mir mal sagen, wie spät es ist?    b Er: Ich hab's dir doch schon mal gesagt.
10. a Sie: Du liebe Zeit, schon halb sechs.    b Er: Du wirst schon sehen, wohin das führt, wenn du immer so trödelst.
11. a Sie: Hör bloß auf!    b Er: Das war doch bloß Spaß!

AB ◉ 5–10

b  Welche Erklärungen passen zu den Modalpartikeln in den Sätzen 1 bis 12? Ordnen Sie zu.

1. Hast du das etwa allein gemacht?

2. Dann verstehe ich es halt nicht.

3. Eigentlich ist Susanne sehr zuverlässig.

4. Wie war Ihre Telefonnummer gleich noch?

5. Hast du auch genug gelernt?

6. Wenn sie nur nicht wieder auflegt!

7. Fang ruhig schon mal an zu essen.

8. Du hast ja schon alles gepackt.

9. Frag nicht. Sie sagt ohnehin nie, was sie denkt.

10. Räum mal deine Sachen weg!

11. Sag ihm doch einfach die Wahrheit!

12. Du warst nun mal stinkfaul, also eine 6!

A. Man fordert zu etwas auf.

B.  Stimmt sonst, aber nicht in diesem Fall.

C. Man ist überrascht.

D. Das kann ich auch nicht ändern.

E. Das trifft unabhängig von der Situation zu.

F. Ein Problem als leicht zu lösen darstellen.

G. Man hat mit etwas nicht gerechnet.

H. Ein dringender Wunsch (für die Zukunft).

I.  Man betont eine unabänderliche Tatsache.

J. Man bittet um Bestätigung.

K. Kein Problem, wenn der andere etwas tut.

L. Weiß ich im Prinzip, aber fällt mir gerade nicht ein.

1. [C]
2. [ ]
3. [ ]
4. [ ]
5. [ ]
6. [ ]
7. [ ]
8. [ ]
9. [ ]
10. [ ]
11. [ ]
12. [ ]

c  Sie haben eine Reise mit einer Freundin geplant, aber es scheint Probleme zu geben. Antworten Sie auf die Anspielungen. Benutzen Sie dabei folgende Redemittel.

> Heißt das denn …? | Worauf willst du eigentlich hinaus? | Soll das vielleicht heißen …? |
> Im Klartext heißt das wohl: … ? | Bedeutet das etwa, dass …? | Sag bloß, du …

1. ■ Also, ich weiß nicht, jetzt so eine lange Reise!   □ *Heißt das denn, du willst gar nicht fahren?*

2. ■ So große Gruppen sind eigentlich nicht mein Ding.   □ ...............

3. ■ Tja, nicht jeder verfügt über die gleichen finanziellen Mittel!   □ ...............

4. ■ Die Geschmäcker sind ja auch verschieden.   □ ...............

5. ■ Also, zum Jahresende haben wir eh immer zu viel zu tun.   □ ...............

6. ■ Der nächste Sommer kommt bestimmt.   □ ...............

## 4  Nimm's doch nicht so schwer! – Seelentröster am Telefon

Ordnen Sie die Redemittel den Situationen 1 und 2 im Lehrbuch 3 F, 4, zu.

> **Trösten:** Nimm's nicht so schwer. | Nimm's doch mit Humor! | Es gibt Schlimmeres. | Ich versteh' dich, aber nimm's doch nicht persönlich. | Das ist wohl eher als Scherz gemeint.
> **Beschönigen:** Das ist doch kein Weltuntergang! | Die Geschmäcker sind halt verschieden. | Ist doch halb so wild! | Einem geschenkten Gaul schaut man nicht ins Maul. | So ist das Leben! | Beim nächsten Mal wird es wieder besser.
> **Ironisieren:** Was für eine gelungene Überraschung! | Eine Zwei unter lauter Einsern ist doch auch ganz schön. | Echt geschmackvoll! | Was für ein Kunstwerk, reif fürs Museum. | Ja, ja, es gibt keine Gerechtigkeit in der Welt!

Situation 1: *Nimm's nicht so schwer,* ...............          Situation 2: ...............

# Aussprache

## 1  Betonung von Modalpartikeln

**Tipp**
Modalpartikeln sind bis auf wenige Ausnahmen in der Regel unbetont.

AB ⦿ 11    Hören Sie die Sätze aus 3 b und markieren Sie die Partikeln, die betont werden. Lesen Sie dann die Sätze in 3 b laut.

# Grammatik: Das Wichtigste auf einen Blick

## G1.1 ❶ Aufforderungssätze

| Syntaktische Form: Aktiv | Beispiel |
|---|---|
| Indikativ Präsens: sehr unhöflich, Befehlston | Du machst sofort das Bad sauber! |
| Indikativ Präsens von „sollen": sehr unhöflich | Du sollst sofort das Bad sauber machen! |
| Imperativ: unhöflich, Befehlston | Mach das Bad sauber! |
| Umschreibung mit „lassen" + „uns": neutral | Lass uns das Bad sauber machen. |
| Imperativ + „bitte" bzw. „mal"/„doch": höflich, neutral | Mach doch (bitte) mal das Bad sauber. |
| Ind. Präsens von Modalverben in Fragen: höflich, neutral | Kannst du (bitte) das Bad sauber machen? |
| Konj. II von Modalverben in Fragen: sehr höflich | Könntest du (bitte) das Bad sauber machen? |
| Konj. II in Fragen: sehr höflich | Würdest du (bitte) das Bad sauber machen? |
| Einleitung mit „wäre" + „nett"/„freundlich": sehr höflich | Wärest du so nett, das Bad sauber zu machen? |
| Konj. II von „sollen": sehr höflich, vorsichtig | Du solltest (mal) das Bad sauber machen. |
| Konj. II + „man": indirekt | Man müsste (mal) das Bad sauber machen. |
| **Syntaktische Form: Passiv** | **Beispiel** |
| Präsens Passiv: sehr unhöflich, Befehlston | Das Bad wird sauber gemacht! |
| Indikativ Präsens von Modalverben: indirekt | Das Bad muss (mal) sauber gemacht werden. |
| Konj. II von Modalverben Gegenwart: indirekt | Das Bad müsste (mal) sauber gemacht werden. |
| Konj. II von Modalverben Vergangenheit: indirekt | Das Bad hätte sauber gemacht werden müssen. |

## G8 ❷ Modalpartikeln

| aber | Du bist aber dünn geworden! | Überraschung |
|---|---|---|
| auch | Hast du auch nichts vergessen? | Bitte um Bestätigung |
| aber auch | Du bist aber auch kritisch. | starkes Erstaunen |
| bloß / nur | Wenn sie bloß / nur nicht wieder auflegt! | intensiver Wunsch |
| | Hör bloß / nur auf! | Drohung |
| eben / halt | Dann fangen wir eben / halt ohne ihn an. | Resignation |
| eigentlich | Was machst du eigentlich hier? | beiläufige Nachfrage |
| | Eigentlich ist Susanne sehr zuverlässig. | stimmt normalerweise, aber nicht hier |
| etwa | Hast du das etwa allein gemacht? | Überraschung |
| | Hast du das etwa vergessen? | Unzufriedenheit, erwartet negative Antwort |
| gleich | Wie ist ihre Adresse gleich noch? | weiß etwas, fällt einem aber nicht ein |
| ja | Ich komme ja schon! | Ungeduld |
| | Da bist du ja schon! | Überraschung |
| | Er kommt ja immer zu spät. | bekannte Tatsache |
| nun mal | Du warst nun mal stinkfaul, also eine 6! | unabänderlichen Tatsache |
| ohnehin | Sie sagt ohnehin nie, was sie denkt. | trifft unabhängig von Situation zu |
| ruhig | Schlaf ruhig weiter. | Beruhigung |
| schon | Erzähl schon! | ungeduldige Aufforderung |
| | Du wirst schon sehen, wohin das führt. | Drohung |
| vielleicht | Du bist vielleicht naiv! | Erstaunen |

# 4

# A Suchen, finden, tun

## 1 Was am Arbeitsplatz (noch) wichtig ist

ⓟ GI /
DSH /
TestDaF

a Betrachten Sie die Grafik und schreiben Sie zu zweit zehn Sätze, in denen Sie die Redemittel unten verwenden.

**Was am Job wichtig ist**

Zustimmung der 16- bis 35-Jährigen in Prozent

| | |
|---|---|
| Teamarbeit und gute Atmosphäre | 85 % |
| Sinn und Erfüllung | 81 |
| Sicherer Arbeitsplatz | 81 |
| Abwechslung | 77 |
| Lernen, Weiterbildung | 72 |
| Selbstständigkeit, flache Hierarchien | 71 |
| Geld | 70 |
| Flexible Arbeitszeiten und -orte | 64 |
| Umgang mit Menschen | 64 |
| Kreativität, Selbstverwirklichung | 59 |
| Verantwortung | 58 |
| Karriere | 51 |
| Freizeit/Urlaub, wenig Stress | 45 |
| Internationales Arbeitsumfeld | 39 |

G 4176 © Globus    Quelle: Heidelberger Leben Trendmonitor 2011

---

**gewichten:** An erster / zweiter / … Stelle steht … | Direkt danach kommt …, gefolgt von … | Als Nächstes / Drittes / Viertes / … ist … wichtig / bedeutend / entscheidend. | Die drei wichtigsten Kriterien sind … | Am unwichtigsten ist … | An letzter Stelle steht … | … % wünschen sich … | Die meisten / Drei Viertel / Zwei Drittel möchten … | … wird von … genannt.

**gegenüberstellen / vergleichen:** Für … von je 100 Befragten ist … | Während für … % … von Bedeutung ist, stehen / steht bei … % der Befragten … im Vordergrund. | (Annähernd) gleich stark vertreten sind die Aspekte / Punkte … | Nach … folgt als zweitwichtigster Punkt … | Über die Hälfte / zwei Drittel / drei Viertel legt / legen darauf Wert, dass … | Für … steht / stehen … im Vordergrund.

**bewerten / auswerten:** Diese Grafik belegt / stützt die These, dass … | Anhand der Grafik lässt sich zeigen / dokumentieren, dass …

---

*An erster Stelle stehen Teamarbeit und gute Atmosphäre, direkt danach …*

b Vergleichen Sie Ihre Sätze und korrigieren Sie sich gegenseitig.

c Vergleichen Sie die Resultate der Grafik mit denen, die Sie im Lehrbuch 4 A, 3 a und b, erarbeitet haben. Sprechen Sie über die Unterschiede im Kurs. Verwenden Sie dabei die entsprechenden Redemittel und begründen Sie Ihre Aussagen.

> Während in dieser Grafik der Wunsch nach dem Umgang mit Menschen erst an neunter Stelle steht, ist dies für mich am wichtigsten, weil …

d Welchen Stellenwert haben die einzelnen Punkte in der Grafik in 1a für Sie? Schreiben Sie einen Text (ca. 15 Sätze).

*Für mich ist es am wichtigsten, selbstständig arbeiten zu können. Teamarbeit steht erst an zweiter Stelle, weil …*

## 2 Welche Präposition gehört zum Verb?

a Ergänzen Sie die Präpositionen und den passenden Kasus zu Verben aus dem Gespräch im Lehrbuch 4 A, 4 a.

1. sich wenden *an + A*

2. anpassen

3. werben

4. geeignet sein

5. sich abheben

6. nachdenken

7. sich bewerben

8. sich einlassen

9. arbeiten

b   Schreiben Sie zu jedem Verb in 2a einen Satz, der sich auf das Gespräch bezieht.

   *1. Herr Döring hat sich an eine Bewerbungsberaterin gewandt.*

## 3 Tja!

AB ⦿ 12 a   Hören Sie die die Aussprachevarianten der Interjektion „tja".

   1. steigend: tjá          3. steigend – fallend: tjâ
   2. fallend: tjà           4. gleichbleibend: tjä:

AB ⦿ 13 b   Hören Sie die Aussprachevarianten in 3a noch einmal und sprechen Sie sie nach.

AB ⦿ 14 – 20 c   Hören Sie die folgenden Minidialoge und entscheiden Sie, wie „tja" betont ist.

   1. ◾ Ich hätte nicht geglaubt, dass Sie noch einmal zur Beratung
      kommen.
      ☐ a Tjà.        ☒ Tjâ!        Nun bin ich hier!

   2. ◾ Ich habe mich gefragt, warum von Ihren Stärken nichts in den
      Bewerbungen steht?
      ☐ a Tjá!        b Tjâ!        Die kann ich doch nicht einfach
                                    so aufzählen.

   3. ◾ Es ist ja toll, wie viele Referenzen Sie doch noch angeben können.
      ☐ a Tjá!        b Tjâ!        Ich bin eben doch nicht so schlecht.

   4. ◾ Und das heißt sich positiv von Mitbewerberinnen und Mitbewerbern
      abheben.
      ☐ a Tjá!        b Tjä:        Da sind wir ja wieder bei der Selbst-
                                    vermarktung.

   5. ◾ Dann weiß ich auch keinen Rat mehr!
      ☐ a Tjá!        b Tjà.        Ich finde trotzdem irgendwann einen Job.

   6. ◾ Nach drei Monaten: Alle Achtung! Das hätte ich nicht gedacht,
      dass Sie die Stelle doch noch kriegen.
      ☐ a Tjâ!        b Tjà:

   7. ◾ Sie machen mich wirklich neugierig!
      ☐ a Tjà.        b Tjä:        Soll ich Ihnen mal erzählen, wie ich
                                    das geschafft habe?

d   Hören Sie nun die Minidialoge in 3c noch einmal. Welche Bedeutung hat „tja"
   im jeweiligen Kontext? Notieren Sie jeweils die passende Satznummer.

   **A. resignierende Zustimmung:** So ist das nun mal.

   Satz: ................................................................................................

   **B. Stolz:** Da staunen Sie!

   Satz: *1b,* ......................................................................................

   **C. Schadenfreude:** Das haben Sie nun davon!

   Satz: ................................................................................................

   **D. Interesse wecken:** Hören Sie jetzt mal gut zu!

   Satz: ................................................................................................

# B Stelle gesucht

## 1 Welche Wörter werden gesucht?

Lesen Sie die Erklärungen. Welche Wörter aus dem Lehrbuch 4 B, 1a, sind erklärt?

1. Büro eines Anwalts: *die Anwaltskanzlei, -en* ............................................................................

2. Vorbedingung: ...............................................................................................................................

3. Kenntnisse, die zu einem bestimmten Fachgebiet gehören, sind ...................................... Kenntnisse.

4. Experte: ..........................................................................................................................................

5. Situation, wenn es zeitweilig zu wenig von etwas gibt: .......................................................

6. unauffällig, von niemandem bemerkt: ...................................................................................

7. ehrlich, treu: ..................................................................................................................................

8. fachmännisch und auch erfahren: .............................................................................................

## 2 Wie verfasse ich Stellengesuche?

**a** Streichen Sie die Kriterien, die Sie für irrelevant oder sogar für falsch halten.

1. Überlegen Sie sich genau, wer die Adressaten Ihrer Anzeige sein könnten und schreiben Sie gezielt in Bezug auf den Bedarf, den Sie bei potentiellen Adressaten kennen oder voraussehen.
2. Schreiben Sie möglichst allgemein.
3. Weisen Sie auf besondere Fähigkeiten und Fertigkeiten hin, die Sie haben.
4. Versuchen Sie, sich in jeder Hinsicht als absolute Spitzenkraft darzustellen.
5. Versuchen Sie, sich auf jeden Fall durch besondere Originalität in Stil und Layout von anderen abzuheben.
6. Bringen Sie zum Ausdruck, dass Sie flexibel, einsatzbereit und motiviert sind.
7. Gliedern Sie die Anzeige übersichtlich: Am Anfang steht in der Regel entweder die gesuchte Tätigkeit oder der Beruf bzw. die Qualifikation, danach die persönlichen Daten. Kontaktinformationen wie Chiffre, E-Mail, Telefon etc. stehen ganz am Ende.
8. Verwenden Sie so viele Abkürzungen wie möglich, dadurch wird die Anzeige billiger.

**b** Aufbau des Gesuchs: Ordnen Sie zu zweit die Punkte 1 bis 10 den Angaben A bis J zu.

| | | |
|---|---|---|
| 1. Angestrebte Position oder Aufgabenbereich | A. 5 Jahre Lehrer für Physik und Informatik, Gymnasium | 1. G |
| 2. Angabe des (frühest)möglichen Eintrittstermins | B. Zuschriften erbeten unter Chiffre NP 10457 | 2. ☐ |
| 3. Kontakt | C. 36 J. | 3. ☐ |
| 4. Branchen- und Spezialkenntnisse | D. Programmiersprachen, Engl. verhandlungssicher | 4. ☐ |
| 5. schulische oder berufliche Abschlüsse | E. flexibel, teamorientiert, kreativ, durchsetzungsfähig | 5. ☐ |
| 6. Dauer der Berufspraxis in welchem Einsatzgebiet | F. Niedersachsen | 6. ☐ |
| 7. sog. weiche Fähigkeiten („Soft Skills") | G. IKT-Fachmann, gern auch im Bildungsbereich | 7. ☐ |
| 8. wichtige persönliche Daten (z. B. das Alter) | H. 1. August | 8. ☐ |
| 9. Sprachen, EDV-Programme | I. Spezialist für „Blended Learning" | 9. ☐ |
| 10. evtl. Angabe einer räumlichen Einschränkung (oder nicht) | J. 1. und 2. Staatsexamen, Fernstudium Informatik (Bachelor of Science) | 10. ☐ |

**c** Bringen Sie nun die Punkte in 2b in eine für Sie sinnvolle Reihenfolge und schreiben Sie dann ein Stellengesuch. Vergleichen Sie Ihre Stellengesuche im Kurs.

1. ☐   2. ☐   3. ☐   4. ☐   5. ☐   6. ☐   7. ☐   8. ☐   9. ☐   10. ☐

# C Kompetenzen

## 1 Schlüsselqualifikationen

AB ◉ 21 **a** Hören Sie die Einleitung eines Vortrags. Wie stellt der Redner den Inhalt seines Vortrags und den Ablauf des Tages vor?

- Mit welchen Inhalten werden die Redemittel in der linken Spalte kombiniert?
- Notieren Sie Stichworte wie im Beispiel.

| Redemittel | Vortrag |
|---|---|
| 1. … möchte ich kurz auf … eingehen. | *1. Teil: Veränderungen in Lebens-, Arbeitswelt u. Konsequenzen f. Akteure* |
| 2. … werde ich erläutern, welche Folgen … | |
| 3. Ich werde mich hauptsächlich auf … beziehen. | |
| 4. …, weil ich davon ausgehe, … | |
| 5. Ich werde … genauer beleuchten. | |
| 6. Ich werde dies mit einigen Beispielen untermauern. | |
| 7. … ist … vorgesehen. | |
| 8. Bevor ich nun mit meinem Vortrag beginne, … | |
| 9. … finden Sie auch die Aushänge … | |
| 10. Finden Sie sich bitte pünktlich um 16.00 Uhr in … ein. | |

**b** Rekonstruieren Sie nun die einleitenden Bemerkungen mithilfe der Redemittel und Ihrer Notizen in 1a.

*Im ersten Teil meines Vortrags möchte ich kurz auf wichtige Veränderungen in der Lebens- und Arbeitswelt*

*sowie auf die Konsequenzen für die Akteure eingehen.*

## 2 Notizen machen, aber wie? – Notizzettel strukturieren

Lesen Sie folgende Notizzettel und vergleichen Sie die jeweilige Gliederung mit Ihrer eigenen, die Sie im Lehrbuch 4 C, 2 c, erstellt haben. Welche Gemeinsamkeiten bzw. Unterschiede finden Sie? Wenn nötig, verändern Sie Ihren Notizzettel noch einmal.

> **Notizentechnik**
>
> Tipps zur Notizentechnik finden Sie auch im Arbeitsbuch von Mittelpunkt neu B2, Lektion 4 und 7.

*Methodenkompetenz*

1. *Arbeitstechniken: …*
2. *Präsentationstechniken: …*
3. *Moderation: ..*
4. *Problemlösen: …*
5. *Kreativitätstechniken: …*
6. *Zeitmanagement: …*
7. *Selbstmarketing: …*
8. *Fazit: …*

*Selbstkompetenz*

*Aspekte der Selbstkompetenz: …*
1. *Leistungsfähigkeit: …*
2. *Belastbarkeit: …*
3. *Leistungsbereitschaft:*
   3.1 *Rolle der L.: …*
   3.2 *Voraussetzung für L.: …*
4. *Fazit: …*

*Sozialkompetenz*

1. *Beispiele für Sozialkompetenz: …*
2. *Teamfähigkeit: …*
   2.1 *Kritikfähigkeit: …*
   2.2 *interkulturelle Sensibilität: …*

**3 Wie heißen die Fachbegriffe?**

a Lesen Sie die Definitionen und ergänzen Sie die entsprechenden Begriffe. Achten Sie dabei ggf. auf das Fugen-s.

> Beschäftigung | Branche | Dienst | Erwerb | Fähigkeit | Leistung |
> Produkt | ~~Qualifikation~~ | ~~Schlüssel~~ | Tätige | Zyklus

1. Fähigkeit, die nicht fachlich ist, sondern grundsätzlich hilfreich ist für die Bewältigung von Aufgaben:
   *Schlüsselqualifikation* .

2. Die „Lebensdauer" eines Erzeugnisses von der Einführung in den Markt bis zur Herausnahme aus dem Markt:
   ........................................... .

3. Hotelgewerbe, Straßenreinigung, Friseur gehören zur ........................................... .

4. Personen, Arbeitnehmer oder Selbstständige, die einer bezahlten Arbeit nachgehen: ........................................... .

5. Durch lebenslanges Lernen soll der Arbeitnehmer attraktiv für den Arbeitsmarkt bleiben, d.h., er soll seine
   ........................................... erhalten.

b Schlüsselqualifikationen: Bilden Sie Komposita. Manchmal gibt es zwei Lösungen. Achten Sie dabei auch auf das Fugen-s.

> Arbeit | Durchsetzung | Entscheidung | Fach | Handlung |
> Kritik | Leistung | Methoden | Präsentation | Projekt |
> Recherche | selbst | sozial | Team | Überzeugung | Zeit

> -fähigkeit | -kompetenz |
> -management | -technik

*die Arbeitstechnik, ...* ...........................................

**4 Genus von internationalen Nomen**   ○ G 4.5

a In dem Vortrag im Lehrbuch 4 C, 2a und 2b, haben Sie die folgenden Nomen gehört. Ergänzen Sie den Artikel und ggf. den Plural.

| | | |
|---|---|---|
| 1. *die* Qualifikation, *-en* | 7. ...... Management, ...... | 13. ...... Publikum, ...... |
| 2. ...... Experte, ...... | 8. ...... Kompetenz, ...... | 14. ...... Strategie, ...... |
| 3. ...... Zyklus, ...... | 9. ...... Interesse, ...... | 15. ...... Marketing, ...... |
| 4. ...... Kultur, ...... | 10. ...... Element, ...... | 16. ...... Branche, ...... |
| 5. ...... Sensibilität, ...... | 11. ...... Technik, ...... | 17. ...... Toleranz, ...... |
| 6. ...... Rekorder, ...... | 12. ...... Reflexion, ...... | 18. ...... Kritik, ...... |

b Ordnen Sie die Endungen der Nomen aus 4a den Artikeln zu. Eine Endung kann maskulin, neutral oder feminin sein.

| der | das | die |
|---|---|---|
| | | -(a)tion, ... |

c Welche Artikel und Pluralformen haben die folgenden internationalen Nomen? Ein Nomen hat keine Pluralform.

| | | |
|---|---|---|
| 1. *der* Job, *-s* | 6. ...... Kontakt, ...... | 11. ...... Disziplin, ...... |
| 2. ...... Aspekt, ...... | 7. ...... Profil, ...... | 12. ...... Stress, ...... |
| 3. ...... Thema, ...... | 8. ...... Projekt, ...... | 13. ...... Gen, ...... |
| 4. ...... Produkt, ...... | 9. ...... Konflikt, ...... | 14. ...... Team, ...... |
| 5. ...... Konzept, ...... | 10. ...... Struktur, ...... | 15. ...... Talent, ...... |

**◐ G 4.4 ⑤ Internationale Nomen aus Adjektiven**

**a** Schreiben Sie zu den Nomen aus 4a die Adjektive bzw. die als Adjektive gebrauchten Partizipien auf. Bei einigen Nomen funktioniert dies nicht. Bei welchen?

**b** Bilden Sie aus folgenden Adjektiven Nomen und ergänzen Sie den Artikel und ggf. die Pluralform.

1. kompliziert _die Komplikation, –en_
2. modifiziert ................................................
3. methodisch ................................................
4. optimal ................................................
5. flexibel ................................................
6. elegant ................................................
7. normal ................................................
8. strukturell ................................................
9. originell ................................................
10. kreativ ................................................
11. tendenziell ................................................
12. frequent ................................................

**c** Notieren Sie das Genus der Suffixe der Nomen aus 5b und ordnen Sie ihnen die entsprechenden Adjektivsuffixe bzw. Endungen der Partizipien II zu.

| Nomen | -anz: | -enz: | -ität: | -(a)tion: | -ik: | -um: | -ur: |
|---|---|---|---|---|---|---|---|
| | | | | _feminin_ | | | |
| Adjektiv | | | | _–iziert_ | | | |

---

**🔑 ⑥ Wie schreibe ich eine Zusammenfassung?**

Lesen Sie die Tipps 1 bis 6 für eine Zusammenfassung und ergänzen Sie die fehlenden Begriffe.

> die wichtigsten Inhaltspunkte | eigene Interpretation | ~~Einleitung~~ | in eigenen Worten |
> im Präsens | indirekter Rede | keine Umgangssprache | Thema und Titel

1. Beginnen Sie mit einer _Einleitung_ : Textsorte, Autor, evtl. Erscheinungsdatum, ................................ des Textes.
2. Nach der Einleitung geben Sie ................................................ wieder.
3. Schreiben Sie ................................, aber fügen Sie keine ................................ des Textes hinzu.
4. Schreiben Sie sachlich und verwenden Sie ................................................ .
5. Eine Zusammenfassung wird ................................................ geschrieben.
6. Direkte Rede wird in ................................................ wiedergegeben.

---

**⑦ Bei der Selbstpräsentation**

Wie heißen die Synonyme für die markierten Wörter? Sehen Sie sich ggf. die Redemittel im Lehrbuch 4 C, 3 b, an.

1. Als Erstes möchte ich kurz etwas zu meiner Person sagen.
2. Ich habe großes Interesse an dieser Stelle.
3. Ich glaube, dass ich wie geschaffen für diese Stelle bin, weil sie exakt meinem Profil entspricht.
4. Ich könnte mir gut denken, bei Ihnen zu arbeiten.
5. Ich bin besonders gut im Verhandeln.
6. Ich bin sehr erfahren im Umgang mit internationalen Kunden.
7. Arbeit mit dem Computer bereitet mir keine Schwierigkeiten.
8. Zum Schluss möchte ich noch betonen, dass ich mir schon seit Langem eine solche Tätigkeit wünsche.

_1. Zunächst möchte ich ..._

**4**

# D Vorstellungsgespräch – aber wie?

## 1 Was für Personalchefs im Interview wirklich zählt

a Was zählt für Personalchefs im Vorstellungsgespräch? Vervollständigen
Sie die Grafik, indem Sie die Balken mit folgenden Faktoren beschriften.

Hobbys | Auffassungsgabe | Auftreten |
Einstellung zum Beruf | Ausdrucksvermögen |
Erscheinungsbild | berufliche Ziele

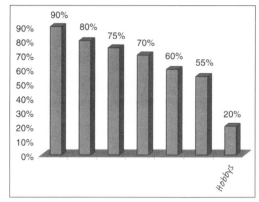

b Besprechen Sie die Ergebnisse im Kurs und vergleichen Sie sie
anschließend mit den Originalangaben im Lösungsschlüssel.

## 2 Wie sage ich was im Vorstellungsgespräch?

a Positive Rückmeldung geben: Was passt wo?

Ja, wirklich sehr gut. | Das kann ich Ihnen genau sagen. | Natürlich gern. |
Ja, das könnte ich mir gut vorstellen. | Das ist für mich selbstverständlich.

1. ■ Möchten Sie jetzt einen Rundgang durch die Firma machen?     □ *Natürlich gern.* ........................

2. ■ Sind Sie im Allgemeinen pünktlich?     □ ........................

3. ■ Haben Sie eine Idee, welche Produkte bei uns hergestellt werden?     □ ........................

4. ■ Wäre es denkbar, dass Sie Wochenendseminare organisieren?     □ ........................

5. ■ Hat es Ihnen bei uns gefallen?     □ ........................

b Wichtigkeit betonen: Schreiben Sie Sätze. Sehen Sie sich dazu ggf. die Redemittel im Lehrbuch 4 D, 1c, an.

1. eine interessante Tätigkeit (besondere Bedeutung)
2. regelmäßige Besprechungen, wegen Transparenz in der Abteilung (besonderes Anliegen)
3. konstruktive Kritik (sehr wichtig)
4. ein kooperatives Arbeitsklima (von besonderer Bedeutung)
5. Teamarbeit (hoher Stellenwert)

*1. Besondere Bedeutung hat für mich eine interessante Tätigkeit.* ........................

## 3 Zeit gewinnen: Was kann man da sagen?

a Kombinieren Sie die Wörter zu vier sinnvollen Sätzen.

Da | dann ... | Das | darüber | Darüber | eine | Frage | Gedanken | ich | ich | ich | interessante |
ist | kurz | machen | mir | muss | muss | nachdenke | noch | überlegen | Wenn

*1. Da muss ich kurz überlegen.* ........................

b Noch mehr Zeit gewinnen: Wiederholen Sie die Frage Ihres Gesprächspartners.

1. ■ Wo möchten Sie in fünf Jahren stehen?     □ *Wo ich in fünf Jahren stehen möchte?* ........................

2. ■ Wo waren Sie am erfolgreichsten?     □ ........................

3. ■ Nehmen Sie Arbeit mit nach Hause?     □ ........................

4. ■ Wie haben Sie sich Ihre Vergütung vorgestellt?     □ ........................

AB ● 22  c  Hören Sie jetzt die Sätze aus 3 b und vergleichen Sie jeweils die Betonung der direkten Frage und der Spiegelfrage.

d  Arbeiten Sie zu zweit: Einer fragt, der andere wiederholt die Frage. Achten Sie dabei besonders auf die Betonung. Tauschen Sie danach die Rollen.

◐ G 3.4.2  **4** ## Chef in Eile!

Ⓟ DSH

**Tipp**

Passiversatzformen: „sich lassen" + Inf., „sein" + „zu" + Inf., „sein"+ „-bar", vgl. Mittelpunkt neu B2, Lektion 5.

Bilden Sie statt der Partizipialkonstruktion mit „zu" Relativsätze im Passiv oder verwenden Sie Passiversatzformen.

1. Schon 16.30 Uhr! Aber es gibt eine Reihe von bis heute Abend noch abzuarbeitenden Dingen.
2. Hier ist die Liste der zur Vorstellungsrunde einzuladenden Kandidaten, Frau Roth.
3. Hier habe ich noch die zu ergänzenden Fragebögen.
4. Das sind die zu vervielfältigenden Bescheinigungen.
5. Auf meinem Schreibtisch links liegen die auszufüllenden Antragsformulare.
6. Darunter liegt die Aufstellung der zu bestellenden Materialien.
7. Bitte legen Sie mir die Mappe mit den zu unterschreibenden Briefen ins Auto.
8. Aber Herr Schreiner! Das ist eine nicht zu bewältigende Menge an Aufgaben. Die KITA schließt um 17.30 Uhr!

*1. Schon 16.30 Uhr! Aber es gibt eine Reihe von Dingen, die bis heute Abend noch abgearbeitet werden müssen. /*

*die bis heute Abend noch abzuarbeiten sind.*

◐ G 3.4.2  **5** ## Kleine Checkliste fürs Vorstellungsgespräch: Was ist noch zu tun?

Verkürzen Sie die Stichpunkte der Checkliste mithilfe von Partizipialkonstruktionen mit „zu".

1. Unterlagen, die ich noch kopieren muss.  *noch zu kopierende Unterlagen*

2. Situationen, die noch mehrfach durchgespielt werden sollten.

3. Hintergrundinformationen, die ich schnellstens recherchieren muss.

4. Daten, die ich auswendig lernen sollte.

5. Unterlagen, die zusammenzustellen sind.

6. Fragen, die ich noch einmal durchdenken muss.

7. Und zum Schluss: Fehler, die unbedingt zu vermeiden sind.

◐ G 3.4.2  **6** ## Schriftliche Auswertung nach einem missglückten Vorstellungsgespräch

Die Auswertung soll kurz und kompakt sein. Verkürzen Sie die Sätze, indem Sie Partizipialkonstruktionen mit „zu" verwenden.

**Der Bewerber:**
1. Eine Vielzahl von Fragen, die man besser nicht beantworten sollte.
2. Eine Reihe von Reaktionen, die nicht vorhersehbar waren.
3. Viele Nachfragen, die ich nicht nachvollziehen konnte.
4. Das war eine Unverschämtheit, die kaum überboten werden kann.

**Der Gesprächsführer:**
5. Ein Kandidat, der viel zu leicht zu verwirren war.
6. Aggressive Reaktionen, die nicht zu tolerieren sind.
7. Antworten, die man kaum verstehen konnte.
8. Ein Kandidat, der nicht empfohlen werden kann.

*1. eine Vielzahl von besser nicht zu beantwortenden Fragen*

# E Endlich eine Stelle!

**4**

## ⓟ telc / telc H / TestDaF  ① Arbeitsvertrag studieren

Lesen Sie den Arbeitsvertrag im Lehrbuch 4 E, 1, noch einmal und entscheiden Sie bei jeder Aussage zwischen „stimmt mit Text überein" (j), „stimmt nicht mit Text überein" (n) und „Text gibt darüber keine Auskunft" (?).

1. Frau Álvarez wird als Trainee angestellt. ⒿⓃ❓
2. Frau Álvarez ist für einen Ablaufplan zuständig. ⒿⓃ❓
3. Frau Álvarez erhält 3.500 Euro monatlich. ⒿⓃ❓
4. Beträgt die Anzahl der Überstunden weniger als zehn im Monat, werden diese mit den Überstunden im nächsten Monat verrechnet. ⒿⓃ❓
5. Ehrenamtliche Tätigkeiten sind nicht erlaubt. ⒿⓃ❓
6. Frau Álvarez hat insgesamt vier Wochen Urlaub. ⒿⓃ❓
7. Wenn Frau Álvarez nicht den gesamten Jahresurlaub nehmen kann, kann er nach dem Stichtag nicht übertragen werden. ⒿⓃ❓
8. Bei einem Unfall erhält Frau Álvarez eine besondere Vergütung. ⒿⓃ❓
9. Der Arbeitsvertrag ist auf zwei Jahre befristet, beide Seiten dürfen aber vorher kündigen. ⒿⓃ❓
10. Änderungen im Arbeitsvertrag sind nur möglich, wenn die Geschäftsführung schriftlich zustimmt. ⒿⓃ❓

## ⊙ G 3.4.1  ② Umständlich formuliert

a Verkürzen Sie die Sätze, indem Sie erweiterte Partizipien verwenden.

1. Der Vertrag, ~~der~~ von beiden Seiten unterschrieben ~~worden ist~~, ist nun gültig.

   *Der von beiden Seiten unterschriebene Vertrag ist nun gültig.*

2. Die Formulare, die von Frau Álvarez ausgefüllt wurden, hatte ihr die Firma zuvor zugesandt.

3. Das Gehalt, das zwischen den Vertragsparteien ausgehandelt wurde, ist relativ hoch.

4. Der Abteilungsleiter, der das Gespräch leitete, wurde später vom Personalchef kritisiert.

b Sehen Sie sich die Sätze in 2a noch einmal an. Warum haben Sie bei der Verkürzung das Partizip I bzw. II verwendet?

1. Partizip II, weil ........................................ ; Partizip I, weil ........................................

ⓟ DSH c Verkürzen Sie die Sätze aus einem Vertrag, indem Sie die Relativsätze durch Partizipien ersetzen. Achten Sie auf Aktiv oder Passiv sowie auf die Zeitformen.

1. Frau Deuter wird mit den Aufgaben, die in Paragraph 1 spezifiziert sind, betraut.
2. Arbeitsleistungen, die über die betriebsüblichen Arbeitszeiten hinausgehen, werden erwartet und sind in der Vergütung, die in Paragraph 2 vereinbart ist, enthalten.
3. Die Überstunden, die durch Dienstreisen entstanden sind, werden nicht extra vergütet.
4. Den Angestellten ist eine Tätigkeit, die den Interessen des Unternehmens entgegensteht, untersagt.
5. Nur Urlaub, der rechtzeitig beantragt worden ist und den der Vorgesetzte schriftlich genehmigt hat, darf angetreten werden.

*1. Frau Deuter wird mit den in Paragraph 1 spezifizierten Aufgaben betraut.*

Ⓟ TestDaF  ❸  ## Der erste Arbeitstag und leider krank

LB ②7–9  **a**  Hören Sie die Erklärungen des Personalchefs im Lehrbuch 4 E, 3 a, und machen Sie sich Notizen, sodass Sie Marta informieren können.

---

a. <u>Grundausstattung:</u>
  1. Smartphone ............................................................................................
  2. ............................................................................................
  3. ............................................................................................
  4. ............................ : abholen wo: ............................
  5. ............................ : erhalten wann: ............................

b. <u>Passwort:</u>
  1. ............................................................................................
  2. abholen wo: ............................................................................................

c. <u>Arbeitszeit:</u>
  1. ............................................................................................
  2. ............................................................................................
  3. ............................................................................................

d. <u>Kantine und Mittagspause:</u>
  1. ............................................................................................
  2. ............................................................................................
  3. ............................................................................................

e. <u>Traineeprogramm:</u>
  1. Einführungsphase:     – ............................................................
                          – ............................................................
  2. Qualifizierungsphase: – ............................................................
  3. Auslandsaufenthalt:   – ............................................................
                          – ............................................................
  4. Spezialisierungsphase: – ............................................................
  5. Festanstellung:        – ............................................................
  6. Bewertungsverfahren:   – ............................................................

---

**b**  Schreiben Sie mit einem Partner / einer Partnerin eine Mail an Marta, in der Sie sie über die Erklärungen des Personalchefs informieren. Verwenden Sie dafür Ihre Notizen aus 3 a.

# F Eine heiße Mitarbeiterversammlung

### ❶ Die Sitzung wird verschoben

Verfassen Sie eine Rundmail an alle Mitarbeiter / Mitarbeiterinnen.

* Teilen Sie Folgendes mit: Sitzung verschoben – wg. Terminschwierigkeiten der Geschäftsführung – auf Montag, den 12.05., 14.00 – 16.30 Uhr; Sitzungssaal; Themen für den TOP „Sonstiges" per Mail anmelden.
* Schicken Sie im Anhang eine etwas ausführlichere (informativere) Tagesordnung als im Lehrbuch 4 F, 1.

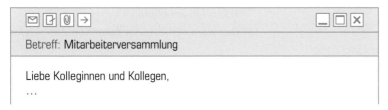

✉ ⤴ 📎 →       ▭ ◻ ✕

Betreff: Mitarbeiterversammlung

Liebe Kolleginnen und Kollegen,
…

**Tagesordnungspunkte (TOP)**
1. Neue Urlaubsregelung
   a. bisherige Urlaubsregelung
   b. momentane Auftragslage →
      max. 10 Tage am Stück
2. …

## 2 Eine gute Moderation

a Ergänzen Sie die fehlenden Präpositionen.

1. Ich begrüße Sie herzlich *zur* heutigen Sitzung.

2. Lassen Sie uns noch einmal ............ die Eingangsfrage zurückkommen.

3. Wir müssen langsam ............ Ende kommen.

4. Was verstehen Sie ............ „angespannte Auftragslage"?

5. Ich glaube, wir kommen ............ eigentlichen Thema ab.

6. Möchten Sie ............ dieser Frage direkt Stellung nehmen oder möchten Sie später dar............ antworten?

7. Dies leitet ............ der Frage über, ob es weitere Sonderregelungen für Ältere geben soll.

8. Ich bedanke mich ............ Ihnen allen ............ die konstruktive Beteiligung.

9. Wer möchte sich noch ............ diesem Punkt äußern?

10. Sie plädieren also ............ eine Verkürzung des Urlaubs?

11. Ich würde jetzt gern ............ das nächste Thema zu sprechen kommen.

12. Wir halten also ............ das Protokoll fest, dass der Urlaub nur im Notfall verkürzt wird.

13. Und nun würde ich gern ............ dritten Punkt der Tagesordnung kommen.

14. Wir werden uns heute ............ folgenden wichtigen Fragen beschäftigen: …

b Zu welchen Phasen der Moderation gehören die Sätze in 2a? Ordnen Sie zu.

1. Begrüßung                                              Satz: *1*

2. Vorstellung der zu diskutierenden Themen               Satz: ............

3. Stellungnahme                                          Satz: ............

4. Lenkung des Gesprächsablaufs                           Satz: ............

5. Nachfrage                                              Satz: ............

6. Einbringen neuer Aspekte / Übergang zur nächsten Teilfrage   Satz: ............

7. Hinweis auf die Zeit                                   Satz: ............

8. Diskussionsergebnis                                    Satz: ............

9. Verabschiedung                                         Satz: ............

c Ergänzen Sie jeden der Punkte in 2b um einen weiteren Beispielsatz. Die Redemittel im Lehrbuch 4 F, 3 b, helfen.

# Aussprache

## 1 Diskutanten in Aktion – Wortakzent in Komposita

a Lesen Sie folgende Äußerungen von Diskutanten laut und markieren Sie dabei in den zusammengesetzten Wörtern die Silbe mit dem Wortakzent.

1. Dürfte ich eine kurze Verständnisfrage stellen?
2. Da muss ich kurz einhaken.
3. Eine kurze Zwischenfrage, bitte.
4. Ich kann mich meinem Vorredner nur anschließen.

5. Ich finde, wir sollten den Lösungsvorschlag von Herrn Alb annehmen.
6. Das war doch ein sehr guter Kompromissvorschlag!

AB ◉ 23   b   Hören Sie die Sätze aus 1a und vergleichen Sie sie mit Ihren Lösungen.

# Grammatik: Das Wichtigste auf einen Blick

**G3.4.2** **1** **Gerundiv (Partizip I + „zu")**

- Man verwendet das Gerundiv vor allem im formellen schriftlichen Gebrauch, um einen Relativsatz zu verkürzen; es bedeutet, dass man etwas machen muss, soll oder kann.
- Das Gerundiv bildet man mit „zu" und dem Partizip I. Es steht vor einem Nomen und kann durch Zusätze erweitert werden; das Partizip erhält die jeweils passende Adjektivendung.
   z. B. Es gibt viele Hintergrundinformationen, die man schnellstens recherchieren muss. → Es gibt viele schnellstens zu recherchierende Hintergrundinformationen.
   z. B. Dies sind Daten, die man auswendig lernen sollte. → Dies sind auswendig zu lernende Daten.
   z. B. Hier stehen Fragen, die man nicht beantworten kann. → Hier stehen nicht zu beantwortende Fragen.

**G3.4.1** **2** **Erweiterte Partizipien I und II als Attribut**

Die Partizipien als Adjektive können – besonders in juristischen oder wissenschaftlichen Texten – durch weitere Informationen ergänzt werden. Man versucht damit, möglichst knapp zu schreiben und Nebensätze zu vermeiden (Nominalstil). Das Partizip mit seinen Erweiterungen steht zwischen dem Artikelwort bzw. der Präposition und dem Nomen, auf das es sich bezieht.

- Das **Partizip I (= Partizip Präsens)** beschreibt einen Vorgang im Aktiv, der gleichzeitig mit einem anderen Geschehen stattfindet bzw. stattgefunden hat.
   z. B. Den Angestellten ist eine Tätigkeit, die den Interessen des Unternehmens entgegensteht, untersagt.
      → Den Angestellten ist eine den Interessen des Unternehmens entgegenstehende Tätigkeit untersagt.
   z. B. Der Abteilungsleiter, der das Vorstellungsgespräch leitete, wurde später vom Personalchef kritisiert.
      → Der das Vorstellungsgespräch leitende Abteilungsleiter wurde später vom Personalchef kritisiert.

- Das **Partizip II (= Partizip Perfekt)** beschreibt meist passivische Vorgänge oder Zustände.
   z. B. Urlaub, der nicht rechtzeitig genommen wird / ist, verfällt am 31. März des Folgejahres.
      → Nicht rechtzeitig genommener Urlaub verfällt am 31. März des Folgejahres.
   z. B. Das Gehalt, das zwischen den Vertragsparteien ausgehandelt wurde, ist relativ hoch.
      → Das zwischen den Vertragsparteien ausgehandelte Gehalt ist relativ hoch.

- Das Partizip II von Verben, die das Perfekt mit „sein" bilden, kann einen Vorgang im Aktiv beschreiben, der im Sprechmoment schon vergangen ist.
   z. B. Beim Vertrag, der mit Verspätung ankam, fehlt die Unterschrift des Personalleiters.
      → Beim mit Verspätung angekommenen Vertrag fehlt die Unterschrift des Personalleiters.

**G4.5** **3** **Genus und Endungen von internationalen Nomen**

Das Genus vieler internationaler Nomen hängt von deren Endung ab, z. B.

| der | das | die |
| --- | --- | --- |
| -and: der Doktorand | -ett: das Kabinett | -(a)tion: die Qualifikation |
| -ant: der Demonstrant | -il: das Ventil | -ion: die Präzision |
| -ent: der Absolvent | -ing: das Marketing | -anz: die Toleranz |
| -et: der Athlet | -ment: das Management | -enz: die Kompetenz |
| -er: der Rekorder | -um: das Publikum | -ie: die Strategie |
| -eur: der Masseur | | -ik: die Technik |
| -iker: der Techniker | | -ität: die Sensibilität |
| -ismus: der Organismus | | -ur: die Kultur, **aber** das Futur |
| -ist: der Artist | | |
| -or: der Professor | | |
| -us: der Zyklus, **aber** das Virus | | |

Es gibt jedoch auch viele Endungen, die nicht eindeutig einem Genus zuzuordnen sind. Der Artikel bei der Endung „-e" beispielsweise kann sowohl maskulin, neutral als auch feminin sein, z. B. **der** Experte, **das** Interesse, **die** Branche.

# 5

## A Neue Welten

### 1 Zweckdienlich

a Welche Erfindung dient zu welchem Zweck? Sehen Sie sich ggf. noch einmal die Fotos im Lehrbuch 5 A, 1a, an.

Diese Erfindung dient dazu, …

1. Energie zu gewinnen: *das Windkraftrad*

2. Schmerzen zu lindern: ........................................

3. die eigene Denkleistung zu erweitern: ........................................

4. das Körperinnere zu durchleuchten: ........................................

5. die Hygiene zu erhalten: ........................................

6. die Buchherstellung zu vereinfachen: ........................................

b Formulieren Sie die Infinitiv-Konstruktionen aus 1a in nominale Ausdrücke um.

*1. Diese Erfindung dient zur Energiegewinnung.*

### 2 Lichtblicke

Lesen Sie den Text und kreuzen Sie jeweils an, welches Wort passt: a, b, c oder d.

Am 8. November 1895 entdeckte Wilhelm Conrad Röntgen diese [1] __c__ Strahlen, die er erst „X"-Strahlen nannte und die heute in Deutschland nur noch als „Röntgenstrahlen" [2] ........ sind. Er arbeitete [3] ........ mit „Kathodenstrahlen", als er bei einer bestimmten Versuchsanordnung plötzlich Licht sah, obwohl es eigentlich gar keines hätte geben dürfen. Seine große Leistung [4] ........ nun darin, dass er dieser Erscheinung konsequent nachging und versuchte, das Wesen und die Herkunft seiner „X"-Strahlen zu ergründen. Die wohl wichtigste Entdeckung, die er [5] ........ machte, war die [6] ........, dass Röntgenstrahlung durch Materie hindurchgeht und man das Innere dieser Materie „fotografieren" kann. In dieser Entdeckung haben unsere heutzutage alltäglichen „Röntgenbilder" ihren [7] ........ . Die Röntgenbilder, die Röntgen [8] ........ Beweis seiner Entdeckung veröffentlichte, lösten eine unglaubliche Welle der Verwunderung und Begeisterung in der Gesellschaft aus. Seine Entdeckung war eine der wenigen in der Physik, die jeden, egal ob Arzt, Ingenieur oder Bäcker, [9] ........ . Vor allem aber in der Medizin war man schier [10] ........ sich, weil man nun endlich in das Innere des Körpers hineinschauen konnte, was die Medizin [11] ........ veränderte.

1. a umwälzenden
   ☒ neuartigen
   c uralten
   d modernen

2. a genannt
   b gekannt
   c bekannt
   d beliebt

3. a gerade
   b immer
   c zurzeit
   d kürzlich

4. a war
   b erfolgte
   c gipfelte
   d bestand

5. a damit
   b dafür
   c dabei
   d darin

6. a Vermutung
   b Annahme
   c Frage
   d Tatsache

7. a Ursprung
   b Basis
   c Herkunft
   d Grundlage

8. a wie
   b ob
   c als
   d zu

9. a half
   b faszinierte
   c forderte
   d wünschte

10. a außer
    b mit
    c in
    d an

11. a leicht
    b vielleicht
    c komplett
    d doch

# B Technische (und andere) Umbrüche

## 1 Die Industrialisierung in Deutschland

a   Klären Sie in Gruppen den Wortschatz und ordnen Sie die Begriffe in die Tabelle ein.

> Elektrotechnik | Dampfmaschine | Eisen | Textilien | Zölle | Genussmittel | Handwerk | Konsumgut | Spinnmaschine | Landwirtschaft | Maschinenbau | Kohle | Wettbewerb | Stahlindustrie

| Rohstoff | Produkte | Werkzeug / Maschine | Branche | wirtschaftliche Faktoren |
|---|---|---|---|---|
| | | | *Elektrotechnik,* | |

b   Was bedeuten folgende Ausdrücke aus dem Fachartikel im Lehrbuch 5 B, 1a: a oder b? Kreuzen Sie an.

1. die Zunft (Z. 5)    (a) die Ordnung    (b) Zusammenschluss von Handwerkern
2. das Erzeugnis (Z. 18)    (a) das Produkt    (b) das Ergebnis
3. abschotten (Z. 26 / 27)    (a) sich verschließen    (b) schließen
4. die Eigendynamik (Z. 48)    (a) der Prozess    (b) selbstständiger Antrieb eines Prozesses
5. etw. kommt jdm. / etw. zugute (Z. 69/70)    (a) jdm. etw. Gutes tun    (b) etw. / jd. profitiert von etw.
6. Absatz finden (Z. 75)    (a) verkauft werden    (b) verkaufen
7. der Aufschwung (Z. 78)    (a) der Aufgang    (b) die steigende Konjunktur
8. im Zuge des / der (Z. 102)    (a) wegen    (b) im zeitlichen Zusammenhang mit etw.
9. die Schattenseiten (Z. 109)    (a) die negativen Aspekte    (b) die Belastungen
10. etw. hinnehmen (Z. 113)    (a) etw. mitnehmen    (b) etw. als gegeben akzeptieren

 telc / telc H / TestDaF

c   Lesen Sie den Fachartikel im Lehrbuch 5 B, 1a, noch einmal und entscheiden Sie bei jeder Aussage zwischen „stimmt mit Text überein" (j), „stimmt nicht mit Text überein" (n) und „Text gibt darüber keine Auskunft" (?).

1. Aufgrund der früher einsetzenden Industrialisierung ging es der englischen Bevölkerung besser als der deutschen.   (j) (n) (?)
2. Als ein entscheidendes Hindernis für die wirtschaftliche Entwicklung Deutschlands ist die territoriale Zersplitterung des Landes anzusehen.   (j) (n) (?)
3. Die Förderung von Rohstoffen und Energieträgern trieb den Industrialisierungsprozess massiv voran.   (j) (n) (?)
4. Die Industrialisierung führt in ganz Deutschland zu einem massiven Modernisierungsprozess.   (j) (n) (?)
5. Ab Mitte des neunzehnten Jahrhunderts führte die erhöhte Nachfrage nach Konsumgütern zu steigenden Preisen bei Luxusprodukten.   (j) (n) (?)
6. Zu Beginn des neunzehnten Jahrhunderts gab es ein Ungleichgewicht zwischen der wachsenden Bevölkerungszahl und den vorhandenen Arbeitsplätzen.   (j) (n) (?)
7. Es lässt sich beobachten, dass die kleineren Handelsplätze im Zuge der Industrialisierung Bevölkerungsanteile verloren.   (j) (n) (?)
8. In den Jahren vor dem Ersten Weltkrieg spürten viele Menschen, dass neue Probleme und Zwänge durch die zunehmende Umweltverschmutzung entstanden.   (j) (n) (?)

**2** **In argumentativen Texten und Vorträgen Formulierungen variieren**

a Ergänzen Sie die fehlenden Verben, verwenden Sie dabei die passende Form.

> belegen | charakterisieren | erlauben | hervorheben | ~~sagen~~ | verdeutlichen

1. Zusammenfassend lässt sich *sagen* _____, dass …

2. Der Vergleich mit England _____, dass …

3. Diese Situation _____ es, von einer verspäteten Entwicklung zu sprechen.

4. Durch die statistischen Zahlen lässt sich _____, dass …

5. In diesem Zusammenhang sollte man _____, dass …

6. Die Entwicklung lässt sich folgendermaßen _____: …

b Lesen Sie den Tipp rechts und formulieren Sie folgende Redemittel um:
Aktiv in Passiv oder Passiversatzformen und umgekehrt.

1. Zunächst möchte ich betonen, dass …
2. Die Daten zeigen folgende Entwicklung: …
3. Es lässt sich festhalten, dass …
4. Unter Fachleuten wird auch die These vertreten, dass …
5. Ich möchte dazu eine Gegenthese aufstellen, nämlich: …
6. Dabei ist zu berücksichtigen, dass …
7. Abschließend soll festgehalten werden, dass …
8. Anhand des folgenden Beispiels kann man die Situation veranschaulichen: …

> **Passivformen mit Modalverb**
> In Vorträgen und argumentativen Texten werden Passivformen mit Modalverb auch verwendet, um Handlungsabsichten anzukündigen, z. B. „Im Folgenden soll genauer analysiert werden, wie diese beiden Faktoren zusammenhängen." Dadurch vermeidet man eine Häufung der Ich- bzw. Man-Form.

*1. Zunächst soll betont werden, dass … / Zunächst ist zu betonen, dass …*

c Recherchieren Sie in Gruppen die wichtigsten Etappen der industriellen Entwicklung Ihres Heimatlandes. Teilen Sie anschließend den anderen Gruppen Ihre Ergebnisse mit. Verwenden Sie dabei Redemittel aus 2a und 2b.

# C Technik im Alltag

**1** **Das nervt!**

Was bedeuten folgende Ausdrücke aus der Grafik und den Texten B und C im Lehrbuch 5 C, 1a und 1b: a, b oder c? Kreuzen Sie an.

1. der Kundendienst (Grafik)
   - a die Pflichten des Käufers
   - b der Service-Mitarbeiter
   - c die Beschwerdestelle

2. der Defekt (Grafik)
   - a der Fehler
   - b die Schwäche
   - c die Beschädigung

3. entmündigen (Grafik)
   - a jdn. manipulieren
   - b jdn. herumkommandieren
   - c jdm. die Selbstbestimmung nehmen

4. der Jargon (Text B)
   - a die Spezialsprache
   - b der Dialekt
   - c die Geheimsprache

5. scheitern (Text B)
   - a kaputtgehen
   - b abgebrochen werden
   - c erfolglos sein

6. riskant (Text B)
   - a herausfordernd
   - b gefährlich
   - c unüberlegt

7. das Szenario (Text C)
   - a die Situation
   - b die ausgedachte Szene
   - c die virtuelle Welt

8. untauglich (Text C)
   - a minderwertig
   - b problematisch
   - c ungeeignet

9. sich blamieren (Text C)
   - a beschuldigt werden
   - b sich beschämt fühlen
   - c durchschaut werden

## 2 Technische Störungen melden

AB ● 24  **a** Hören Sie den ersten Teil einer Telefonansage und beantworten Sie die Fragen.

1. Wie heißt die angerufene Firma?
2. Wer spricht?
3. Woher weiß die Firma, welcher Kunde anruft?
4. Welchen Service wählt der Kunde?

AB ● 24–27  **b** Hören Sie nun die gesamte Telefonansage und notieren Sie die Tastaturangaben.

1. Verbindung zur Stelle für technische Störungen  `2`
2. Verbindung zum Kundenkonto  ☐
3. Problem im Bereich des Festnetzanschlusses  ☐
4. Problem im Bereich des Mobilfunks  ☐
5. Überprüfung des Zugriffs des Modems  ☐
6. Um zu Schritt 2 zu gelangen  ☐
7. Verbindung zu einem Kundenberater  ☐

AB ● 28–32  **c** Hören Sie folgende Sätze aus der Telefonansage in 2b noch einmal und notieren Sie die fehlenden Wörter.

1. Um Aufträge oder ............................................ durchzugeben, wählen Sie bitte die 1. Um ............................................ Ihres Anschlusses zu beheben, wählen Sie die 2. Um zu Ihrem ............................................ zu gelangen, wählen Sie die 3.

2. Bitte überprüfen Sie zuerst die Verkabelung Ihres Internetanschlusses. Für eine detaillierte ............................................ zur Überprüfung wählen Sie bitte die 10. Falls Sie die ............................................ bereits überprüft haben und die Störung weiterbesteht, wählen Sie bitte die 11.

3. Um das Modem zu überprüfen, öffnen Sie bitte in einem ersten Schritt die ............................................ Ihres Modems, indem Sie in die Adresszeile Ihres Browsers „Tele.fix" ............................................ .

4. Sollten Sie nicht auf das Modem ............................................ können, stellen Sie bitte sicher, dass Ihr Modem mit Strom versorgt und mit dem ............................................ über LAN oder WLAN verbunden ist.

5. Oder wird die Seite immer noch nicht oder nicht richtig ............................................ ? In diesem Fall steht einer unserer ............................................ gern persönlich zu Ihrer Verfügung.

○ G7.1  ## 3 Verbraucher und Technik

**a** Lesen Sie den Text. Markieren Sie die Endungen der Indefinitartikel und der darauf folgenden Adjektive. Ordnen Sie dann die Ausdrücke in die Tabelle ein.

Es gibt einige spontane Verbraucher, die einfach irgendein neues Handy kaufen, weil es gut aussieht oder weil Freunde dasselbe Modell haben. Andere überlegen so einen Kauf lange und berücksichtigen mehrere technische Daten. Manch ein verunsicherter Konsument hat dabei das Gefühl, noch verwirrter zu werden. Die Kaufentscheidungen vieler technikunkundiger Menschen sind am Ende oft eher intuitiv. Ist das Gerät dann gekauft, hat man so manches neue Frustrationserlebnis: Zu viele vorhandene Funktionen sorgen schnell für Unübersichtlichkeit. Alle in einem Elektromarkt befragten Kunden sagten, dass sie keine überflüssigen Anwendungen mögen. Technikentwickler sollten also wissen, dass es nicht darum geht, ständig irgendwelche neuen Tools zu integrieren. Aber insgeheim erwartet jeder kaufbereite Konsument auch, dass sein Gerät auf dem neuesten technischen Stand ist. Und das bedeutet dann eben doch, dass manche technischen Optionen vorhanden sind, die man im Alltag kaum benutzen wird.

| Deklination wie beim best. Artikel | Deklination wie beim unbest. Artikel | Deklination wie beim Nullartikel |
|---|---|---|
| | *irgendein neues Handy* | *einige spontane Verbraucher* |

**b**  Markieren Sie alle Formen von „manch-" mit den dazugehörenden Adjektiven und Nomen.

1. Manchen älteren Menschen belastet die Sorge, bei einem Notfall hilflos zu sein.
2. Daher sind manch nützliche Geräte entwickelt worden, um den Alltag älterer Menschen zu erleichtern.
3. Manch alleinlebender Senior und manche alleinlebende Seniorin fühlt sich mit einem Notrufgerät sicherer.
4. Mancher unruhige Demenzpatient könnte von einem Funk-Bewegungsmelder profitieren.
5. Auch manch nutzerfreundliches Spracherkennungssystem bei Haushaltsgeräten wäre eine Hilfe bei manchem typischen Alltagsproblem.
6. In den Augen mancher technikorientierten Senioren sind soziale Netzwerke gut gegen Vereinsamung im Alter.
7. Manche großartigen Visionen, wie z. B. die tägliche digitale Überwachung durch den Hausarzt, sind noch Gegenstand manch intensiver Entwicklungsarbeit.

**c**  Lesen Sie die Sätze in 3b noch einmal und ergänzen Sie die fehlenden Adjektivendungen am Beispiel von „jung".

|  | M | N | F | Pl |
|---|---|---|---|---|
| **Nom.** | mancher jung......<br>manch jung...... | manches junge<br>manch jung...... | manche jung......<br>manch junge | manche jung......*<br>manch jung...... |
| **Akk.** | manchen jung *en*<br>manch jungen | | | |
| **Dat.** | manchem jung......<br>manch jungem | | mancher jungen<br>manch jung...... | manchen jungen<br>manch jungen |
| **Gen.** | manches jungen<br>manch jungen | | | mancher jung......*<br>manch junger |

*Im Plural Nominativ / Akkusativ und Genitiv sind auch die Formen „manche junge" bzw. „mancher junger" verbreitet.

**d**  Was fällt in 3c auf? Kreuzen Sie die richtigen Regeln an und korrigieren Sie die falsche.

1  Das Artikelwort „manch-" hat die gleichen Endungen wie der bestimmte Artikel.

2  Die Adjektivdeklination nach „manch-" ist wie nach dem unbestimmten Artikel.

3  Nach der Kurzform „manch" ist die Adjektivdeklination wie nach dem Nullartikel, d.h. immer mit Signalendung (r, s, e, n, m), außer im Genitiv Singular Maskulinum und Neutrum.

⟳ G7.3  **4  Solche? – Nein, solch einen.**

**a**  Setzen Sie die passenden Formen des Demonstrativartikels bzw. -pronomens „solch-" in die Lücken ein.

> solch | solche | solche | solchen | solcher | solches | als solches | solch ein

1. Das Gerät ist für einen _solchen_ Einsatz nicht geeignet.
2. Der Begriff „intelligentes Haus" steht für ...................... Systeme, die die Elektronik eines ganzen Hauses vernetzen.
3. Die Frage ist, ob die Verbraucher ...................... umfassenden Systeme tatsächlich in ihrem Haus haben möchten.
4. Ein ...................... Elektroniksystem im Haus wäre möglicherweise auch anfällig für Störungen und Defekte.
5. Kühlschränke, die per SMS auffordern, einkaufen zu gehen – ...................... zukünftige Möglichkeiten finden die meisten überflüssig.
6. ...................... Kühlschrank kann aber in Spezialfällen sehr nützlich sein.
7. Daher ist langfristig der Einbau ...................... innovativer Geräte möglicherweise sinnvoll.
8. Das Problem ...................... ließe sich technisch zwar lösen, aber es wäre aufwändig und unrentabel.

b Lesen Sie die Sätze in 4a noch einmal und ergänzen Sie die Regeln.

„so" statt „solch"

Umgangssprachlich verwendet man oft „so" + unbestimmter Artikel statt „solch" + unbestimmter Artikel und verschleift es zu „so'n", so'ne" etc., z.B. So'n Handy? Von so'nem Handy muss ich dir abraten.

Nullartikel | Nullartikel | bestimmten | unbestimmten

1. Die Formen von „solch-" im Ausdruck „ein- solch-" werden wie ein Adjektiv nach dem ............................ Artikel dekliniert, z.B. ein solches neues Gerät.

2. „solch-" wird wie der bestimmte Artikel dekliniert. Das folgende Adjektiv kann wie nach dem Nullartikel oder (insbesondere im Plural) wie nach dem ............................ Artikel dekliniert werden, z.B. solches technisches Wissen / solches technische Wissen; solche technische Details / solche technischen Details

3. Bei der gleichbedeutenden Variante „solch ein-" hat „solch" keine Endung. Im Plural werden Adjektive, die nach „solch" folgen, wie nach dem ............................ dekliniert. Diese Form wird fast ausschließlich in der gehobenen Schriftsprache verwendet, z.B. solch ein innovatives Gerät, solch innovative Geräte.

4. Das einem Nomen nachgestellte „als solch-" in der Bedeutung von „die Sache an sich" wird wie ein Adjektiv nach dem ............................ dekliniert, z.B. das System als solches, mit dem System als solchem, die Systeme als solche.

Tipp

Nach dem Nullartikel trägt das Adjektiv die Signalendung (r, s, e, n, m), außer im Gen. Sg. M. und N.

## ◉ G7.2 5 Redewendungen

a Ergänzen Sie in den Redewendungen die Pronomen „keiner", „jeder", „mancher" oder „alle" in der richtigen Form. Einmal gibt es zwei Lösungen.

1. *Jeder* .............. kocht hier sein eigenes Süppchen.

2. .............. hat sein Päckchen zu tragen.

3. Viel zu schwer! Da kommt .............. mit.

4. Man kann es nicht .............. recht machen.

5. .............. das Seine.

6. Arbeit hat noch .............. geschadet.

7. Nicht jeder bleibt bei seiner Meinung. .............. hängt sein Fähnlein nach dem Wind.

b Finden Sie zu jeder Redewendung in 5a die passende Erklärung.

A. das versteht niemand ☐

B. nicht alle zufriedenstellen ☐

C. jeder hat etwas, was ihn belastet ☐

D. auch lästige Tätigkeiten müssen von jdm. verrichtet werden ☐

E. nur für sich alleine arbeiten ☐ `3`

F. jeder, wie er will ☐

G. sich der jeweils herrschenden Meinung anschließen ☐

# D Roboterwelten

## 1 Künstliche Intelligenz

Ordnen Sie den Beschreibungen unten folgende Wörter aus dem Text im Lehrbuch 5D, 1b, in der richtigen Form zu.

anwendungsorientiert | Fernziel | Fokus | Massenanwendung | modellieren | zum Einsatz kommen

1. Wenn man etwas erreichen will, aber nicht in naher Zukunft, dann handelt es sich um ein *Fernziel* ............... .

2. Wenn eine Technik von sehr vielen eingesetzt wird, spricht man von einer ............... .

3. Wenn ein Problem im Mittelpunkt steht, dann ist es im ............... des Interesses.

4. Wenn ein technisches System verwendet wird, kann man auch sagen: Es ............... .

5. Wenn man eine Situation aus der Realität nachbaut, dann ............... man sie.

6. Fragestellungen, die sich auf die konkrete Nutzung eines Geräts beziehen, sind ............... .

## ❷ Haushaltsroboter: Wie war das noch?

Lesen Sie die Sätze. Welche Informationen fehlen hier? Hören Sie dann noch einmal die Radioreportage über Haushaltsroboter im Lehrbuch 5 D, 2 b, und ergänzen Sie die passenden Informationen.

1. Bereits seit Mitte der 90er-Jahre sind Haushaltsroboter auf dem Markt. Sie können *saugen, den Rasen mähen oder* ................... *den Swimmingpool putzen.* ...................

2. Ein Problem bei der Herstellung von Haushaltsrobotern sind jedoch immer noch die ........................................

3. Im Gegensatz zu ........................................ produziert eine amerikanische Firma erheblich höhere Stückzahlen und ist damit Marktführer geworden.

4. Firmen in Amerika und Asien ........................................ die Weiterentwicklung von Haushaltsrobotern, um diese preiswerter zu machen und so eine gute Marktposition zu erlangen.

5. Der Vorteil des koreanischen Saugroboters „Tango" ist, dass er eine Kamera hat und so ........................................

6. Der Roboter Armar IV kann, wie andere Service-Roboter auch, Haushaltsarbeiten übernehmen, besonders zeichnet ihn aber aus, dass er ........................................

7. Bei der Verarbeitung von Sinneseindrücken müsste ein Roboter idealerweise in der Lage sein, diese Eindrücke ........................................

## ❸ Referat „Moderne Roboterwelten"

a   Eine Gliederung aufbauen. Lesen Sie den Tipp und suchen Sie in den Inhaltsverzeichnissen von Sach- und Fachbüchern nach Beispielen für die genannten Gliederungsmodelle.

> **Gliederungen**
>
> Gliederungen helfen Ihnen nicht nur dabei, während eines Referates den roten Faden zu behalten, sondern sie spielen auch eine entscheidende Rolle dabei, wie gut das Publikum Ihrer Darstellung folgen kann und wie viel es versteht. Für eine sinnvolle Gliederung ist daher zu überlegen, wie die Informationen geordnet werden müssen, damit das Publikum die Zusammenhänge Schritt für Schritt nachvollziehen kann. Welcher Gliederungstyp zum geplanten Referat passt, hängt vom jeweiligen Thema und seinen Erfordernissen ab.
>
> Häufige Gliederungstypen sind z. B.
> - vom Allgemeinen zum Konkreten
> - vom Konkreten zum Allgemeinen
> - kausal: von der Wirkung zu der/n Ursache(n) oder umgekehrt
>
> - in chronologischer Reihenfolge
> - vergleichend

b   Ordnen Sie die Gliederungstypen aus dem Tipp in 3 a folgenden Gliederungsbeispielen zu.

**Ⓐ**
– Anfänge der Robotertechnik
– 1980er: Pionierzeit für Roboter
– Robotertechnik heute
– Zukunftsvisionen

**Ⓒ**
Zunehmende Verbreitung von Haushaltsrobotern durch:
– neue KI-Technologie
– leichtere Bedienbarkeit
– reduzierten Preis

**Ⓔ**
– Service-Roboter: Armar IV
– Funktionen von Service-Robotern
– Bedeutung des Service-Roboters heute und morgen

**Ⓑ**
Ausrichtung der Roboterentwicklung:
– in Asien
– in Europa
– in den USA

**Ⓓ**
– Bedeutung des Service-Roboters in unserer Gesellschaft
– Stand der Entwicklung
– Service-Roboter: Tango und Armar IV

c Vergleichen Sie die beiden Gliederungen zum Thema „Roboterwelten" und diskutieren Sie, welche geeigneter ist und warum. Erstellen Sie dann eine eigene Gliederung.

**A**

I. Künstliche Intelligenz
　1. Intelligenz bei Lebewesen
　2. Intelligenz bei Maschinen
II. Was können Roboter heute?
　1. Fähigkeiten
　2. Schwachstellen
III. Zukunftsplanung
　1. Einsatzfelder
　2. Technische Voraussetzungen
IV. Stellungnahme
　1. Wie sinnvoll sind „intelligente" Roboter grundsätzlich?
　2. Persönliche Meinung zu diesen Plänen

**B**

I. Technische Voraussetzungen für Künstliche Intelligenz
II. Interessante Anwendungsfelder für die Zukunft
III. Was ist heute schon möglich, was nicht?
IV. Wie funktioniert Künstliche Intelligenz?
　1. Intelligenz bei Maschinen
　2. Intelligenz bei Menschen
V. Stellungnahme
　1. Einschätzung, ob intelligente Roboter technisch machbar sind
　2. Zitate von Experten zu diesem Thema

d Fragen der Zuhörer zum Referat beantworten. Was stimmt bei folgenden Redemitteln nicht? Korrigieren Sie.

1. Sie haben nach dem Begriff „Intelligenz bei Lebewesen" gefragt. Damit verstehe ich …
2. Um auf Ihre Frage zurückzugehen: …
3. Ich bin diese Meinung, weil …
4. Danke für Ihre Anwendung.
5. Das ist ein guter Zuweis.
6. Als ich bereits erörtert habe, …
7. Um das zu beantworten, muss ich etwas anführlicher werden.
8. Das sehe ich auf Prinzip genauso wie Sie, aber…

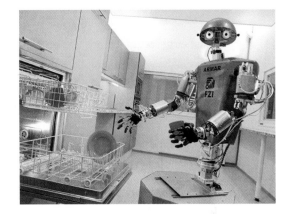

*1. Darunter verstehe ich …*

e Verwenden Sie die korrigierten Satzanfänge für die Diskussion der Referate im Lehrbuch 5 D, 3.

# E Neue Medizin – neuer Mensch?

## ① Medizinische Hoffnungsträger, ethische Stolpersteine

a Ordnen Sie die Wörter in die Tabelle ein.

Diabetes | Forscher | Gesundheit | Haut | Heilung | Herz-Kreislaufsystem | Infarkt | Labor | Leber | Muskel | Niere | Parkinson | Retorte | Rettung | Zelle

| Wissenschaft | Organe | Bestandteile des Körpers | Krankheiten | Versprechungen |
|---|---|---|---|---|
| | | | *Diabetes,* | |

**DSH**  **b**  Beantworten Sie die Fragen zum Kommentar im Lehrbuch 5 E, 2 b.

1. Geben Sie zwei Beispiele von spezialisierten Zellen und ihrer jeweiligen Aufgabe.
2. Worin unterscheiden sich Stammzellen von anderen Zellen?
3. Wie viele Stammzellentypen hat ein Erwachsener?
4. Nennen Sie ein Beispiel für die Funktion von Stammzellen bei Erwachsenen.
5. Warum sind embryonale Stammzellen für die forschende Medizin interessanter?
6. Welches Dilemma gibt es beim Thema Stammzellenforschung?
7. Was wird über die internationalen Regelungsmodelle zur Stammzellenforschung gesagt?
8. Inwiefern könnten aktuelle Forschungsergebnisse einen Ausweg aus dem Dilemma liefern?

**DSH**  **c**  Vervollständigen Sie die Sätze und formulieren Sie die unterstrichenen Teile um, ohne die Textinformation zu ändern.

1. Was erhofft man sich <u>davon, embryonale Stammzellen einzusetzen</u>?

   Was erhofft man sich *vom Einsatz embryonaler Stammzellen?* ........................................

2. Stammzellen sind <u>dafür</u> da, <u>den Nachschub dieser Zellen zu sichern</u>.

   Stammzellen sind ..................................................................................................... da.

3. Diskutiert wird die Frage, <u>ob menschliche Embryonen ausreichend geschützt sind</u>.

   Diskutiert wird die Frage ................................................................................................ .

4. Ist es gestattet, Embryonen <u>zur Gewinnung von Stammzellen</u> einzusetzen?

   Ist es gestattet, Embryonen einzusetzen, ....................................................................... ?

5. Die einen <u>sprechen dem Embryo dieselbe Schutzwürdigkeit zu wie dem bereits geborenen Menschen</u>.

   Die einen sagen, der Embryo sei ..................................................................................... .

6. Von den anderen wird <u>die Forschung mit Embryonen</u> moralisch nicht ausgeschlossen.

   Die anderen schließen es moralisch nicht aus, .................................................................

**d**  Welche Verben passen zu welchen Nomen? Ordnen Sie zu. Oft gibt es mehrere Lösungen.

> bieten | decken | finden | haben | stehen | verrichten

1. eine Funktion .................................................
2. einen Weg ....................................................
3. Arbeit ..........................................................
4. einen Ausweg ................................................
5. den Bedarf ....................................................
6. im Mittelpunkt ..............................................

**G 2.1 – 2.4**  **2**  **Textkohärenz**

**DSH**  **a**  Worauf beziehen sich folgende Wörter im Kommentar im Lehrbuch 5 E, 2 b? Notieren Sie.

**Abschnitt 1**
1. darunter: *unter Stammzellen* ..............
2. Diese: .......................................................
3. ihre: .........................................................

**Abschnitt 2**
4. solche: ......................................................
5. dafür: ........................................................
6. denen: ......................................................

**Abschnitt 3**
7. Letztere: ...................................................
8. sie: ...........................................................

**Abschnitt 5**
9. von ihnen: .................................................
10. das: .........................................................
11. ihr: ..........................................................

**Abschnitt 6**
12. das: .........................................................
13. es: ...........................................................
14. denn: .......................................................

**Abschnitt 9**
15. diesen: .....................................................
16. solcher: ....................................................

b   Lesen Sie den Tipp und markieren Sie die Mittel der Textkohärenz in den Kommentaren unten.

> **Textkohärenz**
>
> Die Bedeutung eines Textes liegt weniger im Sinn seiner einzelnen Sätze, sondern sie entsteht erst in dem engen Gewebe von Vor- und Rückverweisen, Übergängen und Bezugnahmen zwischen den Sätzen, Satzteilen und Wörtern. Um einen argumentativ überzeugenden Text zu schreiben, ist es daher wichtig, für Kohärenz zu sorgen.

**A**

Die konkrete Existenz eines menschlichen Embryos darf grundsätzlich nicht gegen theoretische zukünftige Therapiemöglichkeiten abgewogen werden. Zwar klingen manche Versprechungen der Stammzellenforscher verheißungsvoll, aber hier geht es um etwas Grundlegenderes, nämlich den Wert von menschlichem Leben. Diesem Aspekt dürfen wir nicht einfach aus reinem Pragmatismus ausweichen. Denn wenn die Forschung an embryonalen Zellen erlaubt wird, werden diese bald zum bloßen Material einer profitorientierten Medizinindustrie. Es ist daher nötig, dass unsere Gesellschaft sich klare Regeln für diesen Bereich gibt.

**B**

Die Forschung an humanen embryonalen Stammzellen ist eigentlich unverzichtbar, denn nur auf diese Weise kann sich die Medizin entwickeln und bisher unheilbar Kranken eine Heilung ermöglichen. Damit ist diese Forschung auch ethisch legitim. Die Frage, ob ein simples embryonales Zellagglomerat eine Menschenwürde hat, ist außerdem wenig realitätsbezogen. Sie wird sogar innerhalb des ethischen Diskurses selbst ganz unterschiedlich beantwortet. Es darf also nicht sein, dass Forscher aus scheinbar ethischen Gründen in ihrer wertvollen Arbeit gestoppt werden.

c   Lesen Sie die Kommentare in 2 b noch einmal und entwickeln Sie eine eigene Meinung zu den beiden konträren Positionen.

d   Fassen Sie nun Ihre eigene Position schriftlich in genau fünf Sätzen zusammen. Folgen Sie dabei dem Schema unten und verwenden Sie in jedem Satz eines der passenden Verbindungswörter.

> **1. Satz – eigene Position präsentieren:** passende Verbindungswörter: zunächst, grundsätzlich, eigentlich
>
> **2. – 4. Satz – die wichtigsten Argumente:** passende Verbindungswörter: einerseits – andererseits, zwar – aber, außerdem, jedoch, denn, nämlich, damit, diese / solche
>
> **5. Satz – Schlussfolgerung / Zusammenfassung:** passende Verbindungswörter: daher, also, schließlich, folglich

# F Ideen für die Zukunft

## 1 Studenten als Erfinder

Welcher Begriff passt nicht in die Reihe: a, b , c oder d? Kreuzen Sie an.

| | a | b | c | d |
|---|---|---|---|---|
| 1. | fantasieren | improvisieren | planen | aus dem Stegreif ausführen |
| 2. | umfunktionieren | gelingen | abwandeln | ändern |
| 3. | Entdeckung | Erfindung | Innovation | Erneuerung |
| 4. | Idee | Impuls | Meinung | Anregung |
| 5. | darstellen | schmieren | kritzeln | schlecht schreiben |
| 6. | Skizze | Entwurf | Bild | Rohfassung |
| 7. | erfinderisch | klug | kreativ | schöpferisch |
| 8. | Engagement | Kooperation | Teamwork | Zusammenarbeit |
| 9. | entwerfen | ersinnen | konzipieren | denken |
| 10. | aufmachen | gründen | verursachen | ins Leben rufen |

## 2 Ratschläge

Formulieren Sie Ratschläge mithilfe der Redemittel in Klammern.

1. Sender für Fußgänger, besonders ältere Menschen und Kinder, konstruieren
   → Autofahrer diese frühzeitig wahrnehmen (Wie wäre es, wenn …)
2. Flugapparat bauen → Mensch mit eigener Muskelkraft fliegen (Man könnte …)
3. Herd mit eingebauten Thermostaten entwickeln → Hitzezufuhr selbst regulieren,
   so nichts anbrennen (Man sollte …)
4. Zahnbürste mit integrierter Leuchte herstellen → Backenzähne und Zustand
   Zahnfleisch besser kontrollieren (Von Vorteil wäre es, …)
5. Staubsauger selbstständig Saugleistung mehr nach rechts oder links lenkt
   → gut Schmutz in Ecken beseitigen (Bei der Konstruktion sollte man berücksichtigen, dass …)
6. Kaminofen erfinden, über Zeitschaltuhr Holz im Ofen selbstständig entzünden
   → Feuer schon brennen, wenn nach Hause kommen (Eine gute Idee wäre es, …)

*1. Wie wäre es, wenn man einen Sender für Fußgänger, besonders für ältere Menschen und Kinder, konstruieren würde,*

*damit die Autofahrer diese frühzeitig wahrnehmen können.*

# Aussprache

## 1 Betonungen und Pausen im Satz

a   Lesen Sie zuerst den Tipp, dann die folgenden Sätze und markieren Sie jeweils die Betonungen und Pausen im Satz wie im Beispiel. Achten Sie darauf, welche Wortgruppen zusammengehören und welche Wörter im Satz die zentrale und neue Information vermitteln.

1. Als <u>Material</u> | würde ich <u>Holz</u> nehmen.

2. Man könnte euer Gerät noch verbessern, indem man es per
   Computer steuert.

3. Warum habt ihr denn das Modell so aufgebaut?

4. Könnte man hier nicht stattdessen einen Schalter anbringen?

5. Wie wäre es, wenn du statt Papier eine Folie nehmen würdest?

6. Bei der Konstruktion solltest du noch die Unterseite berücksichtigen.

7. Einfacher herzustellen wäre es, wenn man alle Teile verlöten würde.

8. Eure Erfindung wäre bestimmt bequemer zu benutzen, wenn sie
   größer wäre.

9. Von Vorteil wäre ein kleiner integrierter Motor.

> **Betonungen und Pausen im Satz**
> Längere Sätze bestehen oft aus mehreren Wortgruppen. In jeder dieser Wortgruppen wird ein Wort besonders betont, und zwar die wichtige und neue Information. Zwischen den Wortgruppen kann es Pausen geben, durch die die Aufmerksamkeit auf das folgende Wort oder die folgende Wortgruppe gelenkt wird.

AB ● 33   b   Hören Sie die Sätze in 1a und überprüfen Sie Ihre Markierungen. Markieren Sie während des Hörens bei den betonten Wörtern nun auch die betonte Silbe.

1. Als <u>Mate</u>rial | würde ich Holz nehmen.

c   Hören Sie die Sätze in 1a noch einmal und sprechen Sie sie nach.

# Grammatik: Das Wichtigste auf einen Blick

## ⊙ G7.1 ❶ Indefinitartikel

- Indefinitartikel stehen immer vor einem Nomen, sie bezeichnen eine unbestimmte Anzahl.
- Indefinitartikel mit der Deklination des bestimmten Artikels (immer mit Signalendung (r, s, e, n, m): z.B. jeder, mancher, irgendwelche, alle. Die Adjektivdeklination nach diesen Indefinitartikeln ist wie nach dem bestimmten Artikel.
  z.B. der verunsicherte Verbraucher → jeder verunsicherte Verbraucher
- Indefinitartikel mit der Deklination des unbestimmten Artikels: z.B. irgendein-, manch ein-. Die Adjektivdeklination nach diesen Indefinitartikeln ist wie nach dem unbestimmten Artikel.
  z.B. ein verunsicherter Verbraucher → irgendein verunsicherter Verbraucher
- Die Adjektivdeklination nach den Indefinitartikeln „manch", „wenige", „einige", „mehrere", „etliche" und „viele" ist wie nach dem Nullartikel (immer mit Signalendung (r, s, e, n, m), außer im Gen. Sg. M. und N).
  z.B. manch verunsicherter Verbraucher, mehrere verunsicherte Verbraucher

## ⊙ G7.2 ❷ Indefinitpronomen

Wenn „kein-", „irgendein-", mancher", manch ein-", „jeder"; „einige", „irgendwelche", „alle" etc. als Pronomen verwendet werden, werden sie wie der bestimmte Artikel dekliniert, d.h., sie erhalten die Signalendungen (r, s, e, n, m).
z.B. Viele Verbraucher sind verunsichert. Irgendeiner wird sich bestimmt beschweren.

## ⊙ G7.3 ❸ Demonstrativartikel und -pronomen

- „solch ein-", „ein- solch-" bzw. „solch-" und „ein- derartig-" bzw. „derartig-" werden vor allem in formellen Texten verwendet. Sie können dort den Demonstrativartikel bzw. das Demonstrativpronomen „dies-" ersetzen, wenn die Sache oder Person, auf die hingewiesen wird, vorher genauer beschrieben wurde.
  z.B. Fehler in der Fahrzeugelektronik kommen am häufigsten vor. Diese / Solche Defekte sind nicht selten die Ursache von Autopannen.
- Die Formen von „solch-" im Ausdruck „ein- solch-" werden wie ein Adjektiv nach dem unbestimmten Artikel dekliniert.
  z.B. ein solcher neuer Apparat
- „solch-" wird wie der bestimmte Artikel dekliniert. Das folgende Adjektiv kann wie nach dem Nullartikel oder (insbesondere im Plural) wie nach dem bestimmten Artikel dekliniert werden.
  z.B. solches technisches Wissen / solches technische Wissen; solche technische Details / solche technischen Details
- Bei der Variante „solch ein-" hat „solch" keine Endung. Im Plural werden Adjektive, die nach „solch" folgen, wie nach dem Nullartikel dekliniert. Diese Form wird fast ausschließlich in der gehobenen Schriftsprache verwendet.
  z.B. solch ein innovatives Gerät, solch innovative Geräte
- Das einem Nomen nachgestellte „als solch-" in der Bedeutung von „die Sache an sich" wird wie ein Adjektiv nach dem Nullartikel dekliniert.
  z.B. das System als solches, mit dem System als solchem, die Systeme als solche

## ⊙ G2.1–2.4 ❹ Textkohärenz

Kohärenzmittel (z.B. Verbindungsadverbien, Pronomen) zeigen den logischen Zusammenhang zwischen den Gedanken und sind eine wichtige Verstehenshilfe. Sie sind daher in komplexen, argumentativen Texten unverzichtbar. Im Folgenden finden Sie einige Beispiele:

- **Konjunktionen:** und, denn, sondern
- **Verbindungsadverbien:** nämlich, folglich
- **zweiteilige Konnektoren:** zwar – aber
- **Nebensatzkonnektoren (Subjunktionen):** als, wenn, weil
- **Aufzählungen:** erste, letzte, außerdem

- **Demonstrativartikel / -pronomen:** das, dies, solch
- **Personalpronomen:** er, sie, uns
- **Possessivartikel:** mein, unser, euer
- **Possessivpronomen:** meiner, unseres, eure
- **Präpositionaladverbien:** darauf, darüber

# A Von innen und außen – Deutschland im Blick

## 1 Worauf es bei der Wahl des Reiseziels ankommt

Ergänzen Sie den Text zum Schaubild rechts mit folgenden Ausdrücken.

auf Platz … liegen | nicht vertreten sein | vordere Plätze einnehmen | wichtige Entscheidungskriterien sein | eine untergeordnete Rolle spielen | im Ranking ganz weit vorn liegen | eine entscheidende Rolle spielen

| | Ausländische Gäste | | | Deutsche Gäste | |
|---|---|---|---|---|---|
| 1 | Sehenswürdigkeiten | 41% | | Landschaft/Natur | 54% |
| 2 | Landschaft/Natur | 38% | | Gute Luft/gesundes Klima | 40% |
| 3 | Ortsbild/Stadtbild/Architektur | 34% | | Erholungsmöglichkeiten | 38% |
| 4 | Kunst- und Kulturangebot | 33% | | Gute Erfahrungen/Vergangenheit | 37% |
| 5 | Vielfalt/Qualität des Angebots | 30% | | Atmosphäre/Flair | 31% |
| 6 | Gute Erfahrungen/Vergangenheit | 29% | | Ruhe | 30% |
| 7 | Atmosphäre/Flair | 27% | | Sehenswürdigkeiten | 29% |
| 8 | Tradition/Geschichte | 26% | | Ortsbild/Stadtbild/Architektur | 25% |
| 9 | Image Region/Stadt | 24% | | Vielfalt/Qualität des Angebots | 24% |
| 10 | Empfehlung Freunde/Bekannte | 23% | | Empfehlung Freunde/Bekannte | 19% |

Quelle: DZT, 2012

Die Entscheidungskriterien für einen Urlaub in Deutschland sind bei deutschen und ausländischen Gästen unterschiedlich: Bei ausländischen Besuchern [1a] *nehmen* ............................ Sehenswürdigkeiten sowie das Orts- bzw. Stadtbild [1b] *vordere Plätze ein* ............................ , während sie bei den deutschen Gästen nur [2a] ............................ sieben und acht [2b] ............................ . Landschaft und Natur hingegen [3a] ............................ bei beiden Gästegruppen [3b] ............................ : Rang 1 bei den deutschen Gästen, Rang 2 bei den Gästen aus dem Ausland. Auch das Kunst- und Kulturangebot [4a] ............................ für ausländische Gäste [4b] ............................ . Im Top-10-Ranking der deutschen Gäste [5a] ............................ es dagegen [5b] ............................ , ebenso wie das Image oder die Geschichte des Reiseziels. Für deutsche Gäste [6a] ............................ gute Luft / gesundes Klima und die Erholungsmöglichkeiten [6b] ............................ , während für ausländische Gäste beides offenbar nur [7] ............................ .

## 2 Vier Thesen zu Deutschland

a Von wem stammen die zu Thesen umformulierten Aussagen aus den Texten im Lehrbuch 6 A, 2 a. Notieren Sie.

1. Das Deutsche verdient es, den Rang einer europäischen Verkehrssprache zu erhalten. *Helena Hanuljaková* ...........

2. Aufgrund seiner Tradition im Maschinenbau ist Deutschland für die Entwicklung umweltfreundlicher Techniken prädestiniert. ............................

3. Nach dem Sinn des Lebens zu suchen, ist Bestandteil deutscher Kultur. ............................

4. Wer die Vergangenheit aus dem Blick verliert, wird von ihr eingeholt. ............................

b Was bedeuten folgende Begriffe in den Aussagen im Lehrbuch 6 A, 2 a: a oder b? Kreuzen Sie an.

1. sich jds. annehmen — a sich kümmern um jdn. — b jdn. anerkennen
2. mit Fug und Recht — a legal — b mit gutem Recht
3. den Ruf haben — a man sagt von jdm. — b man beruft jdn.
4. sich von etw. abnabeln — a sich von etw. loslösen — b sich von etw. entlasten
5. das Gespür — a das Taktgefühl — b das Gefühl
6. das Risiko bergen — a das Risiko beinhalten — b das Risiko verstecken
7. die Neigung — a die Richtung — b die Vorliebe
8. die Erkundung — a die Umfrage — b die Nachforschung

## 3 Schreiben nach Karten

a Lesen Sie die Zitate über das Schreiben und besprechen Sie, welche Herausforderungen im Schreiben liegen und welchen Nutzen es für Sie hat.

> Lesen macht vielseitig, Verhandeln geistesgegenwärtig und Schreiben genau.
> *Francis Bacon*

> Ohne zu schreiben, kann man nicht denken, jedenfalls nicht in anspruchsvoller Weise.
> *Niklas Luhmann*

> Das Ziel des Schreibens ist es, andere sehen zu machen.
> *Joseph Conrad*

> Beim Text muss sich einer quälen, der Absender oder der Empfänger. Besser ist, der Absender quält sich.
> *Wolf Schneider*

b Nehmen Sie zur Vorbereitung Ihres Textes im Lehrbuch 6 A, 3, ungefähr 20 Karteikarten oder Zettel zur Hand und verfahren Sie wie folgt.

*... Land, in dem ...*

- Schreiben Sie alle Punkte, die mit dem Thema zu tun haben, auf je eine Karte.
- Formulieren Sie immer einen ganzen Satz.
- Sortieren Sie die Karten auf verschiedene Stapel, entscheiden Sie dabei nach Ihrem Gefühl, was zusammengehört.
- Schreiben Sie für jeden Stapel den zentralen Gedanken auf.
- Sammeln Sie nun die Hauptgedanken und bringen Sie sie in eine sinnvolle Reihenfolge. Achten Sie dabei darauf, dass ein Gedankengang entsteht. Auf diese Weise haben Sie eine erste Gliederung für Ihren Text entwickelt.

c Schreiben Sie mithilfe der Karten Ihren ersten Textentwurf und geben Sie ihn Ihrem Kursleiter / Ihrer Kursleiterin zum Lesen. Besprechen Sie mit ihm / ihr Inhalt und Aufbau Ihres Textes.

# B Klein, aber fein

## 1 Wirtschaftssprache

Ordnen Sie den Wörtern aus dem Kommentar im Lehrbuch 6 B, 1b, folgende Definitionen zu.

> börsennotiert | Dienstleistung | industrieller Sektor | Investitionsgut |
> Marktpräsenz | Mittelstand | Niederlassung | Patent | Wettbewerber

1. Vorrangiges Ziel im Vertrieb, das darin besteht, dem Konsumenten die Produkte in räumlicher Nähe und dauerhaft anzubieten: *Marktpräsenz*

2. Schutz von technischen Neuheiten oder Anwendungen, die auf Erfindungen basieren: ................................

3. Anlagen oder Maschinen für die industrielle Produktion: ................................

4. Angebot, das käuflich zu erwerben ist, aber keine materielle Form hat: ................................

5. Marktteilnehmer, der Produkte oder Dienstleistungen anbietet, die aus der Sicht des Kunden mit denen anderer Teilnehmer vergleichbar sind: ................................

6. Bereich, der das produzierende Gewerbe umfasst, das u.a. für die Verarbeitung von Rohstoffen oder auch die Energieerzeugung zuständig ist: ................................

7. Ein Unternehmen, das zwischen 10 und 499 Mitarbeiter bei einem Umsatz zwischen einer und fünfzig Millionen Euro beschäftigt, gehört zum: ................................

8. Selbstständig arbeitender Teil eines Betriebes an einem anderen Ort: ................................

9. Durch einen Aktienkurs an der Börse bewertet: ................................

## 2 Aus der Provinz an die Weltspitze

Ⓓ GI

Ergänzen Sie in der Zusammenfassung des Kommentars „Hidden Champions" jeweils das fehlende Wort. Lesen Sie dazu den Kommentar im Lehrbuch 6 B, 1b, noch einmal.

| | | |
|---|---|---|
| Sie sind erfolgreich wie nur wenige, doch der Öffentlichkeit sind ihre Namen zumeist [1]............. | **1** | *unbekannt* |
| Gemeint sind die „Hidden-Champions" – Firmen aus dem Mittelstand, die mit unverwechsel- | | |
| baren Geschäftsmodellen und innovativen Produkten den Großkonzernen die Stirn bieten. Im | | |
| Wettbewerb auf den internationalen Märkten punkten sie mit einer hochgradigen [2]............ | **2** | .............. |
| ihrer Produkte. Die TOP-3-Position unter den auf dem Weltmarkt führenden [3]............ ihrer | **3** | .............. |
| Branche verdanken sie der Tatsache, dass sie ihren Kunden im Ausland technisch hoch [4]......... | **4** | .............. |
| Maschinen oder Vorprodukte anbieten können. Der Erfolg [5]......... zudem auf der Fähigkeit, | **5** | .............. |
| sich durch Innovationen von der Konkurrenz abzuheben. Ein [6]............. dafür ist die Zahl der | **6** | .............. |
| Patentanmeldungen pro Mitarbeiter, die selbst von den innovationsfreudigsten Großkonzernen | | |
| nicht übertroffen wird. | | |
| Gleichzeitig tragen die „Hidden Champions" dazu bei, den industriellen Sektor in Deutschland | | |
| zu [7]............ und auszubauen. Mit einem Anteil von 80 % der Arbeitsplätze in der Industrie | **7** | .............. |
| spielen sie für den deutschen Arbeitsmarkt eine entscheidende [8]............ Auch wenn die | **8** | .............. |
| Globalisierung zu strukturellen [9]............ führt, so sehen Experten den Entwicklungen | **9** | .............. |
| gelassen entgegen. Mit der Fähigkeit, sich immer wieder aufs Neue an die Gegebenheiten | | |
| [10]............, verfügen die „verborgenen Meister" über die notwendigen Voraussetzungen für | **10** | .............. |
| einen bleibenden [11]............. | **11** | .............. |

## 3 Hätten Sie das gewusst?

Ⓖ G 2.2, 2.3

Setzen Sie die Konnektoren ein. Einmal passen zwei. Einer bleibt übrig.

> wie auch immer | beziehungsweise | auch wenn | ~~nur dass~~ | ohne dass | respektive

1. Produkte der Firma Prym begleiten uns von Tag zu Tag, *nur dass* ...................... sich niemand dessen bewusst ist.

2. ...................... die Großkonzerne sehr bedeutend sind, sind die „Hidden Champions" für die deutsche Wirtschaft mindestens genauso wichtig.

3. Die Betriebsgröße wird am Umsatz ...................... an der Zahl der Angestellten gemessen.

4. ...................... man es betrachtet, ohne den Mittelstand wäre die deutsche Wirtschaft nicht so erfolgreich.

## 4 Voraussetzungen für den Erfolg – besondere Konditionalsätze

Ⓖ G 2.2, B2 3.7

a Lesen Sie die Sätze und markieren Sie die Konnektoren.

1. Die Wirtschaftsregion profitiert nur dann vom Erfolg der Unternehmen, wenn der Standort für Investitionen attraktiv bleibt.

2. Die Hochschulen können den Unternehmen auch in Zukunft gute Absolventen und Forschungsergebnisse liefern, vorausgesetzt, dass ihre finanzielle Ausstattung garantiert ist.

3. Die „Hidden Champions" können ihre herausragende Position nur sichern, wenn die Zahl der topausgebildeten Facharbeiter konstant bleibt.

4. Sie können neue Märkte erobern, solange ihre Produktideen unverwechselbar sind.

5. Sofern sie in Forschung und Entwicklung investieren, haben die „verborgenen Meister" gute Chancen, weiterhin zu den Marktführern zu gehören.

6. Ihren Mitbewerbern werden die „Hidden Champions" auch weiterhin eine Nasenlänge voraus sein, es sei denn, sie verlieren ihre Kraft zur Innovation.

> **Tipp**
> „solange" kann neben der temporalen auch eine konditionale Bedeutung haben.

b Lesen Sie die Regeln und notieren Sie die entsprechenden Satznummern aus 4a.

> 1. Die Konnektoren „**nur (dann), wenn**", „**vorausgesetzt, (dass)**", „**solange**" und „**sofern**" leiten
>    einen Nebensatz ein, der eine notwendige Bedingung (Voraussetzung) formuliert. Sätze: ..........
> 2. Satzteile, die mit „**es sei denn, (dass)**" an einen vorangehenden Hauptsatz angeschlossen
>    werden, entkräften die Aussage des vorherigen Satzteils. Denn sie nennen eine angenommene
>    Bedingung, die die im ersten Teil getroffene Aussage wieder aufhebt. Satz: ..................

c Ordnen Sie den Ausdrücken aus 4a die gegenteilige Formulierung zu.

> in Frage stellen | an Attraktivität verlieren | austauschbar werden | sich verringern | beibehalten | sparen an

1. attraktiv bleiben ≠ *an Attraktivität verlieren*      4. unverwechselbar sein ≠ ..................................

2. die Finanzierung garantieren ≠ ..........................      5. in Forschung investieren ≠ ..............................

3. die Zahl bleibt konstant ≠ ..............................      6. die Kraft verlieren ≠ ....................................

d Formulieren Sie die Sätze 1 bis 6 aus 4a mit den angegeben Konnektoren um. Verwenden Sie dabei die gegenteiligen
Ausdrücke aus 4c.

1. solange … nicht        3. sofern … nicht        5. vorausgesetzt, … nicht
2. es sei denn, dass …    4. es sei denn, …        6. solange …

*1. Die Wirtschaftsregion profitiert vom Erfolg der Unternehmen, solange der Standort nicht an Attraktivität für*

*Investitionen verliert.*

○ G 2.3 **5** Es gibt nichts Gutes, außer man tut es

a Verbinden Sie die Ratschläge für Chefs mit den Sätzen im Kasten.
Verwenden Sie dabei „außer".

> Sie treffen Routineentscheidungen | ~~Sie haben alle Zeit der Welt.~~ |
> Die Situation verlangt von Ihnen ein klares Führungsverhalten. |
> Sie wollen riskieren, als „kleiner Diktator" angesehen zu werden.

**Tipp**
In der Umgangssprache leitet man
den zweiten Satz oft nicht mit „es sei
denn", sondern mit „außer" ein. Beide
Konnektoren leiten einen Hauptsatz ein.

1. Zögern Sie nicht, Entscheidungen auch einmal ohne das OK von oben zu treffen, …
2. Holen Sie hin und wieder auch den Rat von Dritten ein, …
3. Achten Sie darauf, bei der Verfolgung Ihrer Ziele das richtige Maß zu finden, …
4. Prüfen Sie, wo Sie Verantwortung auf Ihre Mitarbeiter übertragen können, …

*1. Zögern Sie nicht, Entscheidungen auch einmal ohne das OK von oben zu treffen, außer Sie haben alle Zeit der Welt.*

b Verbinden Sie die Sätze mit „es sei denn, dass …".

○ G 2.3 **6** Voneinander abhängig oder nicht?

a Welche Bedeutung haben die Konnektoren „wer/was/wie/… auch (immer)" und „je nachdem, ob/wer/was/wie/…":
a oder b? Kreuzen Sie an.

1. Wie auch immer man die Globalisierung bewertet, sie bietet den Firmen viele Möglichkeiten.
   a Egal, wie man …            b Abhängig davon, wie man …

2. Je nachdem, in welcher Form, die „Hidden Champions" auf die Erfordernisse der Globalisierung reagieren werden,
   werden sie ihre Erfolgsgeschichte fortsetzen können oder nicht.
   a Egal, in welcher Form …       b Abhängig davon, in welcher Form …

b Überlegen Sie, ob die Sätze mit „je nachdem, ob / wer / was / wie / wo / welch- / ....." oder mit
„wer / was / wie / wo / welch- / ... auch (immer)" verbunden werden. Notieren Sie.

1. Mitarbeiter – eine Firma haben / kleines, mittleres oder großes Unternehmen sein
2. Artikel – eine Firma anbieten / verkaufen – mehr im Inland oder im Ausland
3. Produkt – die Firma „Denk" – entwickeln / die Firma „Copy" – ein vergleichbares Produkt – sofort –
   auf den Markt bringen
4. der junge Ingenieur – sich bewerben / jedes Mal – zu einem Vorstellungsgespräch – eingeladen werden
5. das Vorstellungsgespräch – verlaufen / er – Interesse an Stelle signalisieren – oder nicht

*1. Je nachdem, wie viele Mitarbeiter eine Firma hat, ist sie ein kleines, mittleres oder großes Unternehmen.*

○ G2.3 **7** **Einschränkungen formulieren**

a Lesen Sie die Sätze und ergänzen Sie dann die Regeln.

1. 70 % des deutschen Außenhandels gehen auf die „Hidden Champions" zurück, nur dass dies kaum bekannt ist.
2. Auch wenn die Großkonzerne / Wenn die Großkonzerne auch mehr Mitarbeiter als die mittelständische Firmen
   beschäftigen, arbeiten deutschlandweit mehr Menschen im Mittelstand.

> 1. „nur dass" hat eine ............................. Bedeutung.
> 2. „auch wenn" / „wenn ... auch" können die gleiche
>    Bedeutung haben wie „.............................".

| obwohl | einschränkende |

b Bilden Sie Sätze mit „auch wenn" / „wenn ... auch" bzw. „nur dass".

1. Die „Hidden Champions" sind vielen unbekannt. Sie besetzen eine TOP-3-Position auf dem Weltmarkt.
2. Sie agieren weltweit wie Großunternehmen. Sie gehören zum Mittelstand.
3. Noch haben sie viel Erfolg auf ihren Märkten. Auch dort gibt es verstärkt Konkurrenz.
4. Die „Hidden Champions" stehen immer noch gut da. Die Globalisierung hat schon zu vielen Veränderungen geführt.
5. Die Firma Wanzl hat nur 3.700 Mitarbeiter. Sie ist überall auf der Welt präsent.

*1. Die „Hidden Champions" sind vielen unbekannt, auch wenn sie eine TOP-3-Position auf dem Weltmarkt besetzen. /*
*wenn sie auch eine Top-3-Position auf dem Weltmarkt besetzen.*

# C Fremdbilder

**1** **Mit anderen Worten**

Welche Bedeutung haben die markierten Ausdrücke aus der Gegenüberstellung von Preußen und Österreichern:
a oder b? Kreuzen Sie an.

| | | a | | b |
|---|---|---|---|---|
| 1. etwas rasch auffassen | a | etwas schnell aufheben | b | etwas schnell verstehen |
| 2. die Vorschrift | a | das Beispiel | b | die Anweisung, die Regel |
| 3. die Schicklichkeit | a | der Anstand, die gute Sitte | b | die Eleganz |
| 4. er behauptet sich | a | er hält die Stellung | b | er nimmt Stellung |
| 5. er ist anmaßend | a | benimmt sich angemessen | b | nimmt sich zu viel heraus |
| 6. den Krisen ausweichen | a | aus dem Weg gehen | b | nicht wahrnehmen |
| 7. die Streberei | a | die Leistungsbereitschaft | b | zu großer Ehrgeiz |
| 8. Vorwiegen des Privaten | a | Privates steht im Vordergrund | b | alles dreht sich um Privates |

## ② Vorurteile und Stereotype

Welche Aussagen sind, Stereotype (S) welche Vorurteile (V)? Kreuzen Sie an.

1. Die Politiker sind alle korrupt. ⓢ ⓥ
2. Die Deutschen sind sehr fleißig. ⓢ ⓥ
3. Alle Italiener essen täglich Nudeln. ⓢ ⓥ
4. Die Banken haben es nur auf ihren eigenen Vorteil abgesehen. ⓢ ⓥ
5. Übergewichtige Personen sind nur dick, weil sie zu viel essen. ⓢ ⓥ
6. Die besten Liebhaber sind die Franzosen. ⓢ ⓥ
7. Frauen können nicht Auto fahren. ⓢ ⓥ

## ③ Deutsche und Österreicher

ⓟ telc **a** Lesen Sie die Zusammenfassung der Ergebnisse einer Studie über das Verhältnis von Deutschen und Österreichern. Sie enthält einige Fehler in Grammatik, Wortschatz, Rechtschreibung oder Zeichensetzung. Korrigieren Sie diese.

- Pro Zeile gibt es nur einen Fehler. Manche Zeilen sind korrekt.
- Wenn Sie einen Fehler gefunden haben, schreiben Sie Ihre Korrektur an den rechten Rand.
- Wenn die Zeile korrekt ist, machen Sie ein Häkchen (✓).

| | |
|---|---|
| **1.** Generalisierend lässt sich festlegen, dass die Bewohner der beiden | *feststellen* |
| **2.** deutschsprachigen Nachbarstaaten einander weitestgehend mit | ✓ |
| **3.** Sympathie begegnen. Rund drei viertel der Deutschen haben eine | |
| **4.** grundsätzlich gute Meinung von den Österreichern, umgedreht mögen | |
| **5.** etwa 60 Prozent der Österreicher die Deutschen. Die Abneigung zu der | |
| **6.** jeweils anderen Bevölkerung belegt sich in der Bundesrepublik auf rund | |
| **7.** ein Neuntel in Österreich auf rund ein Viertel der Bewohner. Dass die | |
| **8.** Österreicher eine vergleichsweise distanziertere Haltung zu den Nachbarn | |
| **9.** einnehmen, hängt vermutlich mit dem Gefühl zusammen, dass Angehörige | |
| **10.** kleiner Länder ganz Allgemein im Schatten großer Staaten verspüren. | |
| **11.** Anzeichen von tief empfundener Abneigung zwischen den Nachbarn sind | |
| **12.** statistisch jedenfalls fast wahrnehmbar. | |
| **13.** Erstaunlich konform reagierten die befragten Deutsche und Österreicher | |
| **14.** auf die Frage, ob Sie sich vorstellen könnten, für längere Zeit im | |
| **15.** Nachbarland zu leben oder zu arbeiten. Die Bereitschaft sich dauerhaft im | |
| **16.** Nachbarstaat niederzulassen, korreliert mit näherer Betrachtung auffallend | |
| **17.** stark mit der sozialen Schicht. Teils in Deutschland als auch in Österreich | |
| **18.** würden jeweils knapp zwei Fünftel der leistungsfähigsten Schichten bereit, | |
| **19.** seinen Beruf im jeweils anderen Land auszuüben. Diese Bereitschaft ist | |
| **20.** angesichts des aufsteigenden Mangels an Fachkräften sehr bedeutsam. | |

**b** In der Studie wurden Deutsche und Österreicher befragt, woran sie denken, wenn von Deutschland bzw. Österreich die Rede ist. Vergleichen Sie die Aussagen mit der Tabelle auf der nächsten Seite und notieren Sie die Prozentzahlen.

1. Je nachdem, wie die Fragestellung lautet, haben die Deutschen ein positives oder kritisches Bild ihrer Nachbarn, z. B. Österreich ist Urlaubsland: _70 %_ , Leistungsbereitschaft: _28 %_

2. Je nachdem, welchen Blickwinkel man anlegt, wird der demografische Wandel als Problem wahrgenommen oder vernachlässigt: Überalterung im eigenen Land: ............../.............. , im Nachbarland: ............../..............

3. Je nachdem, welche Nationalität die Teilnehmer hatten, wird das deutsche Bildungssystem unterschiedlich gut bewertet. Deutsche: .............. , Österreicher: ..............

c Nominalisieren Sie die in 3 b markierten Satzabschnitte mithilfe von „je nach".

*1. Je nach Fragestellung haben die Deutschen ein positives oder kritisches Bild ihrer Nachbarn.*

d In welchen Punkten kommen Deutsche und Österreicher zu einer ähnlichen Einschätzung? Formulieren Sie dazu einige Sätze.

*Deutsche und Österreicher stimmen darin überein, dass ...*

| | Deutsche sagen von | | Österreicher sagen von | |
|---|---|---|---|---|
| | Ö | D | D | Ö |
| 1. schöne Landschaft | 73 % | 54 % | 33 % | 81 % |
| 2. Urlaubsland | 70 % | 35 % | 17 % | 71 % |
| 3. gute Küche, gutes Essen | 62 % | 48 % | 15 % | 70 % |
| 4. gute Schulen, Universitäten | 22 % | 45 % | 27 % | 36 % |
| 5. Leistungsbereitschaft, Fleiß | 28 % | 53 % | 40 % | 47 % |
| 6. überalterte Bevölkerung | 11 % | 25 % | 12 % | 26 % |
| 7. moderner Lebensstil | 26 % | 50 % | 35 % | 33 % |
| 8. starke Industrie, Wirtschaft | 12 % | 55 % | 54 % | 29 % |

## 4 Mein Bild von Deutschland

a Wen trifft man wo? Notieren Sie.

Besucher | Einwohner | ~~Fahrgäste~~ | Gäste | Kollegen | Kunden | Mitglieder | Teilnehmer | Zuschauer

1. Verkehrsmittel: *Fahrgäste*       4. Geschäft: _____       7. Verein, Partei: _____

2. Arbeitsplatz: _____       5. Ausstellung: _____       8. Hotel: _____

3. Kurs, Seminar: _____       6. Stadt, Dorf: _____       9. Theater, Kino: _____

b Formulieren Sie die Sätze um, indem Sie passende Nebensatzkonnektoren und Begriffe aus 4 a verwenden.

1. An den Haltestellen haben es die Leute in Deutschland mit dem Einsteigen oft sehr eilig. Man wartet dabei nicht wie bei uns, bis die anderen ausgestiegen sind. (Zoltan Nagy, Ungarn)

2. In meiner deutschen Firma ist das Arbeitsklima ausgezeichnet. Trotzdem bleiben die Leute auch nach Jahren persönlich auf Distanz. (Inger Petersen, Dänemark)

3. Einer aus meinem Sportverein hier in Deutschland liest seinen Kindern abends keine Märchen vor, sondern erklärt ihnen stattdessen, wie Solarzellen funktionieren. (Andrej Trushkin, Ukraine)

4. In Deutschland lassen sich die Leute im Geschäft das Restgeld bis auf den letzten Cent zurückgeben. Bei uns sind die kleinen Münzen dagegen praktisch nicht im Umlauf. (Sanela Baric, Kroatien)

*1. An den Haltestellen haben es die Fahrgäste in Deutschland mit dem Einsteigen oft so eilig, dass sie nicht warten, bis ...*

c Formulieren Sie nun selbst einige Beobachtungen oder solche, die Ihnen von Landsleuten nach einem Deutschlandbesuch berichtet wurden. Verwenden Sie dabei mehrteilige Sätze.

# D Selbstbild

## 1 Schuld daran ist ...

Welche Erklärungen A bis G passen zu den Redewendungen 1 bis 7? Ordnen Sie zu.

| | | |
|---|---|---|
| 1. die Schuld tragen | A. unbeteiligt wirken | 1. [E] |
| 2. sich etw. zuschulden kommen lassen | B. jede Mitschuld zurückweisen | 2. [ ] |
| 3. die Schuld auf sich nehmen | C. jdn. verantwortlich machen | 3. [ ] |
| 4. eine Unschuldsmiene aufsetzen | D. die Schuld für andere übernehmen | 4. [ ] |
| 5. jdm. etw. schuldig bleiben | E. verantwortlich sein | 5. [ ] |
| 6. die Hände in Unschuld waschen | F. eine Straftat begehen | 6. [ ] |
| 7. jdm. die Schuld geben | G. Forderungen nicht erfüllen | 7. [ ] |

## 2 Selbstbeschreibungen

a Welches Wort passt nicht in die Reihe: a, b oder c? Kreuzen Sie an.

| | a | b | c |
|---|---|---|---|
| 1. | tugendhaft | eingebildet | moralisch |
| 2. | vielfältig | vieldeutig | unterschiedlich geartet |
| 3. | drastisch | überdeutlich | unverschämt |
| 4. | gewissenhaft | sorgfältig | vertrauensvoll |
| 5. | pünktlich | unbeschädigt | intakt |
| 6. | unbeschwert | orientierungslos | sorgenfrei |

b Notieren Sie fünf Eigenschaften, die den Deutschen zugesprochen werden, und fünf, die sie nicht haben. Ergänzen Sie jeweils die Wortfamilie sowie Beispielsätze oder Redewendungen.

*fleißig:*
*der Fleiß, die Fleißarbeit*
*das fleißige Lieschen*
*Ohne Fleiß, kein Preis.*

*faul:*
*die Faulheit*
*faulenzen, der Faulenzer, die Faulenzerei*
*Er liegt gerne auf der faulen Haut.*

G 1.5, B2 3.4 – 3.12

## 3 Umfragen über Umfragen

a Lesen Sie den Bericht und ordnen Sie die Präpositionen aus den Angaben (1–9) in die Tabelle ein.

Die Wirtschaft wächst, der Lebensstandard steigt. Doch [1] statt einer allgemeinen Zunahme des Wohlbefindens verzeichnet eine aktuelle Studie eine wachsende Unzufriedenheit unter den Bundesbürgern. Gegenüber der letzten Befragung vor zehn Jahren hat sich 2012 der Anteil derer, die mit der eigenen Lebenssituation hadern, um 5 % auf knapp 40 % vergrößert. [2] Bei einem Vergleich der Einstellungen von Land- und Stadtbewohnern zeigt sich bei den Landbewohnern eine noch stärkere Unzufriedenheit mit der persönlichen Lebensqualität. An vielen Orten kommt es [3] aufgrund eines sinkenden Angebots an Einkaufsmöglichkeiten und medizinischer Betreuung zu einer regelrechten Landflucht. Während bisher etliche auf dem Land lebten und nur [4] zum Arbeiten in die Stadt kamen, ziehen nun immer mehr [5] ungeachtet der höheren Mieten in die Städte. [6] Durch die Rückkehr zahlreicher Ruheständler in die urbanen Zentren verschärft sich jedoch die dort bereits vorhandene Wohnungsnot, was wiederum negative Auswirkungen auf die Lebensqualität in den Städten hat. [7] Entgegen einer durchaus naheliegenden Annahme sind es nicht die Ärmsten, die sich über den Verlust an Lebensqualität beklagen. Es ist vielmehr die untere Mittelschicht mit einem Einkommen bis zu 1.750 € netto. Die Autoren folgern daraus, dass ein Mehr an materiellem Wohlstand den Bürgern wohl immer weniger wert ist und der Grund für das wachsende Unbehagen in der Wahrnehmung von Ungerechtigkeit und sozialer Instabilität zu suchen ist. [8] Infolge der veränderten Denkweise innerhalb der deutschen Bevölkerung rechnen die Autoren der Studie damit, dass die Wahlmüdigkeit in der Bevölkerung weiter zunehmen wird. Denn [9] bei den letzten Wahlen war die Gruppe der Nichtwähler ähnlich groß wie die in der aktuellen Studie erhobene Zahl der Unzufriedenen.

| Bedeutung | Präposition | Nebensatzkonnektor (= Subjunktion) |
|---|---|---|
| Alternative (alternativ) | *statt* | *(an)statt dass, (an)statt ... zu* |
| Art und Weise (modal-instrumental) | | |
| Bedingung (konditional) | | |
| Grund (kausal) | | |
| Gegengrund (konzessiv) | | |
| Gegensatz (adversativ) | | |
| Folge (konsekutiv) | | |
| Zeit (temporal) | | |
| Ziel, Zweck (final) | | |

**b** Ergänzen Sie nun in der Tabelle in 3a passende Nebensatzkonnektoren und formulieren Sie die Angaben 1 bis 9 in Nebensätze um.

*1. Doch anstatt dass sich jeder wohler fühlt, verzeichnet …*

## G1.5 4 Stilwechsel – knapper formulieren

**a** Ersetzen Sie die Nebensätze durch Nominalisierungen und verwenden Sie dabei die Wörter in Klammern.

> **Tipp**
> Wenn man statt Nebensätzen nominale Ausdrücke verwendet, kommt es durch den Stilwechsel oft auch zu Veränderungen im Wortschatz. Je nach Kontext können Nominalstrukturen aufgrund ihrer Kürze Texte auch leichter verstehbar machen.

1. Wenn man sich immer unwohler fühlt, … (wachsend- / Unbehagen)
2. Obgleich es der Wirtschaft gut geht, … (Wirtschaftslage)
3. Sofern man sich die Situation näher ansieht, … (Betrachtung)
4. Da sie immer besorgter in die Zukunft blicken, … (Zukunftsangst)
5. Um das stereotype Selbstbild loszuwerden, … (Überwindung)
6. Nachdem ich die Studie gründlich gelesen habe, … (Beschäftigung)
7. Da ich es selbst gesehen habe, … (Anschauung)
8. Während viele meinen, … (Ansicht)
9. Die Lage wird so negativ gesehen, dass … (Einschätzung)

*1. Mit / Bei wachsendem Unbehagen …*

> **Tipp**
> Die Präpostion „mit" kann in Sonderfällen auch konditionale Bedeutung habe, z. B. Wenn die internationale Verflechtung weiter zunimmt, können sich auch Selbst- und Fremdbilder von Nationen verändern. → Mit weiter steigender internationaler Verflechtung können sich …

**b** Tragen Sie die Nebensatzkonnektoren und Präpositionen aus 4a in die Tabelle in 3a ein, sofern Sie sie dort noch nicht notiert haben.

## G1.5 5 Imagekampagnen

**(P) DSH**

Nominalisieren Sie die unterstrichenen Satzteile. Beziehen Sie auch die Position der Präpositionalangabe in Ihre Überlegungen mit ein.

1. Moderne Staaten stellen Kultur, Wirtschaft und die Besonderheiten ihres Landes nach außen dar, und zwar nicht erst, <u>seitdem der Begriff „Nation Branding" dafür geschöpft wurde.</u>
2. Mittlerweile erreicht z. B. die staatliche Außenwerbung der Schweiz allein <u>dadurch, dass ein spezielles Internetportal namens „Swissworld" eingerichtet wurde,</u> jährlich über drei Millionen Interessierte.
3. <u>Da besonders Lehrmaterialen stark nachgefragt sind,</u> hat das zuständige Bildungsministerium Unterrichtsreihen für verschiedene Altersstufen entwickelt.
4. Diese knüpfen an das vorhandene Allgemeinwissen der Schüler an, <u>damit sie ein differenzierteres Bild der Schweiz entwickeln.</u>
5. Dem Schweizer Vorbild sind mittlerweile auch die anderen deutschsprachigen Länder gefolgt, <u>weil sie befürchteten,</u> im Wettstreit um die beste Auslandspräsenz den Anschluss zu verlieren.
6. <u>Die Zahl der diesbezüglichen Anfragen nimmt bei den großen Werbeagenturen so stark zu, dass</u> diese bereits eigene Spezialistenteams für „Nation Branding" gebildet haben.
7. Der Erfolg solcher Kampagnen nimmt noch weiter zu, <u>wenn die Bevölkerung bereit ist,</u> das geschaffene Image mitzutragen.
8. <u>Doch nachdem kritisiert wurde, dass sich ökonomische Interessen mit „neuem" Nationalbewusstsein vermischen würden,</u> ist bei den Initiatoren der Kampagne eine gewisse Ernüchterung eingetreten.

*1. Nicht erst seit der Schöpfung des Begriffes „Nation Branding" stellen moderne Staaten Kultur, Wirtschaft und die Besonderheiten ihres Landes nach außen dar.*

# E Multikulturelles Deutschland

## 1 Wanderungen

Welche Wörter aus dem Radiogespräch im Lehrbuch 6 E, 2 a, erkennen Sie hier wieder? Setzen Sie die Wortteile zusammen. Ergänzen Sie, wo nötig, ein Fugen-s.

> Arbeit | Arbeit | Arbeit | Arbeiter | Bewegung | Bewegung | Bevölkerung | Einwanderung |
> Einwanderung | Gast | Gesellschaft | Kraft | Land | Land | Mehrheit | Migration | Migration |
> Nachbar | Saison | Staat | Stamm | Wanderung | Welle | Zuwanderung

1. *Arbeitsmigration*    4. ................................    7. ................................    10. ................................

2. ................................    5. ................................    8. ................................    11. ................................

3. ................................    6. ................................    9. ................................    12. ................................

ⓅDSH
LB ❷
20–22

## 2 Kleine Migrationsgeschichte

Hören Sie das Radiogespräch im Lehrbuch 6 E, 2 a, noch einmal und lösen Sie die Aufgaben.

**Teil 1:**

1. Was ist ein „klassisches Einwanderungsland"? Antworten Sie in einem ganzen Satz.

   ................................................................

2. Welche unterschiedlichen Ursachen für die Zuwanderung nach Deutschland werden genannt? Notieren Sie Stichworte.

   aktuelle Zuwanderung: ................................................................

   Gastarbeiter: ................................................................

**Teil 2:**

3. Fassen Sie die Informationen über die im 19. Jahrhundert erfolgte Einwanderung ins Ruhrgebiet in vollständigen Sätzen zusammen.

   ................................................................

**Teil 3:**

4. Welche Beispiele werden im Radiogespräch für Wanderungsbewegungen aus religiösen Gründen genannt? Notieren Sie Stichworte.

   ................................................................

# F Deutsche Einheit und Vielfalt

## 1 Wo Deutschland liegt

Lesen Sie folgende Sätze aus dem Artikel im Lehrbuch 6 F, 2 a, und korrigieren Sie die unterstrichenen Verben.

1. Es ist, aus guten Gründen, immer unklar, was eine Nation aufmacht. *ausmacht* ................

2. Die Grundlage ihrer Legitimation bleibt stets bestritten. ................................

3. Die Nation setzt sich nämlich aus gänzlich verschiedenartigen Elementen auseinander. ................................

4. Indem sie einfach da ist und durch Gesetze hinreichend verstimmt ist, schafft die Nation jenes Maß an Überschaubarkeit. ................................

## 2 Aufgabenverteilung – Politik und Kultur

a Ergänzen Sie einen der beiden Steckbriefe für Ihr Heimatland.

**A** **Politik**

1. Staatsoberhaupt:
☐ Präsident
☐ König/Fürst/Herzog
☐ ........................................

2. Regierungschef:
☐ Präsident
☐ Kanzler
☐ ........................................

3. Staatsaufteilung in:
☐ Provinzen
☐ Bundesländer
☐ Bundesstaaten
☐ ........................................

4. Parlament:
☐ auf nationaler Ebene
☐ auf Länderebene
☐ auf Provinzebene

5. Gliederung der Parlamente:
........................................
........................................

**B** **Kultur**

1. Bildung:
☐ nationale Zuständigkeit
☐ Zuständigkeit auf niedrigerer Ebene
☐ ........................................

2. Hochschulen:
☐ staatlich
☐ privat

3. Museen:
☐ staatlich
☐ kommunal
☐ privat
Beispiele: ........................................
........................................

4. Musik/Theater/Tanz:
☐ staatlich
☐ kommunal
☐ privat
Beispiele: ........................................
........................................

Ⓟ TestDaF  b Informieren Sie einen Partner/eine Partnerin auf der Grundlage des von Ihnen ausgewählten Steckbriefes (A oder B).

# Aussprache

### 1 O!, Oh! und Oho!

AB ⬤ 34  a Hören Sie die verschiedenen Varianten der Interjektion „oh". Welchen Tonverlauf hören Sie:
´ steigend / ` fallend / ^ steigend-fallend / ¯ gleich bleibend? Kreuzen Sie an.

1. Betroffenheit, Mitleid:
　a òh
　b óh

2. positive Betroffenheit, Bewunderung:
　a ôh
　b ōh

3. Verblüffung, Überraschung:
　a òh
　b ohô

4. Klage, Ausdruck von Verletztheit:
　a ōh
　b óh

5. Zweifel:
　a ôh
　b óh'

AB ⬤ 35  b Hören Sie die Varianten der Interjektion „oh" noch einmal und sprechen Sie sie nach.

AB ⬤ 36–40  c Hören Sie die Varianten der Interjektion „oh" in den folgenden Minidialogen. Was bedeuten sie? Kreuzen Sie an.

1. ☒ Klage　　2. a Mitleid　　3. a Verblüffung　　4. a Bewunderung　　5. a Verblüffung
　 b Zweifel　　　 b Klage　　　　 b Bewunderung　　 b Zweifel　　　　 b Mitleid

# Grammatik: Das Wichtigste auf einen Blick

## G2.2, 2.3 ❶ Konjunktionen und Subjunktionen (Nebensatz-Konnektoren)

| Konjunktion | Bedeutung | Beispiel |
|---|---|---|
| beziehungsweise respektive | gibt eine Alternative an | Die Betriebsgröße wird am Umsatz respektive an der Zahl der Angestellten gemessen. |
| außer es sei denn, | nennt eine Bedingung, die eine zuvor getroffene Aussage aufhebt | Holen Sie hin und wieder den Rat von Dritten ein, es sei denn, Sie treffen Routineentscheidungen. |

| Subjunktion | Bedeutung | Beispiel |
|---|---|---|
| außer dass außer wenn | schränkt die Aussage des Hauptsatzes ein | Die Firma steht gut da, außer dass die Nachfolge nicht geregelt ist. |
| nur dass | schränkt die Aussage des Hauptsatzes ein | Produkte der Firma Prym begleiten uns von Tag zu Tag, nur dass sich niemand dessen bewusst ist. |
| je nachdem, ob / wie / was / wo / welche / … | wird im Sinne von „das kommt darauf an" verwendet | Je nachdem, welche Artikel eine Firma anbietet, hat sie auch im Ausland Erfolg. |
| wer / was / wie / wo / wann / … auch (immer) | egal wer, wo, …, es gilt die Aussage des Hauptsatzes | Wie auch immer man die Globalisierung bewertet, sie bietet den Firmen viele Möglichkeiten. |
| auch / selbst wenn wenn … auch | nennt einen „unwirksamen Gegengrund" | Auch wenn die Hidden Champions nur kleine Märkte bedienen, agieren sie doch international. |

## G1.5, B2 3.4 – 3.12 ❷ Nominalisierung von Haupt- und Nebensätzen

Nominale Konstruktionen (Nominalstil) findet man hauptsächlich in formellen Texten.

| Bedeutung | verbale Konstruktion | nominale Konstruktion |
|---|---|---|
| **Alternative (alternativ-substitutiv)** | entweder … oder; (an)statt zu, (an)statt dass; wohingegen; stattdessen | (an)statt + G, anstelle + G, anstelle von + D |
| **Art und Weise (modal-instrumental)** | dadurch, dass; indem; so, dadurch, damit; ohne dass, ohne zu | durch + A, mit + D; ohne + A |
| **Bedingung (konditional)** | wenn, falls, sofern, nur (dann) wenn; unter der Bedingung, (dass); vorausgesetzt, (dass); es sei denn, (dass); außer (wenn) | bei + D, im Falle von + D, unter der Voraussetzung + G; außer + D |
| **Folge (konsekutiv)** | sodass; folglich, infolgedessen, also, somit | infolge + G, infolge von + D |
| **Grund (kausal)** | denn; da, weil; deshalb, daher, darum, nämlich | aufgrund + G, wegen + G / D, dank + G / D |
| **Gegengrund (konzessiv)** | zwar …, aber; obwohl, obgleich, obschon, auch wenn, wenn … auch; trotzdem, dennoch | trotz + G / D; ungeachtet + G |
| **Gegensatz (adversativ)** | aber, sondern; während; jedoch, doch, dagegen, hingegen | anders als; im Gegensatz zu + D, entgegen + D |
| **Zeit (gleichzeitig)** | während, solange, als, wenn, sooft; währenddessen, gleichzeitig | während + G / D, binnen + G / D, innerhalb von + D, bei + D |
| **Zeit (vorzeitig)** | nachdem, als, sobald, seit(dem); dann, daraufhin | nach + D, seit + D |
| **Zeit (nachzeitig)** | bis, bevor, ehe | bis (zu) + D; vor + D |
| **Ziel, Zweck (final)** | damit, um … zu | für + A, zu + D |

# Minicheck: Das kann ich nun

**Abkürzungen**

| Im: | Interaktion mündlich | Rm: | Rezeption mündlich | Pm: | Produktion mündlich |
|---|---|---|---|---|---|
| Is: | Interaktion schriftlich | Rs: | Rezeption schriftlich | Ps: | Produktion schriftlich |

## Lektion 1

| Das kann ich nun: | | ☺ | 😐 | ☹ |
|---|---|---|---|---|
| **Im** | in informellen Diskussionen überzeugend argumentieren und auf Argumentationen anderer reagieren | | | |
| | in einem Interview Fragen flüssig beantworten, eigene Gedanken ausführen sowie auf Einwürfe reagieren | | | |
| | ein Interview führen, differenzierte Fragen stellen und auf Aussagen anderer reagieren | | | |
| **Rm** | Radiosendungen verstehen, auch wenn nicht Standardsprache gesprochen wird | | | |
| | Berichte, Kommentare verstehen, in denen Zusammenhänge, Meinungen, Standpunkte erörtert werden | | | |
| **Rs** | Fachtexten aus dem eigenen Gebiet Informationen, Gedanken und Meinungen entnehmen | | | |
| | ohne große Anstrengung zeitgenössische literarische Texte verstehen | | | |
| | in einer Erzählung Informationen zum sozialen, historischen oder politischen Hintergrund verstehen | | | |
| **Pm** | Gedanken und Einstellungen klar ausdrücken und argumentativ unterstützen | | | |
| **Ps** | klar strukturierte, detaillierte fiktionale Texte in persönlichem und angemessenem Stil verfassen | | | |
| | Argumente aus verschiedenen Quellen in einem Text aufgreifen und gegeneinander abwägen | | | |
| | in einem Kommentar eigene Standpunkte darstellen, dabei die Hauptpunkte hervorheben | | | |
| | Anzeigen und öffentliche Ankündigungen verfassen | | | |

## Lektion 2

| Das kann ich nun: | | ☺ | 😐 | ☹ |
|---|---|---|---|---|
| **Im** | in einem Interview Fragen flüssig beantworten, eigene Gedanken ausführen sowie auf Einwürfe reagieren | | | |
| **Rm** | (im Fernsehen) anspruchsvolle Sendungen wie Nachrichten, Reportagen oder Talkshows verstehen | | | |
| **Rs** | schriftliche Berichte verstehen, in denen Zusammenhänge, Meinungen, Standpunkte erörtert werden | | | |
| | ohne große Anstrengung zeitgenössische literarische Texte verstehen | | | |
| **Pm** | komplexes Thema gut strukturiert vortragen, den eigenen Standpunkt darstellen und sinnvoll untermauern | | | |
| | komplexe Sachverhalte klar und detailliert darstellen | | | |
| **Ps** | klar strukturierte, detaillierte fiktionale Texte in persönlichem und angemessenem Stil verfassen | | | |
| | zu einem komplexen Thema leserfreundliche, gut strukturierte Texte schreiben | | | |
| | zu einem Thema eigene Meinung darstellen, dabei die Argumentation durch Beispiele verdeutlichen | | | |

## Lektion 3

| Das kann ich nun: | | ☺ | 😐 | ☹ |
|---|---|---|---|---|
| Im | in Gesprächen Anspielungen machen, emotional differenzieren und Ironie einsetzen | | | |
| | in informellen Diskussionen überzeugend argumentieren und auf Argumente anderer reagieren | | | |
| | Telefongespräche mit deutschen Muttersprachlern führen und auf Anspielungen eingehen | | | |
| Rm | Gespräche über komplexe Themen verstehen, auch wenn Einzelheiten unklar bleiben | | | |
| Rs | ohne große Anstrengung zeitgenössische literarische Texte verstehen | | | |
| | in langen, komplexen allgemeinen Texten und Sachtexten rasch wichtige Einzelinformationen finden | | | |
| | in privater Korrespondenz saloppe Umgangssprache, idiomatische Wendungen und Scherze verstehen | | | |
| Ps | zu einem komplexen Thema leserfreundliche, gut strukturierte Texte schreiben | | | |

## Lektion 4

| Das kann ich nun: | | ☺ | 😐 | ☹ |
|---|---|---|---|---|
| Im | an formellen Diskussionen und Verhandlungen teilnehmen, dabei auf Fragen, Äußerungen eingehen | | | |
| | in einem Interview Fragen flüssig beantworten, eigene Gedanken ausführen sowie auf Einwürfe reagieren | | | |
| | ein Interview führen, differenzierte Fragen stellen und auf Aussagen anderer reagieren | | | |
| | Diskussion oder Besprechung leiten, dabei das Gespräch eröffnen, moderieren und zum Abschluss bringen | | | |
| Is | unterschiedlichste Informationen präzise notieren und weitergeben | | | |
| Rm | die meisten Vorträge, Diskussionen und Debatten relativ leicht verstehen | | | |
| | komplexe Informationen, Anweisungen und Richtlinien verstehen | | | |
| | Gespräche über komplexe Themen verstehen, auch wenn Einzelheiten unklar bleiben | | | |
| Rs | alltägliche Verträge im privaten oder beruflichen Bereich verstehen | | | |
| Pm | Sachverhalte ausführlich beschreiben, dabei Punkte ausführen und die Darstellung abrunden | | | |
| | Gedanken und Einstellungen klar ausdrücken und argumentativ unterstützen | | | |
| Ps | Anzeigen und öffentliche Ankündigungen verfassen | | | |

## Lektion 5

| Das kann ich nun: | | ☺ | 😐 | ☹ |
|---|---|---|---|---|
| **Im** | in informellen Diskussionen überzeugend argumentieren und auf Argumente anderer reagieren | | | |
| | komplexe Informationen und Ratschläge verstehen und austauschen | | | |
| **Rm** | komplexe Informationen, Anweisungen und Richtlinien verstehen | | | |
| | (im Fernsehen) anspruchsvolle Sendungen wie Nachrichten, Reportagen oder Talkshows verstehen | | | |
| **Rs** | längere, anspruchsvolle Texte verstehen und deren Inhalt zusammenfassen | | | |
| | schriftliche Berichte verstehen, in denen Zusammenhänge, Meinungen, Standpunkte erörtert werden | | | |
| | Fachtexten aus dem eigenen Gebiet Informationen, Gedanken und Meinungen entnehmen | | | |
| | in langen, komplexen allgemeinen Texten und Sachtexten rasch wichtige Einzelinformationen finden | | | |
| **Pm** | im Fach- und Interessengebiet ein klar gegliedertes Referat halten, dabei auf Fragen der Zuhörer eingehen | | | |
| | komplexe Sachverhalte klar und detailliert darstellen | | | |

## Lektion 6

| Das kann ich nun: | | ☺ | 😐 | ☹ |
|---|---|---|---|---|
| **Im** | als Vortragender in Veranstaltungen angemessen auf Äußerungen anderer eingehen | | | |
| **Rm** | Gespräche über komplexe Themen verstehen, auch wenn Einzelheiten unklar bleiben | | | |
| | literarische Erzählungen verstehen, auch wenn gelegentlich Details unklar bleiben | | | |
| **Rs** | Fachtexten aus dem eigenen Gebiet Informationen, Gedanken und Meinungen entnehmen | | | |
| | in langen, komplexen allgemeinen Texten und Sachtexten rasch wichtige Einzelinformationen finden | | | |
| **Pm** | Gedanken und Einstellungen klar ausdrücken und argumentativ unterstützen | | | |
| | lange, anspruchsvolle Texte mündlich zusammenfassen | | | |
| **Ps** | zu einem komplexen Thema leserfreundliche, gut strukturierte Texte schreiben | | | |

# Referenzgrammatik

## Hinweis

Diese Referenzgrammatik stellt zusammenfassend diejenigen Phänomene dar, die in den Lektionen behandelt werden. Dabei wird weniger Wert auf linguistische Vollständigkeit als auf Lernerorientierung gelegt.

Die Grammatik beginnt mit Satzstrukturen (Abschnitt 1) und vertieft einige bereits in B2 behandelte Themen wie Aufforderungssätze, Folgesätze, hier insbesondere irreale, und indirekte Rede. In den beiden Unterabschnitten zur Nominalisierung von Sätzen (1.4 und 1.5) geht es um die Gegenüberstellung von stilistischen Varianten in verschiedenen Textsorten. In Abschnitt 2 werden Mittel der Textverbindung und Textkohärenz aufgegriffen. Die Abschnitte 3 und 4 gehen auf verbale und nominale Gruppen und deren Form und Funktion in Texten ein, während die Abschnitte 5 bis 8 sich mit einzelnen Wortarten und deren semantischen und syntaktischen Besonderheiten beschäftigen. Abschnitt 9 geht knapp auf eine besondere stilistische Variante der Negation ein.

# Referenzgrammatik

## Inhalt

## Abkürzungen

| | | | | |
|---|---|---|---|---|
| **A / Akk.** = Akkusativ | **D / Dat.** = Dativ | **M** = Maskulinum | **F** = Femininum | **HS** = Hauptsatz |
| **N / Nom.** = Nominativ | **G / Gen.** = Genitiv | **N** = Neutrum | **Pl** = Plural | **NS** = Nebensatz |

# 1 Satzstrukturen

## 1.1 Aufforderungssätze `B2 2.8`

Im Deutschen kann man Aufforderungen auf verschiedene Weise ausdrücken. Die Art der Formulierung bestimmt den Grad der Höflichkeit. Aufforderungen können direkt oder indirekt sein, im Aktiv oder im Passiv stehen:

| Stil | Syntaktische Form: Aktiv |
|---|---|
| sehr unhöflich, Befehlston | **Indikativ Präsens**<br>• Du gießt jetzt die Blumen! |
| sehr unhöflich, Befehlston, besonders zu Kindern | **Indikativ Präsens von „sollen"**<br>• Du sollst jetzt sofort die Blumen gießen! |
| drohender Befehlston, zu Kindern | **Umschreibung mit „werden" in Position 1 und „wohl"**<br>• Wirst du wohl herkommen!<br>• Werdet ihr wohl ruhig sein! |
| Befehlston, manchmal zu Kindern, typisch für das Militär | **Partizip II**<br>• Aufgepasst!<br>• Still gestanden! |
| unhöflich, sehr direkt, Befehlston | **Imperativ**<br>• Gieß die Blumen! |
| neutral | **Imperativ von „wir"**<br>• Gehen wir!<br>• Fangen wir schon mal an! |
| neutral, auf bestimmte Textsorten beschränkt, z. B. Rezepte oder Anweisungen | **Konjunktiv I + „man"**<br>• Man nehme ein Pfund Mehl, drei Eier, …<br>• Man vergleiche die obigen Aussagen mit … |
| neutral, direkt | **Infinitiv**<br>• Einsteigen bitte!<br>• Bitte nicht rauchen! |
| neutral | **Umschreibungen mit „lassen" + „uns"**<br>• Lass uns nachher die Blumen gießen!<br>• Lassen Sie uns gehen! |
| höflich, neutral, noch verstärkt durch „mal" bzw. „doch" | **Imperativ mit „bitte"**<br>• Gieß (doch) bitte die Blumen!<br>• Öffnen Sie (doch) bitte mal das Fenster! |
| höflich, neutral, noch verstärkt durch „bitte" bzw. „mal" | **Indikativ Präsens von Modalverben in Fragen**<br>• Kannst du (mal) die Blumen gießen?<br>• Können Sie bitte (mal) das Fenster öffnen? |
| sehr höflich, noch verstärkt durch „bitte" bzw. „mal" | **Konjunktiv II von Modalverben in Fragen**<br>• Könntest du (mal) die Blumen gießen?<br>• Könnten Sie bitte (mal) das Fenster öffnen? |
| sehr höflich, noch verstärkt durch „bitte" bzw. „mal" | **Konjunktiv II in Fragen**<br>• Würdest du (mal) die Blumen gießen?<br>• Würden Sie bitte (mal) das Fenster öffnen? |

| | |
|---|---|
| sehr höflich, noch verstärkt durch „bitte" | **Einleitung mit „wäre" + „nett"/„freundlich"**<br>• Wärst du (bitte) so nett, die Blumen zu gießen? |
| sehr höflich, vorsichtig, wie ein Ratschlag, noch verstärkt durch „mal" | **Konjunktiv II von „sollen"**<br>• Du solltest die Blumen gießen.<br>• Sie sollten mal das Fenster öffnen. |
| extrem höflich, noch verstärkt durch „bitte" | **Konjunktiv II in „wenn"-Sätzen**<br>• Wenn Sie mir (bitte) folgen würden. |
| indirekt, noch verstärkt durch „mal" | **Konjunktiv II + „man"**<br>• Man müsste (mal) die Blumen gießen. |
| **Stil** | **Syntaktische Form: Passiv** |
| sehr unhöflich, Befehlston | **Passiv Präsens**<br>• Die Blumen werden heute noch gegossen! |
| indirekt, noch verstärkt durch „mal" | **Indikativ Präsens von „müssen"**<br>• Die Blumen müssen (mal) gegossen werden. |
| indirekt, noch verstärkt durch „mal" | **Konjunktiv II Gegenwart von „sollen"/„müssen"/„können"**<br>• Die Blumen sollten/müssten (mal) gegossen werden.<br>• Das Bad könnte (mal) sauber gemacht werden. |
| indirekt, noch verstärkt durch „mal" | **Konjunktiv II Vergangenheit von „müssen"/„können"**<br>• Die Blumen hätten schon längst (mal) gegossen werden müssen.<br>• Das Bad hätte schön längst (mal) sauber gemacht werden können. |

## 1.2 Irreale Folgesätze B2 3.9

Eine Folge kann mit einem konsekutiven Nebensatz angegeben werden:
• Die Internetkriminalität ist inzwischen so/derartig hoch, dass viele vor Geschäften im Internet warnen.
• Die Internetkriminalität ist inzwischen sehr hoch, sodass viele vor Geschäften im Internet warnen.

Wenn man ausdrücken möchte, dass die zu erwartende Folge nicht realisert wird, verwendet man „zu …, als dass".
Bei Sätzen mit „zu …, als dass" wird im Hauptsatz ein Zuviel oder Zuwenig angegeben („zu"), das bewirkt, dass die im Nebensatz zu erwartende Folge nicht eintritt. Um den irrealen Charakter der Folge zu betonen, verwendet man im Nebensatz in der Regel den Konjunktiv II, in der Umgangssprache hört man auch den Indikativ. Im Nebensatz stehen oft die Modalverben „dürfen", „können" oder „sollen".

### Gegenwart

**Aktiv:**
• Vorauszahlungen im Netz sind **zu** riskant, **als dass** man sich darauf einlassen dürfte/sollte.
• Der Computer hier arbeitet **zu** langsam, **als dass** man ihn noch einsetzen würde.

**Passiv:**
• Kontodaten sind **zu** sensibel, **als dass** mit ihnen sorglos umgegangen werden dürfte/sollte.
• Der Computer hier arbeitet **zu** langsam, **als dass** er noch eingesetzt würde.

### Vergangenheit

**Aktiv:**
• Die Schlupflöcher waren **zu** groß, **als dass** man die Betrüger erwischt hätte.
• Die Reparatur war **zu** teuer, **als dass** man sie hätte bezahlen können.

**Passiv:**
• Die Schlupflöcher waren **zu** groß, **als dass** die Betrüger erwischt worden wären.
• Die E-Mails waren **zu** gut gefälscht, **als dass** der Betrug gleich hätte durchschaut werden können.

## 1.3 Indirekte Rede  B2 4.9 ▶

### Gebrauch

Im formelleren schriftlichen und mündlichen Sprachgebrauch werden die Aussagen von Dritten häufiger in der indirekten Rede wiedergegeben. Dies signalisiert Distanz: Man gibt eine Information weiter, ist aber nicht unbedingt selbst der gleichen Meinung. Das Verb steht dann im Konjunktiv I bzw. II:

- Der Polizeidirektor: „Wir haben sehr intensiv nach dem Täter gesucht."
  - → Der Polizeidirektor sagte, dass die Polizeit sehr intensiv nach dem Täter gesucht habe.
  - → Der Polizeidirektor sagte, die Polizei habe sehr intensiv nach dem Täter gesucht.

### Bildung

|  | Aktiv | Passiv |
|---|---|---|
| Gegenwart | Verbstamm + Endung „-e"<br>Ausnahme: „sein" | „werde" + Partizip Perfekt |
| Vergangenheit | „habe"/„sei" + Partizip Perfekt | „sei" + Partizip Perfekt + „worden" |
| Zukunft | „werde" + Infinitiv | „werde" + Partizip Perfekt + „werden" |

- **Aktiv Gegenwart:** Der Polizeisprecher sagte, dass der Kreditkartenbetrüger sehr professionell vorgehe.
- **Aktiv Vergangenheit:** Er berichtete auch, der Betrüger habe bereits einen Schaden von 100.000 € angerichtet.
- **Aktiv Zukunft:** Die Polizei betont, dass die Internetkriminalität in Zukunft noch steigen werde.
- **Passiv Gegenwart:** Der Polizeisprecher sagte, es werde intensiv nach dem Betrüger gesucht.
- **Passiv Vergangenheit:** Der Polizeidirekter berichtete, dass dazu eine Sonderkommission eingerichtet worden sei.
- **Passiv Zukunft:** Die Polizeit sagt voraus, der Täter werde bald gefasst werden.

### Hinweise

Meist wird der Konjunktiv I nur für die dritte Person Singular und seltener auch für die erste Person Singular verwendet (er mache, sie gehe; ich / er wisse, sei, solle, müsse, …). Wenn die Formen des Konjunktivs I mit denen des Indikativs identisch sind, z. B. in der dritten Person Plural, verwendet man den Konjunktiv II:

- Der Bankdirektor teilt(e) mit, die Betrüger hätten mehr als 10.000 € erbeutet. („hätten erbeutet" statt „haben erbeutet")

In der Umgangssprache wird statt des Konjunktivs I häufig die Form „würde + Infinitiv" verwendet:

- Er sagte, sein Chef würde die Aufgaben nicht gut verteilen.

Bei der Wiedergabe von Aussagen Dritter in der indirekten Rede kann die Redeeinleitung wegfallen, da der Konjunktiv I bereits ein Zeichen für die indirekte Rede ist:

- Die Polizei meldete, dass am Mittwochnachmittag ein 16-jähriger Schüler in der Innnenstadt Opfer eines Raubüberfalls geworden sei. Die Täter seien zwei Jugendliche im Alter von 15 Jahren aus der Nachbarschaft.

In der indirekten Rede werden Ja- / Nein-Fragen zu einem Nebensatz, der mit „ob" eingeleitet wird:

- Die Polizei: „Ist Ihnen etwas gestohlen worden?"
  - → Die Polizei fragte mich, ob mir etwas gestohlen worden sei.

In der indirekten Rede werden Imperative mit den Konjunktiv I-Formen von „mögen", „sollen" oder „müssen" wiedergegeben:

- Die Polizei: „Bitte melden Sie sich, wenn Ihnen noch etwas einfällt."
  - → Die Polizei sagte ihm, er möge sich melden, wenn ihm noch etwas einfalle.
- Die Polizei: „Melden Sie sich, wenn Ihnen noch etwas einfällt!"
  - → Die Polizei sagte ihm, er solle sich melden, wenn ihm noch etwas einfalle.
- Die Hausbewohner: „Finden Sie den Einbrecher!"
  - → Die Hausbewohner fordern, dass die Polizei den Einbrecher finden müsse.

In der indirekten Rede müssen die Personal- und Possessivpronomen sowie evtl. die Zeit- und Ortsangaben angeglichen werden:

- Die Polizei am Samstag: „Ab nächster Woche werden wir verstärkt kontrollieren."
  → In der Montagausgabe der Zeitung steht: Die Polizeit teilt mit, sie werde ab dieser Woche verstärkt kontrollieren.
- Polizist zum Autofahrer: „Hier dürfen Sie nicht parken."
  → Der Polizist wies darauf hin, dass der Autofahrer an dieser Stelle / dort nicht parken dürfe.

**Häufige Angleichungen:**

- morgen → am nächsten Tag
- gestern → am Tag zuvor / am vorigen Tag
- heute Abend → am Abend / am selben Abend
- morgen Abend → am nächsten Abend

- morgen früh → am nächsten Morgen
- gestern früh → am vorigen Morgen
- hier → an dieser Stelle / dort
- dort → an jener Stelle

## 1.4 Nominalisierung von Infinitivsätzen und „dass-Sätzen"

### Nominalisierung

Infinitivsätze und „dass-Sätze" kann man oft durch einen nominalen Ausdruck ersetzen. Dadurch entsteht ein „nominaler Stil", der einen Sachverhalt kürzer und prägnanter wiedergibt. Diesen Stil findet man hauptsächlich im formellen Kontext, z. B. in der Wissenschaftssprache, in allgemeinen Sachtexten oder in der Pressesprache.

Bei der Nominalisierung wird das konjugierte Verb des „dass-Satzes" bzw. der Infinitiv des Infinitivsatzes in ein Nomen umgewandelt. Dieses Nomen wird häufig mithilfe einer Genitiv-Konstruktion oder einer passenden Präposition mit dem Subjekt bzw. einer Ergänzung des „dass-Satzes" oder des Infinitivsatzes verbunden:

- Die Senioren fordern, dass man ihre Interessen berücksichtigt.
  Die Senioren fordern, dass ihre Interessen berücksichtigt werden.
  Die Senioren fordern, ihre Interessen zu berücksichtigen.
  → Die Senioren fordern eine Berücksichtigung **ihrer Interessen**.
- Für die Gemeinden bedeuten weniger Einwohner, dass man weniger Infrastruktur benötigt.
  Für die Gemeinden bedeuten weniger Einwohner, dass weniger Infrastruktur benötigt wird.
  Für die Gemeinden bedeuten weniger Einwohner, weniger Infrastruktur zu benötigen.
  → Für die Gemeinden bedeuten weniger Einwohner einen geringeren **Bedarf an** Infrastruktur.

Manchmal erfordert der Hauptsatz eine bestimmte Präposition vor dem nominalen Ausdruck:

- Städtebaulich ergibt sich die Notwendigkeit, dass man altersgerechte Wohnungen baut.
  Städtebaulich ergibt sich die Notwendigkeit, dass altersgerechte Wohnungen gebaut werden.
  Städtebaulich ergibt sich die Notwendigkeit, altersgerechte Wohnungen zu bauen.
  → Städtebaulich ergibt sich die Notwendigkeit **zum Bau** altersgerechter Wohnungen.

### Hinweise

Adverbien werden bei der Nominalisierung in der Regel zu Adjektiven:

- Sie sprechen davon, dass sie sich sehr / besonders freuen.
  → Sie sprechen von ihrer großen / besonderen Freude.

Personalpronomen können bei der Nominalisierung zu Possessivpronomen werden:

- Er sagt oft, dass er sich für Kunst interessiert.
  → Er spricht oft von seinem Interesse an / für Kunst.

Anstelle des Präpositionaladverbs steht bei der Nominalisierung die entsprechende Präposition:

- Niemand zweifelt daran, dass die Prognosen zur Bevölkerungsentwicklung richtig sind.
  → Niemand zweifelt an der Richtigkeit der Prognosen zur Bevölkerungsentwicklung.

Wenn das Verb im Infinitivsatz oder im „dass-Satz" reflexiv ist, fällt das Reflexivpronomen beim Nomen weg:

- Eine Studie hat ergeben, dass Studenten sich genauere Informationen über den Arbeitsmarkt wünschen.
  → Der Wunsch nach genaueren Informationen über den Arbeitsmarkt ist ein Ergebnis einer Studie.

**Verbalisierung mithilfe von Infinitivsätzen und „dass-Sätzen"**

Umgekehrt kann man eine nominale Konstruktion oft in einen „dass-Satz" oder einen Infinitivsatz umformulieren:

* Die Bereitstellung von mehr bezahlbaren Pflegeplätzen ist notwendig.
    * → Es ist notwendig, dass man mehr bezahlbare Pflegeplätze bereitstellt.
    * → Es ist notwendig, dass mehr bezahlbare Pflegeplätze bereitgestellt werden.
    * → Es ist notwendig, mehr bezahlbare Pflegeplätze bereitzustellen.

**„dass-Satz" oder Infinitivsatz?**

Ist ein „dass-Satz" sowie einen Infinitivsatz möglich, klingt der Infinitivsatz in der Regel besser.

Damit ein „dass-Satz" und ein Infinitivsatz möglich sind, müssen identisch sein:

1. das Subjekt des Hauptsatzes und des Nebensatzes, dabei kann das Subjekt auch implizit, d.h. nur aus dem Kontext erschließbar sein:
* Die Regierung verspricht, dass sie ältere Menschen besser in den Arbeitsmarkt integrieren wird.
  Die Regierung verspricht, dass ältere Menschen besser in den Arbeitsmarkt integriert werden.
    * → Die Regierung verspricht, ältere Menschen besser in den Arbeitsmarkt zu integrieren.
2. oder: die Ergänzung im Hauptsatz und das Subjekt des Nebensatzes:
* Die Regierung fordert die Unternehmen auf, dass sie flexiblere Arbeitszeitmodelle für ältere Mitarbeiter einführen.
    * → Die Regierung fordert die Unternehmen auf, flexiblere Arbeitszeitmodelle für ältere Mitarbeiter einzuführen.
3. oder: die Ergänzung im Hauptsatz und das implizite, d.h. nur aus dem Kontext erschließbare, Subjekt des Nebensatzes:
* Die Wirtschaft bittet die Regierung, dass man (irgendjemand in der Regierung) ihre Vorschläge aufgreift.
    * → Die Wirtschaft bittet die Regierung, ihre Vorschläge aufzugreifen.
4. oder: die implizite, d.h. nur aus dem Kontext erschließbare, Ergänzung im Hauptsatz und das Subjekt des Nebensatzes:
* Die Regierung fordert (von den Unternehmen), dass sie flexiblere Arbeitsortmodelle installieren.
    * → Die Regierung fordert, flexiblere Arbeitsortmodelle zu installieren.
5. oder: die implizite, d.h. nur aus dem Kontext erschließbare, Ergänzung im Hauptsatz und das implizite Subjekt des Nebensatzes:
* Es wird (von der Regierung) gefordert, dass man (irgendjemand in der Regierung) die Wünsche der Wirtschaft berücksichtigt.
    * → Es wird gefordert, die Wünsche der Wirtschaft zu berücksichtigen.

Andernfalls sind nur „dass-Sätze" möglich.

## 1.5 Nominalisierung von anderen Haupt- und Nebensätzen B2 3.4 – 3.12 ▶

Im „nominalen Stil" werden Haupt- und Nebensatz-Konstruktionen bzw. Haupt- und Hauptsatz-Konstruktionen häufig durch **Präposition + Nomen** ersetzt. Auch hier ist die nominale Konstruktion die kürzere Form, die man vor allem im formellen Kontext findet, z.B. in der Wissenschaftssprache, in allgemeinen Sachtexten oder in der Pressesprache.

**Es gibt verschiedene Möglichkeiten, in verbalem Stil formulierte Aussagen zu verkürzen:**

1. Indem man die vorhandenen Konnektoren durch die entsprechenden Präpositionen ersetzt und statt des Verbs ein passendes Nomen verwendet, das zur Wortfamilie gehört:
    * Als sie interviewt wurden, bezeichneten über 90% der Befragten die Eigenschaft „Zuverlässigkeit" als typisch deutsch.
        * → Beim Interview bezeichneten über 90% der Befragten die Eigenschaft „Zuverlässigkeit" als typisch deutsch.
2. Indem man Prädikatsergänzungen – Adjektive/Partizipien, die mit dem Verb „sein" verbunden sind – als Attribut mit dem Nomen verbindet. Dabei fällt „sein" weg:
    * Obwohl die Wirtschaftslage anscheinend gut ist, macht sich die Mehrheit der Deutschen Sorgen.
        * → Trotz der anscheinend guten Wirtschaftslage macht sich die Mehrheit der Deutschen Sorgen.
3. Indem man Verben in ein Partizipialattribut umformuliert:
    * Weil sich die Bedingungen verschlechtern, gerät das deutsche Selbstbildnis unter Druck.
        * → Aufgrund der sich verschlechternden Bedingungen gerät das deutsche Selbstbildnis unter Druck.

| Bedeutung | verbale Konstruktionen | nominale Konstruktionen |
|---|---|---|
| **Alternative** (alternativ-substitutiv) | entweder … oder;<br>(an)statt zu, (an)statt dass;<br>wohingegen;<br>stattdessen | (an)statt + G, anstelle + G,<br>anstelle von + D |
| | • Anstatt dass sich jeder wohler fühlt, wird unter den Bundesbürgern eine wachsende Unzufriedenheit verzeichnet. | • Statt einer allgemeinen Zunahme des Wohlbefindens wird unter den Bundesbürgern eine wachsende Unzufriedenheit verzeichnet. |
| **Anreihung** (additiv) | außer dass, außer … zu | neben + D, außer + D |
| | • Außer zu schwimmen, joggt er noch. | • Neben dem Schwimmen joggt er noch. |
| **Art und Weise** (modal-instrumental) | dadurch, dass; indem;<br>so, dadurch, damit;<br>ohne dass, ohne zu | durch + A,<br>mit + D;<br>ohne + A |
| | • Dadurch, dass zahlreiche Ruheständler in die Städte zurückkehren, verschärft sich die Wohnungsnot. | • Durch die Rückkehr zahlreicher Ruheständler in die Städte verschärft sich die Wohnungsnot. |
| **Bedingung** (konditional) | wenn, falls, sofern, nur (dann) wenn;<br>unter der Bedingung, (dass); vorausgesetzt, (dass);<br>unter der Voraussetzung, (dass);<br>für den Fall, (dass); gesetzt den Fall, (dass);<br>angenommen, (dass);<br>es sei denn, (dass); außer (wenn) | bei + D,<br>im Falle + G, im Falle von + D,<br>unter der Voraussetzung + G;<br>außer + D |
| | • Sofern man die Lebenssituation vergleicht, zeigt sich, dass das Leben auf dem Land schwieriger ist. | • Bei einem Vergleich der Lebenssituation zeigt sich, dass das Leben auf dem Land schwieriger ist. |
| **Folge** (konsekutiv) | so …, dass; sodass;<br>folglich, infolgedessen, also, somit | infolge + G, infolge von + D |
| | • Die Lage wird von vielen als unsicher eingeschätzt, folglich legen sie großen Wert auf private Sicherheit. | • Infolge der als unsicher eingeschätzten Lage legen viele großen Wert auf private Sicherheit. |
| **Grund** (kausal) | denn;<br>da, weil;<br>deshalb, daher, darum, deswegen,<br>aus diesem Grund;<br>nämlich | aufgrund + G, wegen + G / D *(auch nachgestellt möglich)*, dank + G / D;<br>vor / aus + Nomen ohne Artikel;<br>halber + G *(nachgestellt)* |
| | • Weil die Infrastruktur schlecht ist, sind viele Landbewohner unzufrieden. | • Der schlechten Infrastruktur wegen sind viele Landbewohner unzufrieden. |
| **Gegengrund** (konzessiv) | zwar …, aber;<br>obwohl, obgleich;<br>obschon, obzwar, wenngleich *(gehobener Stil)*;<br>auch wenn, wenn … auch;<br>trotzdem, dennoch, nichtsdestotrotz;<br>gleichwohl, nichtsdestoweniger *(gehobener Stil)* | trotz + G / D, ungeachtet + G |
| | • Obwohl die Mieten in den Städten höher sind, ziehen immer mehr Menschen dorthin. | • Ungeachtet der höheren Mieten in den Städten ziehen immer mehr Menschen dorthin. |

| Bedeutung | verbale Konstruktionen | nominale Konstruktionen |
|---|---|---|
| **Gegensatz (adversativ)** | aber, sondern, zwar … aber; während; jedoch, doch, dagegen, hingegen | anders als, im Gegensatz zu + D, entgegen + D, wider + A *(selten)* |
| | • Während es in den Städten meist eine gute Infrastruktur gibt, fehlt es auf dem Land oft daran. | • Im Gegensatz zu den Städten gibt es auf dem Land oft keine gute Infrastruktur. |
| **Zeit (gleichzeitig)** | während, solange, als, wenn, sooft; währenddessen, gleichzeitig | während + G / D, binnen + G / D, innerhalb + G / D, innerhalb von + D, bei + D |
| | • Während man an der Studie arbeitete, ergaben sich viele Fragen. | • Während der Arbeit an der Studie ergaben sich viele Fragen. |
| **Zeit (vorzeitig)** | nachdem, als, sobald, seit(dem), (immer) wenn; dann, daraufhin | nach + D, seit + D |
| | • Nachdem ich die Studie gründlich gelesen hatte, musste ich meine Meinung revidieren. | • Nach der gründlichen Beschäftigung mit der Studie musste ich meine Meinung revidieren. |
| **Zeit (nachzeitig)** | bis, bevor, ehe | bis zu + D, vor + D |
| | • Bevor ich die Studie las, wusste ich wenig über das Selbstbild der Deutschen. | • Vor der Lektüre der Studie wusste ich wenig über das Selbstbild der Deutschen. |
| **Ziel, Zweck (final)** | damit, um … zu | für + A, zu + D, zwecks + G, um … willen + G |
| | • Um zu ermitteln, wie die Deutschen über sich selbst denken, wurde eine Studie erstellt. | • Zur Ermittlung dessen, wie die Deutschen über sich selbst denken, wurde ein Studie erstellt. |

## 1.6 Nomen, Verben und Partizipien mit Präpositionen B2 8.3

Nomen und die dazugehörigen Verben und Partizipien können gleiche, aber auch unterschiedliche Präpositionen erfordern. Daher sollten Sie Nomen, Verben und Partizipien immer mit den dazugehörigen Präpositionen lernen.

**Beispiele**

| Nomen | Verb | Partizip |
|---|---|---|
| **Nomen, Verben und Partizipien mit gleicher Präposition** | | |
| der Ärger **über** + A | sich ärgern **über** + A | verärgert **über** + A |
| der Vergleich **mit** + D | vergleichen **mit** + D | verglichen **mit** + D |
| die Freude **an** + D / **auf** + A / **über** + A | sich freuen **an** + D / **auf** + A / **über** + A | erfreut **über** + A |
| **Nomen und Partizip mit anderer Präposition als das Verb** | | |
| das Interesse **an** + D / **für** + A | sich interessieren **für** + A | interessiert **an** + D |
| **Nomen und Verb mit anderer Präposition als das Partizip** | | |
| die Begeisterung **für** + A | sich begeistern **für** + A | begeistert **von** + D |
| **Nomen erfordert eine Präposition, Verb nicht** *(häufig bei Verben mit einer Dativ- oder Akkusativergänzung)* | | |
| die Begegnung **mit** + D | begegnen + D | --- |
| die Kritik **an** + D | kritisieren + A | --- |

# 2 Mittel der Textverbindung

Ein Text erhält seine Kohärenz, d.h. seinen logischen Zusammenhang, durch sprachliche Mittel, die die einzelnen Sätze miteinander verbinden. Diese sprachlichen Mittel können verschiedenartige Wörter sein, wie zum Beispiel Verbindungsadverbien, Konjunktionen oder Subjunktionen (Nebensatzkonnektoren). Aber auch Pronomen, Demonstrativa oder Ordnungszahlen verknüpfen einen Text.

## 2.1 Verbindungsadverbien B2 3.4 – 3.12

Verbindungsadverbien verbinden Hauptsätze bzw. Satzteile logisch miteinander.

| Verbindungsadverb | Bedeutung | Beispiel |
|---|---|---|
| demnach demzufolge infolgedessen mithin | Folge bzw. logischer Schluss aus etwas, was man vorher gesagt hat; oft auch im Sinne von „das heißt" | • Das Ergebnis bestätigte den Verdacht, dass das Bild gefälscht sei. Mithin war es richtig, dass die Staatsanwaltschaft das Bild aus dem Verkehr zog. |
| demgegenüber im Vergleich dazu | ein Vergleich; im Sinne von „im Gegensatz dazu" | • Es ist zu erwarten, dass noch viele unentdeckte Gemälde von Beltracchi auftauchen werden. Demgegenüber erscheint eine Gefängnisstrafe von sechs Jahren milde. |
| dagegen hingegen indessen vielmehr allerdings | drückt einen Gegensatz / eine Einschränkung aus | • Die künstlerische Gestaltung des Bildes war nicht Teil der Untersuchung, die chemische Zusammensetzung indessen schon.<br>• Auf Auktionen werden Originale angeboten, allerdings sind auch manchmal Fälschungen dabei. |
| immerhin jedenfalls schließlich und zwar | erklärt oder spezifiziert etwas, was gerade erwähnt wurde | • Manche Experten waren erstaunt, dass auch das Ahlener Museum ein Werk von Beltracchi besaß und sogar zum Kauf anbot, immerhin war dessen Echtheit schon früher einmal bezweifelt worden. |
| gleichwohl nichtsdestotrotz nichtsdestoweniger | bezieht sich auf einen „unwirksamen Gegengrund" | • Die chemischen Analysen bestätigten den Verdacht der Fälschung. Nichtsdestotrotz versuchten die Auktionshäuser die Untersuchungsergebnisse zu leugnen. |
| dazu / hierzu dafür / hierfür mit diesem Ziel zu diesem Zweck | drückt ein Ziel / einen Zweck aus | • Man zögerte nicht lange und beschloss, die Echtheit des Bildes prüfen zu lassen. Hierzu wurde es in ein Speziallabor nach Münster gegeben. |

## 2.2 Konjunktionen B2 3.2

Konjunktionen verbinden Hauptsätze oder Satzteile logisch miteinander.

| Konjunktion | Bedeutung | Beispiel |
|---|---|---|
| beziehungsweise respektive | gibt eine Alternative an | • Die Betriebsgröße wird am Umsatz respektive an der Zahl der Angestellten gemessen. |
| außer es sei denn, | nennt eine Bedingung, die eine zuvor getroffene Aussage aufhebt | • Holen Sie hin und wieder den Rat von Dritten ein, es sei denn, Sie treffen Routineentscheidungen. |

## 2.3 Subjunktionen (Nebensatzkonnektoren)

Subjunktionen leiten Nebensätze ein.

| Subjunktion | Bedeutung | Beispiel |
|---|---|---|
| außer dass<br>außer wenn | schränkt die Aussage des Hauptsatzes ein | • Die Firma steht gut da, außer dass die Globalisierung zu Veränderungen führt. |
| nur dass | schränkt die Aussage des Hauptsatzes ein | • Produkte der Firma Prym begleiten uns von Tag zu Tag, nur dass sich niemand dessen bewusst ist. |
| je nachdem, ob / wie / was / wo / welche / … | wird im Sinne von „das kommt darauf an" verwendet | • Je nachdem, welche Artikel eine Firma anbietet, verkauft sie mehr im Inland oder im Ausland. |
| wer / was / wie / wo / wann / … auch (immer) | egal wie, wo, wer …, es gilt die Aussage des Hauptsatzes | • Wie auch immer man die Globalisierung bewertet, sie bietet den Unternehmen viele Möglichkeiten. |
| auch / selbst wenn<br>wenn … auch | nennt einen „unwirksamen Gegengrund" | • Auch wenn die „Hidden Champions" nur kleine Märkte bedienen, agieren sie (doch) international.<br>• Wenn die „Hidden Champions" auch nur kleine Märkte bedienen, agieren sie (doch) international. |

## 2.4 Textkohärenz: Rückbezug durch Artikelwörter und Pronomen

**Personalpronomen (er, sie, es, …)**

Durch Personalpronomen kann in Texten auf bestimmte Personen bzw. Sachen zurückverwiesen werden:
• Der Autor hat seinen neuesten Roman fertiggestellt. Nun signiert er ihn auf einer Lesereise durch die Republik.

**Demonstrativartikel und -pronomen (dies-; der, die, das; solch- / solch ein- / ein- solch-, …)**

Rückbezug auf eine bestimmte Person / auf eine bestimmte Sache im Text, auf die man speziell hinweisen will. Die Person / Sache wird mit dem Demonstrativartikel oder Demonstrativpronomen noch einmal erwähnt.

**Demonstrativpronomen „dies-":**
• Er nannte einige Erfindungen und Entdeckungen und spekulierte darüber, wie es wäre, wenn es diese nicht gäbe.

„Dieses" kann verkürzt werden zu „dies". Es bezieht sich dann auf die ganze Aussage davor:
• Alfred Wegener vertrat die Theorie, dass die Kontinente ständig wandern. Er konnte dies jedoch nicht beweisen.

**Demonstrativpronomen in Form des bestimmten Artikels „der", „das", „die":** `B2 7.1 – 7.2`
• Kennst du das neue Buch von Daniel Kehlmann? – Nein, das kenne ich noch nicht.

• Das ist die Meinung derer, die selbst noch nie in dieser Situation waren.

**Demonstrativartikel und -pronomen „solch-" / „solch ein-" / „ein- solch-":** `7.3`
• Der Autor sieht die Verbraucher als Opfer. Solch eine / Eine solche Sichtweise ist ungewöhnlich.

• Die Digitalisierung greift immer mehr in unser Leben ein. Die Entwicklung als solche ist nicht aufzuhalten.

### Indefinitpronomen (einige, alle, jeder, niemand, ...)

Bezug auf eine oder mehrere Personen (oder Gegenstände), die unbestimmt bleiben:

*   Das Publikum war begeistert. Zwar haben einige kritische Fragen gestellt, aber am Ende haben alle lange geklatscht.

*   Niemand aus dem Publikum war mit der Veranstaltung unzufrieden.

### Präpositionaladverbien (darüber, darauf, damit, ...)

*   Ich möchte eine Vorlesung zur deutschen Romantik besuchen, denn ich weiß nur wenig darüber. *(= über das Thema)*

*   Diskutieren Sie in Gruppen. Gehen Sie dabei auf die Argumente der anderen ein. *(= bei der Diskussion)*

### Andere Adverbien (hier, dort, ...)

*   **hier** = an dieser Stelle: Sie haben eben von den erhöhten Preisen gesprochen. Entschuldigen Sie, wenn ich hier mal kurz unterbreche, aber ...
*   **dort** = an diesem Ort: Er hielt eine Rede auf dem Marktplatz. Dort versammelten sich viele Leute.
*   **da** = in diesem Augenblick: Er kritisierte gerade die Wirtschaftspolitik. Da gab es laute Proteste.

# 3 Verbale Gruppen

## 3.1 Modalverben: objektiver und subjektiver Gebrauch B2 4.1 – 4.2

Modalverben im objektiven Gebrauch modifizieren die Bedeutung eines anderen Verbs. Sie drücken z. B. einen Wunsch, eine Erlaubnis oder eine Fähigkeit aus.
Modalverben können auch subjektiv gebraucht werden, d. h., der Sprecher oder die Sprecherin drückt damit eine persönliche Einschätzung eines Sachverhalts aus oder gibt die Aussage einer anderen Person distanziert wieder.
Die Modalverben im objektiven und subjektiven Gebrauch unterscheiden sich nicht nur in ihrer Bedeutung, sondern auch in den Formen.

### Bedeutung

| objektiv | Bedeutung | subjektiv | Bedeutung |
|---|---|---|---|
| „können" in objektiver Bedeutung im Indikativ | | „können" in subjektiver Bedeutung meist im Konjunktiv II, „können" im Indikativ mehr in der Vergangenheit | |
| • Heute Abend können wir ins Theater oder in die Oper gehen.<br>• Meine Großmutter konnte gut Französisch (sprechen). | = das ist eine (objektive) Möglichkeit<br>= sie hatte die Fähigkeit | • Sie könnte schon da sein.<br>• Sie kann schon gestern gekommen sein. | = Sprechermeinung: das ist möglich |
| „dürfen" in objektiver Bedeutung im Indikativ | | „dürfen" in subjektiver Bedeutung nur im Konjunktiv II | |
| • Thomas darf heute allein ins Kino gehen.<br>• Lisa durfte nicht ins Kino gehen. | = er hat die Erlaubnis<br>= sie hatte nicht die Erlaubnis | • Er dürfte genug Geld haben, um das Auto zu bezahlen.<br>• Sie dürfte schon nach Hause gegangen sein. | = Sprechermeinung: das ist wahrscheinlich |

| objektiv | Bedeutung | subjektiv | Bedeutung |
|---|---|---|---|
| „müssen" in objektiver Bedeutung im Indikativ | | „müssen" in subjektiver Bedeutung sowohl im Indikativ als auch im Konjunktiv II | |
| • Frank muss heute noch ins Büro gehen.<br>• Sophie musste gestern ihre Projektarbeit abgeben. | = es ist / war notwendig | • Ruf Doris doch mal an. Sie muss / müsste um diese Zeit zu Hause sein.<br>• Es ist spät, sie muss / müsste bereits angekommen sein. | = Sprechermeinung: das ist sehr wahrscheinlich / fast sicher |
| „sollen" in objektiver Bedeutung im Indikativ oder Konjunktiv II | | „sollen" in subjektiver Bedeutung nur im Indikativ | |
| • Der Chef hat gesagt, du sollst den Besprechungstermin verschieben.<br>• Zuerst sollte ich das machen, aber dann …<br>• Bei dem Husten solltest du zum Arzt gehen.<br>• Bei dem Husten hättest du zum Arzt gehen sollen. | = ein Dritter fordert etw.<br><br>= ich wurde aufgefordert<br>= jd. gibt einen Rat | • Hast du gehört? Maria soll krank sein.<br>• Kathrin soll einen argentinischen Mann geheiratet haben. | = Sprechermeinung: das habe ich von Dritten gehört |
| „wollen" in objektiver Bedeutung im Indikativ | | „wollen" in subjektiver Bedeutung nur im Indikativ, häufiger in der Vergangenheit | |
| • Andrea will das heute noch machen.<br>• Victoria wollte letzte Woche kommen. | = sie hat / hatte die Absicht | • Katja will vom Plan ihres Mannes keine Ahnung haben.<br>• Alex will krank gewesen sein. | = Sprechermeinung: Sprecher erzählt, dass jemand etwas behauptet, aber der Sprecher bezweifelt es |
| „möchte" in objektiver Bedeutung ist ursprünglich eine Konjunktiv-II-Form von „mögen", heute hat es Präsens-Bedeutung | | „mögen" in subjektiver Bedeutung nur im Indikativ | |
| • Ich möchte dich zu meinem Geburtstag einladen. | = ich habe den Wunsch | • Silke mag ja recht haben, aber sie war nicht sehr höflich.<br>• Lutz mag ein guter Chef gewesen sein, dennoch ging seine Firma pleite.<br>• Lutz mochte ein guter Chef sein, dennoch ging seine Firma pleite.<br>• Lutz mochte viel investiert haben, dennoch ging seine Firma pleite. (= Vorvergangenheit) | = Sprechermeinung: es ist möglich, aber … |

**Vergangenheit**

Die Vergangenheitsformen der Modalverben in objektiver und subjektiver Bedeutung sind unterschiedlich:

| objektiv | subjektiv |
|---|---|
| • Eva musste früher als die anderen kommen. | Eva muss inzwischen gekommen sein. |
| • Eva hat früher als die anderen kommen müssen. | |
| • Eva hatte früher als die anderen kommen müssen. | |
| • Unsere Freunde konnten unsere Pläne nicht verstehen. | So wie sie reagieren, können unsere Freunde unsere Pläne nicht verstanden haben. |
| • Unsere Freunde haben unsere Pläne nicht verstehen können. | |
| • Unsere Freunde hatten unsere Pläne nicht verstehen können. | |

**Konditionalsätze mit „sollen"**

„sollen" im Konjunktiv II steht in Konditionalsätzen, in denen nicht klar ist, ob die Bedingung sich erfüllt oder nicht. „sollen" kann dabei auch am Anfang des Nebensatzes stehen, es ersetzt dann z. B. den Nebensatzkonnektor „wenn".

Im Hauptsatz solcher Konstruktionen kann der Indikativ oder der Konjunktiv II verwendet werden. Wenn der Sprecher denkt, dass die Bedingung sich erfüllt, wird der Indikativ verwendet:
*   Sollte Ihnen dieser Termin nicht möglich sein, können wir einen anderen vereinbaren.

Hält der Sprecher dies für unwahrscheinlich oder möchte er besonders höflich sein, wird eher der Konjunktiv II verwendet:
*   Sollten die Sicherheitsmaßnahmen Erfolg zeigen, wäre ein großes Problem gelöst.
*   Sollte Ihnen dieser Termin nicht möglich sein, könnten wir einen anderen vereinbaren.

Formulierungen mit der Konjunktivform „sollte" sind typisch für offizielle Briefe. Sie werden besonders gern in Texten mit juristischem Hintergrund, z. B. in Mahnungen, verwendet:
*   Sollten Sie in der Zwischenzeit die Rechnung beglichen haben, betrachten Sie dieses Schreiben als gegenstandslos.

## 3.2 Futur I und Futur II  B2 4.4

**Zukünftiges ausdrücken**

Das Futur verwendet man u. a. dazu, zukünftige Sachverhalte auszudrücken:

**Futur I** drückt die Zukünftigkeit eines Geschehens oder Zustands aus.
Form: „werden" + Infinitiv:
*   2060 wird ein Drittel der Deutschen älter als 60 Jahre sein. *(= Prognose)*
*   Im Sommer werde ich mein Abitur machen. *(= Plan / Absicht)*

**Futur II** drückt Zukünftiges aus, das man sich zu einem bestimmten Zeitpunkt als abgeschlossen vorstellt.
Form: „werden" + Partizip II + „sein" / „haben":
*   2060 wird die Lebenserwartung um einige Jahre gestiegen sein. *(= Prognose)*
*   Bis November werde ich genug verdient haben, um nach Neuseeland fliegen zu können. *(= Plan / Absicht)*

In der Umgangssprache verwendet man häufig für das Futur I das Präsens und für das Futur II das Perfekt mit einer temporalen Angabe:
*   Wir brauchen die Unterlagen morgen Nachmittag.
*   Morgen Mittag habe ich alles erledigt.

**Eine Aufforderung, Sicherheit, Zuversicht oder Vermutung ausdrücken**

Mit dem Futur kann man der Zukunftsbedeutung auch eine modale Komponente hinzufügen:

|  | Futur I | Futur II |
|---|---|---|
| **Aufforderung** | • Du wirst jetzt sofort dein Zimmer aufräumen. | • Bis ich wieder zurückkomme, wirst du deine Hausaufgaben gemacht haben. |
| **Sicherheit** | • Ich werde den Test bestehen. | • Ich werde das sicher bis morgen organisiert haben. |
| **Zuversicht / Beruhigung** *(meist mit Modalpartikel „schon")* | • Es wird schon klappen. | • Sie werden schon gut gelandet sein. |
| **Vermutung** *(meist mit Adverbien / Partikeln der Wahrscheinlichkeit)* | • Er wird (wohl) schon im Hotel sein. | • Er wird (sicher) schon angekommen sein. |

## 3.3 Passiv

### 3.3.1 Perspektivwechsel: Aktiv – Passiv B2 4.8 ▶

Das Passiv wird vor allem dann verwendet, wenn die Handlung / der Vorgang im Mittelpunkt steht und der Handelnde (das Agens) nicht oder weniger relevant ist:
- **Aktiv:** Die Firma baute das Hochhaus letztes Jahr.
- **Passiv:** Das Hochhaus wurde letztes Jahr gebaut. *(egal von wem)*

Im Aktiv ist das Subjekt des Satzes das „Agens" (der Handelnde) und die Akkusativergänzung das „Patiens" (der, dem etwas angetan wird) der Handlung:
- **Aktiv:** Männer unterbrechen Frauen häufig.

        (Agens)        (Patiens)
- **Passiv:** Frauen werden von Männern häufig unterbrochen.

        (Patiens)        (Agens)

Im Passiv ist das Subjekt des Satzes das „Patiens" der Handlung.

Mithilfe der Präposition **„von" + Dativ** kann das „Agens" der Handlung angegeben werden. Bei nicht willentlich herbeigeführten Umständen oder wenn das Agens nur als Vermittler auftritt, verwendet man auch **„durch" + Akkusativ**:

| | |
|---|---|
| • Frauen werden häufig unterbrochen. | Wichtig ist, dass unterbrochen wird. |
| • Frauen werden von Männern häufig unterbrochen. | Wichtig ist, dass unterbrochen wird, aber auch, dass Männer dies tun. (Agens) |
| • Tom wurde durch den starken Verkehr aufgehalten. | Wichtig ist, dass Tom aufgehalten wurde, aber auch durch welche Umstände. (Agens) |
| • Durch den Verkehrsfunk wurde er informiert, dass es einen Unfall gegeben hatte. | Wichtig ist, dass Tom informiert wurde, aber auch durch wessen Vermittlung. (Agens) |
| • Im Fremdsprachenunterricht sollten mögliche Tabuphänomene geübt werden. | Wichtig ist das Üben, aber auch, was geübt wird, nämlich mögliche Tabuphänomene. (Patiens) |

**Achtung:** „wollen" im Aktivsatz wird zu „sollen" im Passivsatz:
- Man will eine Untersuchung durchführen. → Eine Untersuchung soll durchgeführt werden.

## 3.3.2 Unpersönliches Passiv ("subjektloses Passiv") B2 4.8▶

Beim sogenannten unpersönlichen Passiv sind weder „Agens" noch „Patiens" wichtig. Nur die Handlung steht im Mittelpunkt. Das unpersönliche Passiv kann von transitiven und von intransitiven Verben gebildet werden:

| | |
|---|---|
| • Heutzutage darf in Restaurants nicht mehr geraucht werden. | subjektloses Passiv |
| • Über den Plan wurde heftig diskutiert. → Es wurde heftig über den Plan diskutiert. | Wenn Position 1 im Satz nicht besetzt ist, kann „es" als Platzhalter stehen. |
| • Es wird geforscht. | „es" muss stehen, wenn Position 1 sonst unbesetzt wäre. |
| • Es wird viel gelacht.<br>• In vielen Betrieben wurde gestreikt. | Unpersönliches Passiv ist auch bei intransitiven Verben möglich. |
| • Ab sofort wird gespart!<br>• Hier darf nicht geraucht werden. | Das unpersönliche Passiv wird auch gebraucht, um Befehle oder Regeln auszudrücken. |

## 3.3.3 Passiv mit Modalverb im Nebensatz B2 4.8▶

Das Passiv kann im Nebensatz in Verbindung mit einem Modalverb stehen. Es wird verwendet, wenn der Handelnde weniger relevant ist.

**Erinnerung:** Infinitiv Passiv = Partizip II + Infinitiv von „werden"

Passiv mit Modalverb im Nebensatz – **Präsens**:
• Marie ist sicher, dass sie mehr gefordert werden muss.

              Infinitiv Passiv     Modalverb im Präsens

Passiv mit Modalverb im Nebensatz – **Präteritum**:
• Sie berichtet, dass sie einmal der Schule verwiesen werden sollte.

              Infinitiv Passiv     Modalverb im Präteritum

Passiv mit Modalverb im Nebensatz – **Perfekt**:
• Sie bedauert, dass ihre Situation nicht hat verbessert werden können.

      „haben" im Präsens     Infinitiv Passiv     Infinitiv des Modalverbs

Passiv mit Modalverb im Nebensatz – **Plusquamperfekt**:
• Die Lehrer fragten sich später, warum Marie nicht besser hatte gefördert werden können.

      „haben" im Prätertitum     Infinitiv Passiv     Infinitiv des Modalverbs

Passiv mit Modalverb im Nebensatz – **Konjunktiv I Gegenwart**:
• Martin erzählt, dass er inzwischen berührt werden könne.

              Infinitiv Passiv     Modalverb im Konjunktiv I

Passiv mit Modalverb im Nebensatz – **Konjunktiv I Vergangenheit**:
• Er offenbart, dass er früher von keinem habe berührt werden können.

      „haben" im Konjunktiv I     Infinitiv Passiv     Infinitiv des Modalverbs

Passiv mit Modalverb im Nebensatz – **Konjunktiv II Gegenwart**:

- Olayinka meint, dass viel mehr trainiert werden müsste.

        Infinitiv Passiv       Modalverb im Konjunktiv II

Passiv mit Modalverb im Nebensatz – **Konjunktiv II Vergangenheit**:

- Olayinka schildert, dass er in seiner Heimat hätte getötet werden können.

    „haben" im Konjunktiv II   Infinitiv Passiv   Infinitiv des Modalverbs

## 3.3.4 Passiversatzformen `B2 4.8`

Als Alternative zu Passivkonstruktionen kann man folgende Ersatzformen verwenden:

| Passiversatzform | Passiv-Satz | Beispiel |
|---|---|---|
| „sich lassen" + Infinitiv | mit „können" | • Viele Phänomene lassen sich wissenschaftlich nicht restlos aufklären.<br>→ Viele Phänomene können wissenschaftlich nicht restlos aufgeklärt werden. |
| „sein" + „zu" + Infinitiv | mit „können" | • Viele Phänomene sind wissenschaftlich nicht restlos aufzuklären.<br>→ Viele Phänomene können wissenschaftlich nicht restlos aufgeklärt werden. |
|  | mit „müssen" / „sollen" | • Jede Theorie ist gründlich zu überprüfen.<br>→ Jede Theorie muss / soll gründlich überprüft werden. |
| „bleiben" + „zu" + Infinitiv | mit „müssen" / „sollen" | • Die Theorie bleibt noch zu überprüfen.<br>→ Die Theorie muss / soll noch überprüft werden. |
| „sein" + Verbstamm + „-bar" | mit „können" | • Viele Phänomene sind wissenschaftlich nicht restlos aufklärbar.<br>→ Viele Phänomene können wissenschaftlich nicht restlos aufgeklärt werden. |
| „sein" + Verbstamm + „-lich" | mit „können" | • Viele Phänomene sind unerklärlich.<br>→ Viele Phänomene können nicht erklärt werden. |

## 3.4 Partizipialkonstruktionen

### 3.4.1 Erweiterte Partizipien I und II als Attribut `B2 5.2`

Sowohl das Partizip I (z. B. vorliegen → vorliegend) als auch das Partizip II (z. B. festlegen → festgelegt) kann als Adjektiv verwendet werden und vor einem Nomen stehen. Die Partizipien erhalten dann die entsprechenden Adjektivendungen:

- Der vorliegende Vertrag wird heute von beiden Seiten unterschrieben.
- Die Angestellte akzeptiert die festgelegte Vergütung.

Die Partizipien als Adjektive können – besonders in juristischen oder wissenschaftlichen Texten – durch weitere Informationen ergänzt werden. Man versucht damit, möglichst knapp zu schreiben und Nebensätze zu vermeiden (Nominalstil). Im mündlichen Gebrauch werden diese weiteren Informationen eher durch Relativsätze ausgedrückt. Das Partizip mit seinen Erweiterungen steht zwischen dem **Artikelwort** bzw. der **Präposition** und dem **Nomen**, auf das es sich bezieht:

- Das Traineeprogramm folgt **dem** dem Vertrag beiliegenden **Ablaufplan**.
- **Aufgrund** vor einem Monat betrieblich festgesetzter **Vorgaben** dürfen Überstunden nicht mehr ausgezahlt werden.

Das **Partizip I** (= Partizip Präsens) beschreibt einen Vorgang im Aktiv, der **im Sprechmoment** stattfindet bzw. stattgefunden hat und / oder noch nicht abgeschlossen ist bzw. war:

- Den Angestellten ist eine Tätigkeit, die den Interessen des Unternehmens entgegensteht, untersagt.
    → Den Angestellten ist eine den Interessen des Unternehmens entgegenstehende Tätigkeit untersagt.
- Der Abteilungsleiter, der das Vorstellungsgespräch leitete, wurde später vom Personalchef kritisiert.
    → Der das Vorstellungsgespräch leitende Abteilungsleiter wurde später vom Personalchef kritisiert.

Das **Partizip II** (= **Partizip Perfekt**) beschreibt meist passivische Vorgänge oder Zustände:

- Urlaub, der nicht rechtzeitig genommen wird / ist, verfällt am 31. März des Folgejahres.
  → Nicht rechtzeitig genommener Urlaub verfällt am 31. März des Folgejahres.
- Das Gehalt, das zwischen den Vertragsparteien ausgehandelt wurde, ist relativ hoch.
  → Das zwischen den Vertragsparteien ausgehandelte Gehalt ist relativ hoch.

Das Partizip II von Verben, die das Perfekt mit **„sein"** bilden, kann einen Vorgang im Aktiv beschreiben, der im Sprechmoment schon vergangen ist:

- Beim Vertrag, der mit Verspätung angekommen ist, fehlt die Unterschrift des Personalleiters.
  → Beim mit Verspätung angekommenen Vertrag fehlt die Unterschrift des Personalleiters.

Allerdings geht dies nur bei Verben, die eine abgeschlossene Zustands- oder Ortsveränderung beschreiben, aber nicht bei Verben, die den Vorgang selbst beschreiben:

- Der gerade angekommene Zug hat Verspätung.
- Die zur Party gekommenen Gäste waren guter Laune.
- **aber nicht:** Die gekommenen Gäste waren guter Laune.

## 3.4.2 Gerundiv (Partizip I + „zu")

Man verwendet das Gerundiv vor allem im formellen schriftlichen Gebrauch, um einen Relativsatz zu verkürzen; es hat eine modale Bedeutung und drückt aus, dass etwas getan werden muss, soll oder kann.

Das Gerundiv bildet man mit „zu" und dem Partizip I. Es steht vor einem Nomen und kann durch Zusätze erweitert werden; das Partizip erhält die jeweils passende Adjektivendung:

- Es gibt viele Hintergrundinformationen, die man schnellstens recherchieren muss.
  → Es gibt viele schnellstens zu recherchierende Hintergrundinformationen.
- Dies sind Daten, die man auswendig lernen sollte.
  → Dies sind auswendig zu lernende Daten.
- Hier stehen Fragen, die man nicht beantworten kann.
  → Hier stehen nicht zu beantwortende Fragen.

## 3.4.3 Partizipialkonstruktionen als Nebensatzersatz

Erweiterte Partizipien können Nebensätze ersetzen und werden meist in formellen Texten verwendet. Je nach Kontext sind sie synonym zu einem Kausalsatz, Temporalsatz, Modalsatz o. Ä.

Diese Partizipialkonstruktionen stehen oft am Beginn einer Hauptsatzstruktur und werden durch ein Komma abgetrennt. Sie enthalten kein Subjekt und statt einer konjugierten Verbform ein Partizip I oder II. Auf diese Weise kann man Texte knapper formulieren, da Nebensätze vermieden werden:

- Dort angekommen, traf er einen kleinen Jungen, der ihn anbettelte.
  (temporal: „Als er dort ankam")
- Nach einer Möglichkeit für Spenden suchend, startete er die Aktion „Ein Reiskorn für Korea".
  (kausal: „Weil er nach einer Möglichkeit für Spenden suchte")
- Bei einer SOS-Kinderdorffamilie handelt es sich, genau betrachtet, um eine Großfamilie.
  (konditional: „Wenn man es genau betrachtet")
- Beruflich stark eingespannt, engagiert sich Frau Weber ehrenamtlich.
  (konzessiv: „Obwohl sie beruflich stark eingespannt ist")
- Den Prinzipien ihrer Satzung folgend, helfen Organisationen meist unparteiisch.
  (modal: „Indem sie den Prinzipien ihrer Satzung folgen")

Partizipialkonstruktionen als Nebensatzersatz können in Einzelfällen mit einem Nebensatzkonnektor eingeleitet werden:

- Obwohl extrem beschäftigt, engagiert sich Dr. Noll zusätzlich bei „Ärzte ohne Grenzen".

Im Deutschen gibt es einige **feste Partizipialkonstruktionen**, die unabhängig vom konkreten Nebensatzkontext einsetzbar sind und auch mündlich häufig verwendet werden. Sie haben die Bedeutung eines Konditionalsatzes:

- Europa ist, verglichen mit Asien, ein kleiner Kontinent.
  - → Wenn man Europa mit Asien vergleicht, ist es ein kleiner Kontinent.
- Gesetzt den Fall, er bekommt die Stelle, muss er umziehen.
  - → Falls er die Stelle bekommt, muss er umziehen.

> **Typische feste Partizipialkonstruktionen:** angenommen, gesetzt den Fall, vorausgesetzt, abgesehen von, genau genommen, kurz gesagt, verglichen mit, so gesehen / betrachtet, anders ausgedrückt / gesagt

## 3.5 Nomen-Verb-Verbindungen

Bei Nomen-Verb-Verbindungen unterscheidet man zwischen Kollokationen und Funktionsverbgefügen:

Eine **Kollokation** ist eine typische und gebräuchliche Wortverbindung aus mindestens zwei Wörtern, z. B. „Studien belegen", „den Faden verlieren", „mit eigenen Worten zusammenfassen".

Ein **Funktionsverbgefüge** besteht aus einem Nomen und einem Funktionsverb, d. h. einem Verb, das weitgehend seine ursprüngliche Bedeutung verloren hat:

- „bringen" in „zum Ausdruck bringen"

Sie können oft durch ein Vollverb ersetzt werden, das vom entsprechenden Nomen abgeleitet ist:

- zum Ausdruck bringen = ausdrücken

Es gibt aber nicht immer eine direkte verbale Entsprechung:

- den Ausschlag geben = nicht „ausschlagen", sondern „entscheidend sein"

Funktionsverbgefüge, z. B. „zum Ausdruck bringen", erkennt man an folgenden Faktoren (* = nicht möglich):

- Das Nomen ist nicht direkt erfragbar: *Wozu bringt er?
- Das Nomen ist nicht durch ein Pronomen ersetzbar: *Er brachte zu ihm.
- Der Artikel beim Nomen kann nicht ersetzt werden: *Er brachte zu einem Ausdruck.
- Oft kann beim Nomen kein Attribut stehen: *Er brachte zum guten Ausdruck.

Funktionsverbgefüge (FVG) sind Teil eines „nominalen Stils" und kommen vor allem in offiziellen oder wissenschaftlichen Texten vor. Sie können Handlungsverläufe spezifizieren, d. h. z. B. Anfang bzw. Dauer benennen, aktivische oder passivische Bedeutung haben, eine Zustandsveränderung bzw. einen Zustand beschreiben:

| Anfang | zur Sprache bringen = **beginnen**, über ein Thema zu sprechen |
|---|---|
| Dauer | ein Gespräch führen = **länger** über ein Thema sprechen |
| aktivische Bedeutung | Beobachtungen anstellen = jdn. **beobachten** |
| passivische Bedeutung | unter Beobachtung stehen = jd. **wird** beobachtet |
| Zustandsveränderung | in Verdacht geraten = jd. wird **plötzlich** verdächtigt |
| Zustandsbeschreibung | unter Verdacht stehen = jd. wird **nach wie vor** verdächtigt |

**Typische Beispiele**

**bringen:**

- zur Sprache bringen (= besprechen): Der neue Minister brachte die Probleme sofort zur Sprache.
- in Verbindung bringen (= verbinden): Seine Anwesenheit wurde nicht mit dem Überfall in Verbindung gebracht.
- zu Ende bringen (= beenden): Er wollte die Diskussion um Personalpolitik erfolgreich zu Ende bringen.
- in Kontakt bringen: Man sollte frühzeitig alle am Projekt Beteiligten miteinander in Kontakt bringen.

**kommen:**

- zur Sprache kommen (= besprochen werden): Das Problem kam gleich bei der ersten Sitzung zur Sprache.
- in Verbindung kommen: Alle Untergruppen kamen nach und nach in Verbindung.

- zu Ende kommen (= beendet werden): Mit der ersten Ernte ist das Agrarprojekt erfolgreich zu Ende gekommen.
- in Kontakt kommen: Alle am Projekt Beteiligten kamen frühzeitig miteinander in Kontakt.

**nehmen:**
- einen (positiven / negativen) Verlauf nehmen (= verlaufen): Das Gespräch nahm einen positiven Verlauf.
- in Anspruch nehmen (= beanspruchen): Die Lösung des Problems nahm viel Zeit in Anspruch.
- eine (gute / schlechte) Entwicklung nehmen (= sich entwickeln): Das Projekt hat eine gute Entwicklung genommen.

**stellen:**
- eine Frage stellen (= fragen): Zu diesem Punkt möchte ich folgende Frage stellen.
- zur Diskussion stellen (= diskutieren): In der Sitzung wurde die Schließung einer Filliale zur Diskussion gestellt.
- zur Verfügung stellen (= geben): Dem Forscher wurden ein Labor und mehrere Mitarbeiter zur Verfügung gestellt.

## 3.6 Wortbildung: Verben mit untrennbaren Vorsilben (be-, zer-, …)

Verben können mithilfe der Vorsilben **be-, ent-, er-, ver-, miss-** und **zer-** aus Nomen, Adjektiven und aus anderen Verben gebildet werden. Die Vorsilben sind nicht trennbar und unbetont. Sie haben häufig folgende Bedeutungen:

**be-** macht ein intransitives Verb bzw. ein Verb mit Präposition transitiv:
- Er hat im Skirennen gesiegt. → Er hat alle Konkurrenten im Skirennen besiegt.
- Sie antwortete auf alle Fragen. → Sie beantwortete alle Fragen.

**be-** + Nomen: eine Person oder eine Sache mit etwas „versehen":
- Die Polizei benachrichtigte die Familie sofort von dem Unfall.
- Der Boden muss regelmäßig bewässert werden, sonst sterben die Pflanzen.

**be-** + Nomen oder Adjektiv: etwas bewirken, diese Eigenschaft geben:
- Gute Taten beeindrucken uns oft.
- Nun beruhigen Sie sich doch, es wird ja alles gut werden.

**ent-** + Verb: etwas fängt an:
- Das Thema entfachte einen Streit.
- Aufgrund interkultureller Missverständnisse können manchmal größere Probleme entstehen.

**ent-** + Verb, Nomen oder Adjektiv: weggehen, etwas wegnehmen, „wegmachen":
- Der Hund ist entlaufen. (= weggehen)
- Grüner Tee entgiftet den Körper. (= Gift wegnehmen)
- Die Großmutter entwirrt das Wollknäuel. (= die Knoten im Wollknäuel „wegmachen")

**er-** + Verb: eine Handlung zu einem Ende, Ziel bringen:
- Er hat das verletzte Pferd erschossen, damit es nicht weiter leiden musste.
- Sie haben den Berg erstiegen.

**er-** + Verb oder Nomen: etwas durch eine Handlung erreichen:
- Der Angestellte hat sich seine Kenntnisse durch viele Überstunden erarbeitet.
- Die Forscher konnten die Ursachen für das häufige Auftauchen von Krebs nicht ergründen.

**er-** + Verb oder Adjektiv: etwas beginnen:
- In unserer Straße wird am Montag ein neues Geschäft eröffnet.
- Im Winter ist unser Vater erkrankt.

**er-** + Adjektiv: ein Zustand verändert sich:
- Leider ist mein Großvater inzwischen erblindet.
- Manche Menschen erröten, wenn sie verlegen sind.

**ver-** + Verb: etwas ändern / zu Ende bringen:
- In 100 Jahren werden die Erdölreserven der Welt verbraucht sein. (= etwas bis zum Ende aufbrauchen)
- Die Überschüsse wurden an alle Mitglieder verteilt. (= alles aufteilen)

**ver-** + Verb: etwas falsch machen:
- Vor lauter Aufregung hat sie die Suppe versalzen.
- In Berlin verfahre ich mich jedesmal.

**ver-** + Verb: das Gegenteil ausdrücken:

- Auf eBay kann man Sachen sowohl kaufen als auch verkaufen.
- Nach zehn Jahren in Australien hatte sie zwar gut Englisch gelernt, aber dafür ihr Deutsch verlernt.

**ver-** + Nomen: mit etwas versehen:

- Der Restaurator vergoldete den Rahmen des Gemäldes. *(= mit Gold versehen)*
- Die Firma verglast die Fenster neu. *(= mit Glas versehen)*

**ver-** + Nomen: Bedeutung des Nomens als Tätigkeit:

- Er ist gleich am ersten Tag beim Skifahren verunglückt. *(= ein Unglück haben)*
- Die Hexe verfluchte ihre Gegner. *(= einen Fluch aussprechen)*

**ver-** + Adjektiv: Zustandsveränderung:

- Die Proteste gegen die Studienreform sind mittlerweile verstummt. *(= stumm werden)*
- Der ganze Vorgang kann durch Maschinen wesentlich vereinfacht werden. *(= einfacher machen)*

**miss-** + Verb: Gegenteil der ursprünglichen Bedeutung:

- Die ersten Versuche glückten dem Forscher, aber dann missglückte ihm ein wichtiges Experiment.
- Der Chef vertraute dem neuen Kollegen sehr, seine Kollegin hingegen misstraute ihm.

**zer-** + Verb: etwas kaputt machen, in Stücke teilen:

- Die Hunde haben die Schuhe total zerbissen. *(= in kleine Stücke beißen)*
- Für Bananenquark muss man die Bananen zuerst zerdrücken.

Darüber hinaus sind noch **emp-** und **ge-** untrennbare Vorsilben. Im Unterschied zu den obigen tragen diese Vorsilben jedoch keine Bedeutung. Zudem lassen sie sich nicht aus dem zugehörigen Verb erklären oder sind teilweise mit dem Verb so zusammengewachsen, dass dieses nicht mehr alleine existiert:

- gehören *(lässt sich nicht aus „hören" erklären)*
- gewinnen *(es gibt kein Verb „winnen")*
- empfinden *(lässt sich nicht aus „finden" erklären)*
- empfehlen *(lässt sich nicht aus „fehlen" erklären)*

## 3.7 Wortbildung: trennbare und untrennbare Vorsilben (durch-, um-, ...)

Einige Vorsilben (durch-, über-, um-, unter-, voll-, wider-, wieder-) können trennbar oder untrennbar sein. Die trennbaren Verben haben eher eine konkrete, die untrennbaren eher eine abstrakte Bedeutung. Trennbare Vorsilben werden betont, bei untrennbaren wird der Verbstamm betont.

| trennbare Verben | untrennbare Verben |
|---|---|
| • Er bohrt durch die Schrankwand durch. | • Sie durchbohrt ihn mit wütendem Blick. |
| • Sie setzt mit der Fähre zur Insel über. | • Teresa übersetzt ein Buch ins Spanische. |
| • Die neuen Besitzer bauen das Haus völlig um. | • Die Wiese ist mit Häusern umbaut. |
| • Schlag jetzt bitte das Eigelb unter. | • Ich glaube, der Kassenwart unterschlägt Geld. |
| • Tank bitte noch das Auto voll. | • Das Urteil wurde vollzogen. |
| • Das spiegelt wider, wie schlecht hier gearbeitet wurde. | • Der Textaufbau widerspricht der inneren Logik. |
| • Leider sahen wir uns nie wieder. | • Wiederholen Sie das bitte noch einmal. |

**durch-**

**Immer trennbar** sind z. B. durchfallen, durchführen, durchhalten, durchkommen, durchkriechen, durchmachen, durchrosten, durchsehen

→ Wörtliche Bedeutung: im Sinne von „durch"

- Der Leiter führte das Projekt auf seine individuelle Art durch.
- Nun habe ich den Text schon zum vierten Mal durchgesehen, und immer noch sind Fehler drin. *(„ge-" im Partizip II zwischen Vorsilbe und Verb)*

**Nie trennbar** sind z. B. durchdenken, durchleben, durchlöchern

→ Wörtliche Bedeutung: im Sinne von „durch"/„ganz hindurch"

- Er durchdachte das ganze Problem noch einmal genau.
- Der ganze Plan war gut durchdacht. *(kein „ge-" im Partizip II)*

Einige Verben können **sowohl trennbar als auch untrennbar** sein, z. B. durchbrechen, durchdringen, durchfahren, durchlaufen, durchreisen, durchschauen

→ Bedeutung bei den trennbaren: wörtlich im Sinne von „durch"

→ Bedeutung bei den untrennbaren: zum Teil figurativ; transitive Verben

- Der Junge brach das Spielzeug mit viel Kraft durch.
- Die Soldaten durchbrachen den Schutzwall des Feindes. *(= eher figurative Bedeutung)*

**Achtung:** Wenn das Verb transitiv ist, wird das Perfekt mit „haben" gebildet. Ein intransitives Verb der Bewegung wird (wie immer) mit „sein" gebildet:

- Er hat während seiner Ferien das ganze Land durchfahren.
- Er ist auf dem Weg nach Frankreich durch Deutschland durchgefahren.

## über-

**Immer trennbar** sind z. B. überhängen, überkippen, überkochen

→ Wörtliche Bedeutung: im Sinne von „über"

- Die Suppe kochte nach einigen Minuten über und beschmutzte den ganzen Herd.

Eine große Anzahl von Verben sind **nie trennbar**, z. B. überarbeiten, überfordern, überdenken, überprüfen, übertreiben

→ Bedeutung: eher figurativ

- Am Abend überarbeitete er den ganzen Bericht noch einmal.
- Als er von seinen Abenteuern erzählte, hat er mal wieder stark übertrieben.

Viele Verben können **sowohl trennbar als auch untrennbar** sein, z. B. übergehen, überhören, überlaufen, überlegen, übersehen, übersetzen, übertreten, überziehen

→ Bedeutung bei den trennbaren: wörtlich im Sinne von „über"

→ Bedeutung bei den untrennbaren: meist figurativ

- Pass auf, die Badewanne läuft gleich über.
- Der Arzt ist sehr gut, daher ist eine Praxis völlig überlaufen.
- Es ist sehr kalt. Zieh dir was Warmes über!
- Wegen einer großen Autoreparatur hat Familie Schmidt ihr Konto überzogen.

## um-

**Immer trennbar** sind z. B. sich umblicken, umbringen, umdrehen, umfallen, umschalten, umsteigen

→ Bedeutung: Richtungswechsel, Zustandsveränderung

- Der Besucher blickte sich hilfesuchend auf dem Bahnhof um.
- Der Dichter hat sich wegen einer sehr unglücklichen Liebe umgebracht.

**Nie trennbar** sind z. B. umarmen, umgeben, umringen, umsegeln, umzingeln

→ Wörtliche Bedeutung: im Sinne von „um herum"

- Er umarmte seine Freundin jedes Mal, wenn er sie traf.
- John hat schon zweimal die ganze Welt umsegelt.

Viele Verben können **sowohl trennbar als auch untrennbar** sein, z. B. umbauen, umfahren, umfassen, umgehen, umreißen, umschreiben, umstellen

→ Bedeutung bei den trennbaren: Richtungswechsel oder Zustandsveränderung

→ Bedeutung bei den untrennbaren: im Sinne von „um herum"

- Der Bus hat beim Verlassen der Landstraße einen Fußgänger umgefahren.
- Wegen der Bauarbeiten in der Schillerstraße werden die Autofahrer gebeten, dieses Gebiet weiträumig zu umfahren.
- Am Abend schrieb der Schriftsteller den ganzen Text wieder um. *(= neu schreiben)*
- Der Schriftsteller umschrieb den abstrakten Begriff mit einem Bild. *(= anders ausdrücken)*

## unter-

Viele Verben sind **immer trennbar**, z. B. unterbringen, untergehen, unterkommen
→ Wörtliche und bildliche Bedeutung: im Sinne von „unter"
- Die Titanic ging innerhalb weniger Stunden unter.
- Bis er eine eigene Wohnung fand, kam er bei einem Freund unter.

**Nie trennbar** sind z. B. unterbieten, unterschätzen, unterschreiten
→ Bedeutung: im Sinne von „nicht genug"
- Er unterschätzte die Entfernung bis zur nächsten Stadt gewaltig.
- Der Autofahrer hat aus Vorsicht die Mindestgeschwindigkeit um einiges unterschritten.

Ebenfalls **untrennbar** sind z. B. unterdrücken, unterschreiben, unterstützen
→ Bedeutung: im Sinne von „unter"
- Der Diktator unterdrückte jegliche Kritik.
- Bitte unterschreiben Sie auf der gestrichelten Linie.

Andere untrennbare sind z. B. unterbleiben, unterbrechen, unterlassen, unterrichten, untersagen, untersuchen
→ Bedeutung: figurativ, nicht mehr die ursprüngliche Bedeutung von „unter"
- Unterbrechen Sie mich bitte nicht ständig!
- Die Blutwerte wurden mehrmals untersucht, zum Glück wurde nichts gefunden.

Viele Verben können **sowohl trennbar als auch untrennbar** sein, z. B. unterbinden, untergraben, unterhalten, unterlegen, unterschieben, unterschlagen, unterstellen, unterziehen
→ Bedeutung bei den trennbaren: im Sinne von „unter"
→ Bedeutung bei den untrennbaren: meist figurativ
- Der Gärtner hat den Dünger untergegraben.
- Die Angestellte hat die Autorität ihres Chefs untergraben.
- Viele Monate lang stellte er sein Auto in ihrer Garage unter.
- Der Richter unterstellte dem Zeugen, seine Aussage verfälscht zu haben.

## voll-

Viele Verben sind **immer trennbar**, z. B. vollstopfen, vollschreiben, volltanken
→ Wörtliche Bedeutung: im Sinne von „voll"
- Bevor sie auf die Wanderung gingen, stopften sie ihre Rucksäcke mit Vorräten voll.
- Hast du schon das ganze Heft vollgeschrieben oder hast du noch ein paar Seiten frei?

**Nie trennbar** sind z. B. vollbringen, vollenden, vollführen, vollstrecken, vollziehen
→ Bedeutung: im Sinne von „zu Ende führen, durchführen, schaffen", meist formaler Stil:
- Mozart hat sein letztes Werk nie vollendet.
- Das Todesurteil wurde wegen wiederholter Einsprüche noch nicht vollstreckt.

## wider-

Nur zwei Verben sind **trennbar**: widerhallen, widerspiegeln
→ Wörtliche Bedeutung: im Sinne von „zurück"
- Das Fenster spiegelte die ganze Landschaft wider.

**Nie trennbar** sind z. B. widerlegen, widersprechen, widerstehen
→ Bedeutung: im Sinne von „gegen"
- Er widerlegte ihre Theorie in allen Punkten.
- Sie hat allen seinen Argumenten vehement widersprochen.

Normalerweise **trennbar**, z. B. wiederkommen, wiedersehen

→ Bedeutung: im Sinne von „noch einmal"

- Gleich nach dem Krieg wanderte er aus und ist nie wiedergekommen.
- Nach diesem konfliktreichen Gespräch sahen sie sich nie wieder.

Nur ein Verb ist **nicht trennbar**: wiederholen

→ Bedeutung: im Sinne von „noch einmal":

- Können Sie die Telefonnummer bitte wiederholen?

# 4 Nominale Gruppen

## 4.1 Das Genitivattribut

Der Genitiv tritt oft als Attribut zu einem Nomen auf, insbesondere in formellen Texten, wenn Nominalstil gewünscht.

Genitivattribute können auf verschiedene Weise gebildet werden:

Bildung mit **einem bestimmten Artikel**:

- Man bündelt die Ideen des Netzwerkes. → Bündelung der Ideen des Netzwerkes

Bildung mit **einem unbestimmten Artikel**:

- Ein kompetenter Referent wird gesucht. → die Suche eines kompetenten Referenten

Bildung mit **Adjektiv bei Nullartikel**:

- Weltweite Verbindungen werden geschaffen. → Schaffung weltweiter Verbindungen

Ersatzform **„von" + Nullartikel**:

- Geld wird verschwendet. → die Verschwendung von Geld
- Geschäftsbeziehungen werden gefördert. → Förderung von Geschäftsbeziehungen

Anschluss des Agens mit **„durch"**, wenn der Anschluss mit „von" missverständlich ist:

- Eine Datenbank wird von Mitgliedern aufgebaut. → Aufbau einer Datenbank durch Mitglieder

Der Bezug des Genitivattributs zum Nomen kann sein:

- **aktivisch:** Die Nutzer engagieren sich. → Engagement der Nutzer
- **passivisch:** Die Nutzer werden informiert. → Information der Nutzer

In der Umgangssprache wird statt des Genitivs oft **„von" + Dativ** verwendet, besonders bei Besitz:

- das Haus meines Vaters → das Haus von meinem Vater

## 4.2 Wortbildung: Nomen aus Verben (die Beschreibung, der Läufer, …)

| Bildung des Nomens | Verb | Nomen |
|---|---|---|
| feminin, Endung „-ung"<br>drückt meist ein Geschehen aus | • beschreiben<br>• fördern<br>• verbinden | • die Beschreibung, -en<br>• die Förderung, -en<br>• die Verbindung, -en |
| feminin, Endung „-e"<br>drückt eine (meist andauernde) Handlung aus | • pflegen<br>• reisen<br>• suchen | • die Pflege<br>• die Reise, -n<br>• die Suche |
| maskulin, ohne Endung, Änderung des Vokals möglich<br>drückt eine Handlung oder ihr Ergebnis aus | • austauschen<br>• schreiten<br>• zugreifen | • der Austausch, -e<br>• der Schritt, -e<br>• der Zugriff, -e |

| Bildung des Nomens | Verb | Nomen |
| --- | --- | --- |
| maskulin, Endung „-er" oder „-e"<br>bezeichnet den Handelnden | • laufen<br>• teilnehmen<br>• erben | • der Läufer, -<br>• der Teilnehmer, -<br>• der Erbe, -n |
| maskulin, Endung „-er"<br>bezeichnet Geräte | • bohren<br>• kochen<br>• wecken | • der Bohrer, -<br>• der Kocher, -<br>• der Wecker, - |
| Artikel „das" + Infinitiv<br>drückt meist eine Handlung aus | • lernen<br>• reiten<br>• vertrauen | • das Lernen<br>• das Reiten<br>• das Vertrauen |
| neutral, „Ge…e"<br>drückt aus, dass einen die Handlung stört | • kreischen<br>• laufen<br>• tun | • das Gekreische<br>• das Gelaufe<br>• das Getue |
| Vorsilbe „Ge-" und / oder Endung „-nis", oft mit Änderung des Vokals, bezeichnet ein Ergebnis | • sprechen<br>• riechen<br>• ergeben<br>• gestehen | • das Gespräch, -e<br>• der Geruch, ¨e<br>• das Ergebnis, -se<br>• das Geständnis, -se |

## 4.3 Wortbildung: Nomen aus Adjektiven und Partizipien (der Deutsche, das Gute, der Angestellte, …)

Man kann Adjektive und Partizipien als Nomen verwenden. Sie behalten auch als Nomen ihre Adjektivendungen:

| M | N | F |
| --- | --- | --- |
| der Angestellte – ein Angestellter | das Beste – mein Bestes | die Bekannte – eine Bekannte |

- **Personen:** der / die Deutsche, der / die Arbeitslose, der / die Jugendliche; *aber auch: der Beamte / die Beamtin*
- **Abstrakte Konzepte:** das Gute, das Schöne, das Neueste, das Beste; Alles Gute!
- **Partizip I:** der / die Studierende, der / die Reisende, der / die Anwesende
- **Partizip II:** der / die Angestellte, der / die Vorgesetzte, der / die Behinderte, der / die Bekannte
- **Nach „viel", „wenig", „etwas", „nichts"** trägt das nominalisierte Adjektiv die Signalendung des Neutrums: etwas Besonderes, nichts Neues, mit viel Bekanntem, mit wenig Aufregendem

## 4.4 Wortbildung: Nomen aus Adjektiven (die Länge, die Gründlichkeit, …)

| Bildung des Nomens | Adjektiv | Nomen |
| --- | --- | --- |
| einsilbige Adjektive:<br>häufig mit Suffix „-e", „-heit" oder seltener „-igkeit", feminin | • lang<br>• gleich<br>• klein | • die Länge, -n<br>• die Gleichheit<br>• die Kleinigkeit, -en |
| besonders bei Adjektiven mit den Endungen „-bar", „-ig", „-lich", „-sam":<br>in der Regel mit Suffix „-keit", feminin | • haltbar<br>• fähig<br>• gründlich<br>• langsam | • die Haltbarkeit<br>• die Fähigkeit, -en<br>• die Gründlichkeit<br>• die Langsamkeit |
| Adjektive mit Endung „-haft" und „-los":<br>mit Suffix „-igkeit", feminin | • glaubhaft<br>• arbeitslos | • die Glaubhaftigkeit<br>• die Arbeitslosigkeit |

| Bildung des Nomens | Adjektiv | Nomen |
|---|---|---|
| mehrsilbige Adjektive, deren letzte Silbe betont ist:<br>häufig mit Suffix „-heit", feminin | • gesund<br>• vertraut | • die Gesundheit<br>• die Vertrautheit |
| Adjektive mit Endung „-en" oder „-ern" (unbetont):<br>mit Suffix „-heit", feminin | • trocken<br>• schüchtern | • die Trockenheit<br>• die Schüchternheit |
| Adjektive zur Charakterbeschreibung mit Endung „-bewusst":<br>Suffix mit „-sein", neutral | • selbstbewusst<br>• pflichtbewusst | • das Selbstbewusstsein<br>• das Pflichtbewusstsein |
| internationale Adjektive mit der Endung „-iziert":<br>meist mit Suffix „-(a)tion", feminin | • kompliziert<br>• modifiziert | • die Komplikation, -en<br>• die Modifikation, -en |
| internationale Adjektive mit den Endungen „-ant" und „-ent":<br>immer mit Suffix „-anz" bzw. „-enz", feminin | • tolerant<br>• frequent | • die Toleranz<br>• die Frequenz, -en |
| internationale Adjektive, besonders mit den Endungen „-al",<br>„-el", „-ell", „-isch" und „-iv":<br>häufig mit Suffix „-ität", feminin | • normal<br>• flexibel<br>• originell<br>• authentisch<br>• kreativ<br>• human<br>• komplex | • die Normalität<br>• die Flexibilität<br>• die Originalität<br>• die Authentizität<br>• die Kreativität<br>• die Humanität<br>• die Komplexität |
| internationale Adjektive mit der Endung „-isch", die eine<br>Gruppenzuordnung beschreiben:<br>mit Suffix „-(iz)ismus", maskulin | • klassisch<br>• katholisch<br>• sozialistisch | • der Klassizismus<br>• der Katholizismus<br>• der Sozialismus |

## 4.5 Wortbildung: Das Genus von internationalen Nomen

Das Genus vieler internationaler Nomen hängt von deren Endung ab, z. B.:

| der | das | die |
|---|---|---|
| -and: der Doktorand | -ett: das Kabinett | -(a)tion: die Qualifikation |
| -ant: der Demonstrant | -il: das Ventil | -ion: die Präzision |
| -ent: der Absolvent | -ing: das Marketing | -anz: die Toleranz |
| -et: der Athlet | -ment: das Management | -enz: die Kompetenz |
| -er: der Rekorder | -o: das Tempo | -ie: die Strategie |
| -eur: der Masseur | -um: das Publikum | -ik: die Technik |
| -iker: der Techniker | | -ität: die Sensibilität |
| -ismus: der Organismus | | -ur: die Kultur, **aber** das Futur |
| -ist: der Artist | | |
| -or: der Professor | | |
| -us: der Zyklus, **aber** das Virus | | |

Es gibt jedoch auch viele Endungen, die nicht eindeutig einem Genus zuzuordnen sind. Der Artikel bei der Endung „-e" beispielsweise kann sowohl maskulin, neutral als auch feminin sein, z. B. der Experte, das Interesse, die Branche.

In diesen Fällen geschieht die Zuweisung des Artikels meist analog zu dem entsprechenden Wort im Deutschen oder dem Herkunftswort:

- die Branche (la branche) und wie andere deutsche Wörter auf „-e": „die Blume", „die Bühne" *(fast 90 % aller Nomen auf „-e" sind feminin)*
- der Experte: wie „der Erbe", „der Schütze" *(= männliche Person)*
- das Interesse: wie „das Image", „das Prestige", „das Regime"

Neuere technische internationale Wörter (vor allem aus dem Englischen), die ins Deutsche aufgenommen werden, erhalten meist den Artikel des entsprechenden Wortes im Deutschen:

- der Job ← der Beruf
- der Lift ← der Aufzug

- das Internet ← das Netz
- das Handy ← das Mobiltelefon

- die Gang ← die Bande
- die Box ← die Büchse

Einsilbige Wörter, die keine Entsprechung im Deutschen haben, sind häufig maskulin: z. B. der Hit, der Look, der Chip.

# 5 Adjektive

## 5.1 Absoluter Komparativ (eine preiswertere Wohnung)

Der absolute Komparativ vor Nomen kann in Sätzen **ohne expliziten Vergleich** verwendet werden:

- Zum Glück gibt es in Berlin noch hier und da preiswerteren Wohnraum.

Er nimmt Bezug auf eine **Gewohnheitsnorm**: Um eine Wohnung als „preiswerter" zu bezeichnen, muss man eine Vorstellung davon haben, was normalerweise in diesem Kontext „preiswert" bzw. „teuer" bedeutet.

Er kann eine **vermindernde oder verstärkende Bedeutung** haben: Eine „preiswertere Wohnung" ist nicht preiswerter als eine preiswerte Wohnung, sondern preiswerter als die üblichen Preise, und eine „größere Wohnung" ist nicht sehr groß, sondern nur ziemlich groß.

Er wird auch zur **Relativierung** verwendet **bzw. um sich nicht eindeutig auszudrücken**, so klingt z. B. „eine ältere Frau" höflicher als „eine alte Frau".

Er wird verwendet, um – oft in ironischen Bemerkungen – **auf das Gegenteil zu verweisen**:

- Das war eine seiner größeren Heldentaten. (= *Seine Tat war nicht besonders heldenhaft.*)

Bei Ausdrücken, in denen der absolute Komparativ im übertragenen Sinn bzw. ironisch benutzt wird, wird immer das Nomen betont:

- Das Gehalt von Max ist gerade mal ein besseres Trinkgeld. (= *Das Gehalt von Max ist sehr niedrig.*)

## 5.2 Wortbildung: Adjektive aus Adverbien (heute → heutig)

Aus vielen Temporaladverbien und einigen Lokaladverbien kann man Adjektive mit der Endung „-ig" bilden. Diese helfen, Sachverhalte kürzer oder auch stilistisch gehobener auszudrücken, wie z. B.:

| | Adverb | Adjektiv |
|---|---|---|
| **temporal** | heute:<br>• Ich kann an der Besprechung, die heute stattfinden soll, nicht teilnehmen. | heutig:<br>• Ich kann an der heutigen Besprechung nicht teilnehmen. |
| | mehrmals:<br>• Die Jury hat den Sänger mehrmals abgelehnt. | mehrmalig:<br>• Nach mehrmaliger Ablehnung durch die Jury … |
| | ehemals:<br>• Der ASA-Alumni-Bereich richtet sich an Personen, die ehemals Teilnehmer von ASA waren. | ehemalig:<br>• Der ASA-Alumni-Bereich richtet sich an ehemalige ASA-Teilnehmer. |
| **lokal** | hier:<br>• Wie Funde bezeugen, war die Gegend hier keltisches und römisches Gebiet. | hiesig:<br>• Wie Funde bezeugen, war die hiesige Gegend keltisches und römisches Gebiet. |
| | dort:<br>• Maisanbau ist im Norden Kanadas wegen des Klimas, das dort herrscht, nicht möglich. | dortig:<br>• Maisanbau ist im Norden Kanadas aufgrund des dortigen Klimas nicht möglich. |

## 5.3 Wortbildung: Adjektivkomposition (neumodisch, deckenhoch, ...)

Adjektivkomposita können aus verschiedenen Wortarten zusammengesetzt werden:

| Adjektiv + Adjektiv | Adjektiv + Partizip | Nomen + Adjektiv | Nomen + Partizip | Verb(stamm) + Adjektiv |
|---|---|---|---|---|
| verschiedenfarbig neumodisch | mattglänzend hochgelobt | rauchfrei deckenhoch funktionstüchtig | platzsparend existenzgefährdet | fahrtüchtig reißfest |

Bei der Verbindung von Nomen und Adjektiv wird häufig ein **Fugenelement** eingeschoben.

Nomen, die im Singular auf unbetontes „-e" enden bzw. den Plural mit „-en" bilden, erhalten häufig das Fugenelement **„-(e)n"**:

- deckenhoch, firmenintern

Nach den Endungen „-heit, -keit, -ling, -(t)ion, -sal, -schaft, -tät, -tum, -ung" folgt immer das Fugenelement **„-s"**:

- abwechslungsreich, gesellschaftsfähig

Die Beziehung zwischen Adjektiv und Nomen kann auf verschiedene Weise paraphrasiert werden:

| zusammengesetztes Adjektiv | Elemente | Paraphrase |
|---|---|---|
| bewegungsarm | die Bewegung + arm | = arm an Bewegung (= hat wenig Bewegung) |
| verkaufsfertig | der Verkauf + fertig | = fertig zum Verkauf |
| hilfsbedürftig | die Hilfe + bedürftig | = bedürftig der Hilfe (= bedarf der Hilfe) |
| hilfsbereit | die Hilfe + bereit | = bereit zur Hilfe |
| handlungsfähig | die Handlung + fähig | = fähig zur Handlung / zu handeln |
| realitätsfern | die Realität + fern | = fern der Realität |
| schadstofffrei | der Schadstoff + frei | = frei von Schadstoffen |
| preisgünstig | der Preis + günstig | = zu einem günstigen Preis |
| luftleer | die Luft + leer | = leer mit Bezug auf Luft (= ohne Luft) |
| gewohnheitsmäßig | die Gewohnheit + mäßig | = gemäß der Gewohnheit |
| hundemüde | der Hund + müde | = so müde wie ein Hund (= sehr müde) |
| blutrot | das Blut + rot | = so rot wie Blut |

# 6 Präpositionen

## 6.1 Präpositionen mit Dativ (entsprechend, zufolge, …) B2 8.1

Folgende Präpositionen mit lokaler oder temporaler Bedeutung werden sehr häufig (auch mündlich) gebraucht:
**ab, aus, außer, bei, gegenüber, mit, nach, seit, von, zu:**

- Er wohnt jetzt in Bayern, aber er kommt aus dem Ruhrgebiet.
- Hans wohnt immer noch bei seinen Eltern, obwohl er schon 28 ist.
- Sie parkt ihren Wagen immer gegenüber dem Eingang. (*oder:* dem Eingang gegenüber)
- Gehst du heute auch zum Geburtstagsfest von Inge?

Weniger häufig und zum Teil eher in offiziellen schriftlichen oder wissenschaftlichen Texten zu finden sind:

| Präposition | Bedeutung | Beispiel |
|---|---|---|
| aus | aufgrund von | • Ich weiß das aus langer Erfahrung. |
| bei | im Falle, dass; falls | • Bei Überschreitung dieser Frist droht Ihnen eine Strafe. |
| binnen | im Zeitraum von | • Alle Materialien müssen binnen einem Monat zurückgegeben werden. (*auch mit Genitiv:* binnen eines Monats) |
| dank | wegen (*mit positiver Bedeutung*) | • Dank seinem Auslandsaufenthalt hat er die Stelle bekommen. (*auch mit Genitiv:* Dank seines Auslandsaufenthalts) |
| entgegen | im Gegensatz zu | • Entgegen allen Erwartungen hat er die Stelle bekommen. (*auch nachgestellt:* Allen Erwartungen entgegen) |
| entsprechend | in Übereinstimmung mit | • Er hat alles unseren Wünschen entsprechend in die Wege geleitet. (*auch vorangestellt:* entsprechend unseren Wünschen) |
| innerhalb | im Zeitraum von | • Alle Materialien müssen innerhalb einem Monat zurückgegeben werden. (*häufiger mit Genitiv:* innerhalb eines Monats) |
| fern | weit weg von | • Sie ließen sich fern der Heimat nieder. (*umgangssprachlich:* fern von der Heimat) |
| gegenüber | in Bezug auf | • Sein Verhalten seinen Vorgesetzten gegenüber war sehr unhöflich. (*auch vorangestellt:* gegenüber seinen Vorgesetzten) |
| gemäß | in Übereinstimmung mit | • Er hat alles unseren Wünschen gemäß in die Wege geleitet. (*auch vorangestellt:* gemäß unseren Wünschen) |
| laut | wie … sagt / sagen | • Laut dem Rektor der Universität sollen die Studiengebühren erhöht werden. |
| mitsamt | zusammen mit | • Er wanderte mitsamt seiner ganzen Familie nach Neuseeland aus. |
| nahe | in kurzer Entfernung von | • Sie schlugen ihre Zelte nahe dem Wald auf. |
| nebst | zusätzlich zu | • Er lernte die Regeln nebst allen Ausnahmen auswendig. |
| zu | Zweck, Absicht | • Zur Vermeidung eines Rechtsstreits ging er zum Mediator. |
| zufolge | in Übereinstimmung mit | • Dem Mietvertrag zufolge muss der Vermieter seinen Eigenbedarf nachweisen. (*nachgestellt*) |
| zuliebe | zu jemandes Gunsten, für | • Er hat alles seiner Frau zuliebe getan. (*nachgestellt*) |
| zuwider | gegen | • Bei dem Kauf des Hauses handelte er den Wünschen seiner Frau zuwider. (*nachgestellt*) |

„außer" und „bis" können mit anderen Präpositionen verbunden werden, z. B. außer bei Regen, bis zum Ende.

## 6.2 Präpositionen mit Genitiv (angesichts, zwecks, . . .) `B2 8.1`

Einige Präpositionen mit Genitiv werden häufig gebraucht: **statt**, **trotz**, **während**, **wegen**.
In der Umgangssprache werden sie oft mit Dativ verwendet:

- Trotz dem Regen haben wir den Ausflug wie geplant gemacht.

Einige Genitivpräpositionen drücken eine lokale Beziehung aus:
**außerhalb, innerhalb, oberhalb, unterhalb, diesseits, jenseits, beiderseits, abseits, unweit.**
Diese Präpositionen werden oft mit **„von" + Dativ** verwendet:

- Die Schneelawine kam oberhalb des Bergrestaurants zum Stillstand.
  - → Die Schneelawine kam oberhalb von dem Bergrestaurant zum Stillstand.

Folgende Präpositionen mit Genitiv findet man vor allem in offiziellen schriftlichen oder wissenschaftlichen Texten:

| Präposition | Bedeutung | Beispiel |
| --- | --- | --- |
| angesichts | in Anbetracht (von) | • Angesichts der Internationalisierung der Wirtschaft ist „Globalisierung" der passende Begriff. |
| anhand | unter Berücksichtigung (von), auf der Basis (von) | • Ich möchte das anhand einiger Beispiele zeigen. |
| anlässlich | bei der Gelegenheit | • Anlässlich seines Firmenjubiläums lud er die Kollegen zu einer Feier ein. |
| anstelle | statt | • Anstelle eines Ingenieurs nahm man einen Techniker. |
| aufgrund | wegen | • Aufgrund der niedrigen Transportkosten nimmt die Warenmobilität zu. |
| bezüglich | mit Bezug auf | • Bezüglich Ihrer Anfrage müssen wir Ihnen leider mitteilen, dass … |
| binnen | im Zeitraum von | • Die Hilfe kam binnen kürzester Zeit. |
| dank | wegen (mit positiver Bedeutung) | • Dank des Engagements von Ehrenamtlichen spart der Staat viel Geld. |
| eingedenk | in Erinnerung an | • Eingedenk des letzten Streiks will die Firma sich dieses Mal schnell mit der Gewerkschaft einigen. |
| hinsichtlich | was … betrifft, im Hinblick auf | • Hinsichtlich Ihrer Anfrage kann ich Ihnen bestätigen, dass … |
| infolge | in der Folge (von) | • Infolge der neuen Steuergesetze werden kinderreiche Familien stärker begünstigt. |
| inmitten | in der Mitte (von) | • Inmitten moderner Hochhäuser steht ein kleines Fachwerkhaus. |
| innerhalb | temporal: im Zeitraum von | • Begleichen Sie bitte die beiliegende Rechnung innerhalb einer Woche. |
| laut | wie … sagt / sagen | • Laut der Parkordnung ist es untersagt, im Park zu grillen. |
| mangels | in Ermangelung (von) | • Mangels finanzieller Hilfe musste man das Projekt einstellen. |
| mithilfe | mit Unterstützung (von) | • Mithilfe neuer energieeffizienterer Maschinen möchte das Unternehmen Kosten einsparen. |
| mittels | mit Unterstützung (von) | • Die Organisation finanziert sich mittels privater Spenden. |
| um … willen | wegen | • Um des lieben Friedens willen gab er in dem Streit nach. |
| ungeachtet | trotz | • Alle können ungeachtet ihrer Nationalität Mitglied werden. |
| zugunsten | zu seinem / ihrem Vorteil, für | • Es handelt sich um eine Sammlung zugunsten der Erdbebenopfer. |
| zwecks | zum Zwecke (von) | • Zwecks besserer Organisation erstellte er einen Arbeitsplan. |

# 7 Artikelwörter und Pronomen

## 7.1 Indefinitartikel (alle, jeder, mancher, …) B2 5.1, 7.1 ▷

Indefinitartikel sind Artikelwörter, d.h., sie stehen immer vor einem Nomen. Sie werden verwendet, wenn man das entsprechende Nomen nicht genau identifizieren will oder kann:

- Manche technischen Geräte sind aufgrund der Vielfalt an Funktionen sehr bedienerunfreundlich. *(Es wird nicht gesagt, welche und wie viele Geräte das sind.)*

Einige dieser Indefinitartikel folgen der Deklination des bestimmten Artikels, andere der Deklination des unbestimmten Artikels.

**Indefinitartikel mit Deklination des bestimmten Artikels**

Bildung: immer mit Signalendung (r, s, e, n, m)
z. B. jeder, mancher; alle *(Pl.)*, irgendwelche *(Pl.)*, manche *(Pl.)*:

|  | M | N | F | Pl |
|---|---|---|---|---|
| **Nom.** | mancher Mann | manches Haus | manche Frau | manche Leute |
| **Akk.** | manchen Mann | manches Haus | manche Frau | manche Leute |
| **Dat.** | manchem Mann | manchem Haus | mancher Frau | manchen Leuten |
| **Gen.** | manches Mannes | manches Hauses | mancher Frau | mancher Leute |

Die Adjektivdeklination nach diesen Indefinitartikeln ist wie nach dem bestimmten Artikel:

|  | M | N | F |
|---|---|---|---|
| **Nom.** | mancher reiche Mann | manches alte Haus | manche mutige Frau |
| **Akk.** | manchen reichen Mann | manches alte Haus | manche mutige Frau |
| **Dat.** | manchem reichen Mann | manchem alten Haus | mancher mutigen Frau |
| **Gen.** | manches reichen Mannes | manches alten Hauses | mancher mutigen Frau |

|  | Pl |
|---|---|
| **Nom.** | manche / irgendwelche / alle interessanten Leute* |
| **Akk.** | manche / irgendwelche / alle interessanten Leute* |
| **Dat.** | manchen / irgendwelchen / allen interessanten Leuten* |
| **Gen.** | mancher / irgendwelcher / aller interessanten Leute* |

*Im Plural können die Adjektive nach „manch-" und „irgendwelch-" auch wie nach dem Nullartikel dekliniert werden:

- Als Reporterin trifft sie immer wieder irgendwelche interessante Leute.
- Er liest die Biographien mancher interessanter Leute.

**Indefinitartikel mit Deklination des unbestimmten Artikels**

z.B. kein-, manch ein-, irgendein-; wenige (Pl.), einige (Pl.), mehrere (Pl.), etliche (Pl.), viele (Pl.):

| | M | N | F | Pl |
|---|---|---|---|---|
| Nom. | irgendein Mann | irgendein Haus | irgendeine Frau | mehrere Leute |
| Akk. | irgendeinen Mann | irgendein Haus | irgendeine Frau | mehrere Leute |
| Dat. | irgendeinem Mann | irgendeinem Haus | irgendeiner Frau | mehreren Leuten |
| Gen. | irgendeines Mannes | irgendeines Hauses | irgendeiner Frau | mehrerer Leute |

Die Adjektivdeklination nach **„kein-"**, **„manch ein-"** und **„irgendein-"** ist im Singular wie nach dem unbestimmten Artikel:

| | M | N | F |
|---|---|---|---|
| Nom. | irgendein reicher Mann | irgendein altes Haus | irgendeine mutige Frau |
| Akk. | irgendeinen reichen Mann | irgendein altes Haus | irgendeine mutige Frau |
| Dat. | irgendeinem reichen Mann | irgendeinem alten Haus | irgendeiner mutigen Frau |
| Gen. | irgendeines reichen Mannes | irgendeines alten Hauses | irgendeiner mutigen Frau |

Nach **„kein-"** im Plural ist die Adjektivdeklination wie nach dem bestimmten Artikel:

| | Pl |
|---|---|
| Nom. | keine netten Leute |
| Akk. | keine netten Leute |
| Dat. | keinen netten Leuten |
| Gen. | keiner netten Leute |

Die Adjektivdeklination nach den „Plural"-Indefinitartikeln **„wenige"**, **„einige"**, **„mehrere"**, **„etliche"** und **„viele"** ist wie nach dem Nullartikel:

| | Pl |
|---|---|
| Nom. | wenige / einige / mehrere / etliche / viele interessante Leute |
| Akk. | wenige / einige / mehrere / etliche / viele interessante Leute |
| Dat. | wenigen / einigen / mehreren / etlichen / vielen interessanten Leuten |
| Gen. | weniger / einiger / mehrerer / etlicher / vieler interessanter Leute |

Nach der Kurzform **„manch"** ist die Adjektivdeklination wie nach dem Nullartikel, d.h. immer mit Signalendung (r, s, e, n, m), außer im Genitiv Singular Maskulinum und Neutrum:

| | M | N | F | Pl |
|---|---|---|---|---|
| Nom. | manch reicher Mann | manch altes Haus | manch mutige Frau | manch kluge Leute |
| Akk. | manch reichen Mann | manch altes Haus | manch mutige Frau | manch kluge Leute |
| Dat. | manch reichem Mann | manch altem Haus | manch mutiger Frau | manch klugen Leuten |
| Gen. | manch reichen Mannes | manch alten Hauses | manch mutiger Frau | manch kluger Leute |

## 7.2 Indefinitartikel als Pronomen (jeder, manch einer / mancher, ...) 2.4, B2 7.2

Wenn „kein-", „irgendein-", „mancher", „manch ein-", „jeder"; „wenige", „einige", „mehrere", „etliche", „viele", „alle", „irgendwelche" als Pronomen verwendet werden, werden sie wie der bestimmte Artikel dekliniert, d. h., sie erhalten die Signalendungen (r, s, e, n, m):

|  | M | N | F |
|---|---|---|---|
| **Nom.** | mancher / manch einer | manches / manch ein(e)s | manche / manch eine |
| **Akk.** | manchen / manch einen | manches / manch ein(e)s | manche / manch eine |
| **Dat.** | manchem / manch einem | manchem / manch einem | mancher / manch einer |
| **Gen.** | manches / manch eines | manches / manch eines | mancher / manch einer |

|  | Pl |
|---|---|
| **Nom.** | manche / alle |
| **Akk.** | manche / alle |
| **Dat.** | manchen / allen |
| **Gen.** | mancher / aller |

- Viele Verbraucher sind verunsichert. Irgendeiner wird sich bestimmt beschweren.
- Manche Spielerinnen waren bereit, auch persönliche Fragen zu beantworten, manchen war dies unangenehm. Manche / Manch eine brach deshalb frühzeitig das Spiel ab, worüber sich mancher / manch einer ärgerte.

## 7.3 Demonstrativartikel und -pronomen (solch-, solch ein-, ein- solch-, ...)

**Demonstrativartikel (solch-, solch ein-, ein- solch-, derartig-, ein- derartig-)** 2.4

Diese Demonstrativartikel werden vor allem in formellen Texten verwendet. Sie können dort den Demonstrativartikel „dies-" ersetzen, wenn die Sache oder Person, auf die hingewiesen wird, vorher genauer beschrieben wurde:
- Fehler in der Fahrzeugelektronik kommen sehr häufig vor. Diese / Solche Defekte sind nicht selten die Ursache von Autopannen.

Die Formen von „**solch-**" im Ausdruck „**ein- solch-**" werden wie ein Adjektiv nach dem unbestimmten Artikel dekliniert:
- Viele Firmen arbeiten an einem Computer, der sprechen kann. Ein solcher sprechender Computer wird bestimmt ein Verkaufsschlager.

„**solch-**" wird wie der bestimmte Artikel dekliniert. Das folgende Adjektiv kann wie nach dem Nullartikel oder (insbesondere im Plural) wie nach dem bestimmten Artikel dekliniert werden:
- „... und dann müssen Sie Stern und 3 drücken und dabei ..." – „Entschuldigung, aber solches technisches / solches technische Detailwissen interessiert mich nicht."
- „... und dann müssen Sie Stern und 3 drücken und dabei ..." – „Entschuldigung, aber solche technische / solche technischen Details interessieren mich nicht."

Bei der Variante „**solch ein-**" hat „solch" keine Endung. Im Plural werden Adjektive, die nach „**solch**" folgen, wie nach dem Nullartikel dekliniert. Diese Form wird fast ausschließlich in der gehobenen Schriftsprache verwendet:
- Man hat Kühlschränke entwickelt, die per SMS auffordern einzukaufen. Solch ein moderner Kühlschrank könnte die Verbraucher eher enervieren. Solch innovative Geräte beruhen vermutlich auf einer falschen Einschätzung der Käufer durch die Hersteller.

Als Alternative zu „solch-" wird oft das Adjektiv „**derartig-**" verwendet:
- Er fuhr mit einer derartigen Geschwindigkeit / mit derartiger Geschwindigkeit, dass er den Wagen auf dem Glatteis nicht mehr kontrollieren konnte.

Diese Demonstrativpronomen beziehen sich auf Personen oder Sachen, die vorher schon erwähnt wurden. In derselben Bedeutung wird häufig auch „so ein-" verwendet:

- Das Auto wird mit Brennstoffzellen betrieben. Ein solches / Solch eins / So eins habe ich noch nie gesehen.
- Diese Stifte gefallen mir. Ich möchte auch solche haben.

Das einem Nomen nachgestellte **„als solch-"** in der Bedeutung von „die Sache an sich" wird wie ein Adjektiv nach dem Nullartikel dekliniert:

- Mich interessiert der Fall als solcher. *(= der Fall an sich)*

## 7.4  Das Pronomen „es"

„es" kann sich als Personalpronomen auf ein neutrales Nomen beziehen, das schon im Text erwähnt wurde:

- Das Haus hat uns gut gefallen. Es hat auch nicht so viel gekostet, wie wir befürchtet hatten.

**Darüber hinaus hat das Pronomen „es" auch noch andere syntaktische Funktionen:**

### 1. Platzhalter im Satz für ein im gleichen Satz später genanntes Subjekt:

Das Wichtige im Satz (hier das Subjekt) soll weiter nach hinten in den Satz verschoben und auf diese Weise hervorgehoben werden. Der Platzhalter „es" steht auf Position 1. Damit ist das Subjekt in diesen Sätzen doppelt vorhanden. Die Verwendung von „es" ist fakultativ, „es" fällt weg, wenn Position 1 besetzt ist. Das Verb richtet sich nicht nach dem Platzhalter, sondern nach dem „eigentlichen" Subjekt:

- Es hängt ein Bild an der Wand. → Ein Bild hängt an der Wand.
- Es kamen viele Gäste. → Viele Gäste kamen.

Das Korrelat „es" steht besonders häufig bei Verben ohne Ergänzung (z. B. sein, kommen, gehen):

- Es waren Hirten auf dem Felde.

### 2. Korrelat für einen Nebensatz, z. B. einen „dass-Satz":

Das Korrelat „es" kann sich auf einen Nebensatz, z. B. einen „dass-Satz", beziehen, oft nach unpersönlichen Ausdrücken:

- Es macht mich sehr traurig, dass du so unzufrieden bist.
- Es gefällt mir, dass du immer das Frühstück machst.
- Es ist noch nicht klar, wer das Projekt übernehmen wird.

Das Korrelat „es" ist fakultativ und kann wegfallen, wenn Position 1 besetzt ist. Wenn der Nebensatz auf Position 1 steht, fällt „es" auf jeden Fall weg:

- Mich macht (es) sehr traurig, dass du so unzufrieden bist.
- Mir gefällt (es), dass du immer das Frühstück machst.
- Noch nicht klar ist (es), wer das Projekt übernehmen wird.
- Dass du so unzufrieden bist, macht mich sehr traurig.
- Dass du immer das Frühstück machst, gefällt mir.
- Wer das Projekt übernehmen wird, ist noch nicht klar.

### 3. Korrelat für einen Infinitivsatz:

Das Korrelat „es" ist fakultativ und kann wegfallen, wenn Position 1 besetzt ist. Wenn der Infinitivsatz auf Position 1 steht, fällt „es" auf jeden Fall weg:

- Es war das Ziel, die Beschreibung allgemeinverständlich zu verfassen.
  - → Das Ziel war (es), die Beschreibung allgemeinverständlich zu verfassen.
  - → Die Beschreibung allgemeinverständlich zu verfassen, war das Ziel.

### 4. Formales Subjekt bei unpersönlichen Verben / Ausdrücken oder bei unpersönlicher Verwendung von „sein", „bleiben" und „werden":

Die Verwendung von „es" ist obligatorisch. Wenn Position 1 besetzt ist, darf „es" trotzdem nicht wegfallen:

- Es fehlt an genaueren Informationen. → An genaueren Informationen fehlt es.
- Es riecht gut hier. → Hier riecht es gut.
- Es bleibt kalt. → Kalt bleibt es.

**5. Formales Subjekt bei Witterungsverben:**

Bei Witterungsverben ist die Verwendung von „es" obligatorisch.

- Es blitzte und donnerte letzte Nacht. → Letzte Nacht blitzte und donnerte es.

**6. In subjektlosen Passivsätzen:**

Die Verwendung von „es" ist fakultativ, „es" fällt weg, wenn Position 1 besetzt ist.

- Es wurde auf dem Fest viel gelacht. → Auf dem Fest wurde viel gelacht.

# 8 Modalpartikeln B2 9

Modalpartikeln sind ein Phänomen der mündlichen Kommunikation. Es sind kurze Wörter, mit denen Sprecher ihre (oft emotionale) Einstellung ausdrücken. Manche Modalpartikeln können je nach Kontext verschiedene Bedeutungen haben.

**Zum Vergleich:**

Funktion von „aber" als Konjunktion:

- Sie möchte ins Kino, aber er will lieber zu Hause bleiben. *(Gegensatz)*

und von „aber" als Modalpartikel in einem Ausruf:

- Das ist aber schwer! *(Kommunikative Bedeutung: Überraschung über eine Tatsache)*

Modalpartikeln stehen fast immer im Mittelfeld, sehr oft direkt nach dem Verb. Sie sind meist unbetont (außer z.B. „eigentlich", wenn es auf Position 1 steht, oder die Modalpartikeln „bloß"/„nur").

| Modalpartikel | Beispiel | Bedeutung |
|---|---|---|
| aber | • Du bist aber dünn geworden! | Überraschung, in Ausrufen |
| | • Mach das aber noch heute! | intensive Aufforderung |
| auch | • Hast du auch nichts vergessen? | Bitte um Bestätigung, in Ja-/Nein-Fragen |
| | • Wie konnte er das auch vergessen? | negative Einstellung, in W-Fragen |
| | • Er gab die Hoffnung auf. Was sollte er auch machen? | negativ-rhetorisch, in W-Fragen |
| aber auch | • Du bist aber auch kritisch. | starkes Erstaunen, in Aussagen |
| bloß | • Wenn ich bloß/nur wieder gesund wäre! | intensiver Wunsch |
| | • Was hast du dir bloß/nur dabei gedacht? | starkes Erstaunen, Ratlosigkeit, in W-Fragen |
| | • Hör bloß/nur auf damit! | Drohung |
| denn | • Wie geht es dir denn heute? | Interesse, Freundlichkeit, in W-Fragen und Ja-/Nein-Fragen |
| | • Hast du denn keine Uhr? | Ungläubigkeit, in Ja-/Nein-Fragen |
| doch | • Das habe ich dir doch schon gesagt. | Erinnerung an Tatsache, in Aussagen |
| | • Erklären Sie das doch bitte! | intensive Aufforderung |
| | • Kommen Sie doch morgen vorbei! | freundliche, ermutigende Aufforderung |
| | • Wer war das doch (gleich)? | Bitte um Wiederholung einer Information, in W-Fragen |
| eben | • Teenager sind eben/halt so. | Resignation, in Aussagen |
| eh | • Er hat eh/sowieso/ohnehin nie Zeit. | trifft unabhängig von Situation zu, in Aussagen („ohnehin" ist formaler als „eh"/„sowieso") |

| Modalpartikel | Beispiel | Bedeutung |
|---|---|---|
| eigentlich | • Du, was ist Peter eigentlich von Beruf? | beiläufige Nachfrage; oft nach neuem Aspekt, in W-Fragen und Ja-/Nein-Fragen |
| | • Eigentlich ist Susanne sehr zuverlässig. / Susanne ist eigentlich sehr zuverlässig. | stimmt normalerweise, aber nicht hier, in Aussagen |
| einfach | • Ich habe einfach keine Lust mehr. | Verstärkung, in Aussagen |
| | • Mach es einfach noch einmal, es klappt sicher. | ermutigende Aufforderung |
| erst | • Wenn ich erst wieder gesund wäre! | intensiver Wunsch |
| etwa | • Hast du das etwa allein gemacht? | Überraschung, in Ja-/Nein-Fragen |
| | • Hast du das etwa vergessen? | Unzufriedenheit, in Ja-/Nein-Fragen, erwartet negative Antwort |
| gleich | • Wie ist ihre Adresse gleich noch? | etwas fällt einem gerade nicht ein, in W-Fragen |
| halt | *vergleiche „eben"* | |
| ja | • Da bist du ja schon! | Überraschung, in Ausrufen |
| | • Er kommt ja immer zu spät. | bekannte Tatsache, in Aussagen |
| | • Ich komm ja schon! | Ungeduld, in Ausrufen |
| mal | • Räum mal dein Zimmer auf! | freundliche, abgeschwächte Aufforderung |
| | • Kannst du mir mal helfen? | freundliche, abgeschwächte Aufforderung in Form einer W-Frage oder Ja-/Nein-Fragen |
| nun mal | • Du hast nun mal dein Zimmer nicht aufgeräumt, daher gibt es auch keinen Nachtisch. | unabänderliche Tatsache, in Aussagen |
| nur | *vergleiche „bloß"* | |
| ohnehin | *vergleiche „eh"* | |
| ruhig | • Schlaf ruhig weiter. | Beruhigung, in Aussagen |
| schon | • Du wirst schon sehen, wohin das führt. | Drohung, in Aussagen |
| | • Erzähl schon! | ungeduldige Aufforderung |
| sowieso | *vergleiche „eh"* | |
| überhaupt | • Da sieht man es wieder. Klaus hat überhaupt keine Ahnung. | generelle Gültigkeit, in Aussagen |
| | • Was macht Anke überhaupt in Paris? | lenkt eine Frage beiläufig auf etw. Grundsätzliches |
| übrigens | • Ich kann morgen übrigens nicht kommen. / Übrigens, ich kann morgen nicht kommen. / Weißt du übrigens, dass ich nicht komme? | zusätzliche (Neben-)Bemerkung, deren Inhalt der Sprecher als unbekannt voraussetzt, in Aussagen, W-Fragen und Ja-/Nein-Fragen |
| vielleicht | • Das war vielleicht schön! | Verstärkung, in Ausrufen |
| | • Du siehst vielleicht schlecht aus! | Erstaunen, in Ausrufen |
| wohl | • Wer hat das wohl getan? | Vermutung, Unsicherheit, in W-Fragen und Ja-/Nein-Fragen |
| | • Er kommt wohl um 8.00 Uhr. | Vermutung, in Aussagen |

Oft werden Modalpartikeln auch kombiniert, z. B. Kommen Sie doch morgen ruhig mal vorbei. *(freundliche Aufforderung).*

# 9 Doppelte Verneinung

Die doppelte Verneinung ist ein besonderes Stilmittel zur Bejahung bzw. zum indirekten Ausdruck eines Sachverhalts. Sie wird oft gebraucht, um eine Situation besonders zu betonen oder auch zu relativieren:

• Sie sind kein schlechtes Team.

  → Sie sind wirklich ein gutes Team.

• Er führt sein Geschäft nicht ohne Erfolg.

  → Er führt sein Geschäft mit relativ großem Erfolg.

# Arbeitsbuchteil – Lösungen

## Lektion 1 – 1A  Netzwerke

**2 a** 2. s • 3. s • 4. n • 5. n • 6. s • 7. s • 8. n • 9. s • 10. s
**2 b** A: 2 • 9 • 10 B: 2 • 6 • 8 • 10 C: 1 • 7 • 10 D: 2 • 4 • E: 3 • 5 • 7

## 1B  Netzwerken, was bringt das?

**1 a/b  A. „-ung":** 2. fördern • die Förderung, -en 3. (s.) entwickeln • die Entwicklung, -en 4. gewähren • die Gewährung, -en (Pl. selten) • 5. auffrischen • die Auffrischung, -en 6. verbessern • die Verbesserung, -en 7. bereitstellen • die Bereitstellung, -en 8. fortbilden • die Fortbildung, -en 9. schärfen • die Schärfung, -en (Pl. selten) 10. umsetzen • die Umsetzung, -en **B. „das" + Infinitiv:** 1. lernen • das Lernen 2. zusammenleben • das Zusammenleben 3. vertrauen • das Vertrauen **C. Vorsilbe „Ge-" und / oder Endung „-nis":** 1. ergeben • das Ergebnis, -se 2. sprechen • das Gespräch, -e **D. Partizip I / II:** 1. studieren • der / die Studierende, -n 2. anbieten • das Angebot, -e 3. besprechen • das Besprochene **E. ohne Endung:** 1. (s.) austauschen • der Austausch, -e 2 zugreifen • der Zugriff, -e 3. gehen • der Gang, ̈-e 4. kontaktieren • der Kontakt, -e 5. ausbauen • der Ausbau, -ten 6. finden • der Fund, -e **F. Endung „-er" oder „-e" (Handelnde):** 1. teilnehmen • der Teilnehmer, - 2. tragen • der Träger, - 3. erben • der Erbe, -n **G. Endung „-er" (Geräte):** 1. bohren • der Bohrer, - 2. Wasser kochen • der Wasserkocher, - **H. Endungen „-ion" und „-(a)tion":** 1. diskutieren • die Diskussion, -en 2. kommunizieren • die Kommunikation, -en (Pl. selten) 3. organisieren • die Organisation, -en 4. publizieren • die Publikation, -en **I. Endung „-e" (Handlung):** 1. pflegen • die Pflege, -n 2. suchen • die Suche

**2** 2. gleichberechtigt • 3. Zusammenarbeit • 4. Studienaufenthalt • 5. Bereitstellung • 6. multidisziplinär • 7. internetbasiert • 8. Geschäftsbeziehungen • 9. Entscheidungsträger

**3** 2. klären, was Netzwerken eigentlich heißt und umfasst • 3. Studium der Germanistik und Politikwissenschaft, Praktika und befristete Tätigkeiten, erfolglose Bewerbungen • 4. Eine Hand wäscht die andere. • 5. zu simpel und mechanisch • 6. gute Ausarbeitung des Profils notwendig • nicht mechanisch, sondern sehr praktisch, modern und effizient • 7. alter Betrieb aus Altersgründen geschlossen • 8. über Alumni-Forum neuen Arbeitgeber (alter Kontakt) gefunden • 9. hat alte und neue Arbeitsstelle über ein soziales Netzwerk gefunden • 10. Beziehungspflege

**4 a** 2. Unterbrechungen eines Redeturns • 3. abwehren • 4. als Nachfrage formulierte Wörter und Ausdrücke • 5. eine Übergangsphase • 6. eine Pause • 7. Konkurrenzkampf um das Rederecht • 8. ordnende Autorität

**4 b** 1. n • 2. j • 3. n • 4. j • 5. n • 6. n • 7. j • 8. n • 9. j • 10. j

**4 c  vergewissernde Nachfrage:** 4, 7 • **Rederecht verlangen:** 1, 8 • **Rederecht vergeben:** 2, 5, 9, 10 • **Turn / Rederecht behaupten:** 3, 6

**5 a** 1. S • 2. A • 3. A • 4. S

**5 b** 2b • 2a ist missverständlich, weil man denken könnte, dass EVs-Netzwerke gebündelt werden. • 3b • 3a ist missverständlich, weil man denken könnte, dass eine Datenbank aus Mitgliedern aufgebaut wird.

**5 c  Regel 1:** 1. bestimmter Artikel: Sätze 4 (aus 5a) und 2a / b (aus 5b) • unbestimmter Artikel: Sätze 3 (aus 5a) und 3a / b (aus 5b) • Genitivform eines Adjektivs: Sätze: 1 (aus 5a: „weltweiter Verbindungen") und 2 (aus 5a) • Ersatzform „von" + Nullartikel: Sätze 1 (aus 5a: „von Menschen") und 1a/b (aus 5b) • **Regel 2:** 1b, 2b, 3b (aus 5b)

**5 d** 1. p • 2. a • 3. a • 4. p • 5. a • 6. p

**5 e** 1. a • 2. b • 3. b • 4. a • 5. b

**6 a** 1. Plattform und Drehscheibe für Kommunikation und Kooperation in Alumni-Arbeit für Alumni-Organisationen, Hochschulen und deren Tätigkeiten • 2. über 250 Hochschulen und Alumni-Organisationen • 3. Aufgaben: Unterstützung der Alumni-Organisationen • Informations- und Erfahrungsaustausch • Hilfestellung bei Alumni-Projekten, -Initiativen und beim Aufbau von Alumni-Netzwerken • Hilfeleistung bei Forschung, Studien und Öffentlichkeitsarbeit im Alumni-Bereich • Beteiligung an wissenschaftlichen Arbeiten und Forschungen zur Alumni-Thematik • Durchführung von eigenen Analysen und Studien • Veröffentlichung von Arbeiten zum Thema „Strategien und Management für die Alumni-Arbeit"

**6 b  Aktivitäten:** zu unterstützen • zusammen geführt werden • **Aufgaben:** Wir ermöglichen, dass Informationen und Erfahrungen zwischen den Alumni-Organisationen und Hochschulen ausgetauscht werden können. • Wir helfen bei neuen Alumni-Projekten sowie -Initiativen und bauen Alumni-Netzwerke aus. • Außerdem leisten wir Hilfe bei Forschung, Studien und der Öffentlichkeitsarbeit im Alumni-Bereich. Des Weiteren beteiligen wir uns an wissenschaftlichen Arbeiten und Forschungen zur Alumni-Thematik. • Zudem führen wir eigene Analysen und Studien durch. • Abschließend zählt zu unseren Aufgaben, dass wir Arbeiten zum Thema „Strategien und Management für die Alumni-Arbeit" veröffentlichen.

## 1C  Netzwelten

**1** 2. im Rahmen einer Studie über Videospiele • 3. über 30-Jährige • 4. sozialer Zwang, der dazu antreibt, immer weiter zu spielen • 5. virtuelle Gemeinschaft • 6. beherrscht virtuelle Gemeinschaft nach und nach ihr ganzes Denken und Fühlen • 7. Bedeutungsverlust der realen Welt • 8. dass man den Tagesablauf total dem Spielen unterordnet, Lernen und Schlafen, ja sogar manchmal das Essen vergisst

**2 a** B. 2 • C. 3 • D. 4 • E. 3 • F. 2 • G. 1 • H. 4 • I. 3 • J. 5 • K. 3 oder 4 • L. 5 • M. 5

**2 b** Pro- und Contra-Kommentar

**2 c** Er behauptet dort, dass … seien und dass …handelten. (Redewiedergabe und Konj. I für indirekte Rede) • Dieser Äußerung muss widersprochen werden (Passiv) • … und dies wird ja auch heute allerseits anerkannt (Passiv) • Dies wurde … belegt. (Passiv) • Hirnforscher führen zudem an, Computer seien positiv …, weil sie … förderten und … unterstützten, sofern … bearbeitet würden. (kausaler und konditionaler Nebensatz / Konj. I/II für indirekte Rede) • Im Gegensatz dazu behauptet …, das Surfen im Netz bringe, … sei Lernen. (Redewiedergabe und Konj. I für indirekte Rede) • Angeblich ersetzten … (wertendes Adverb, Konj. I) • … ist zu lösen (Passiversatzform) • Außerdem ist … zu bedenken, dass … (Passiversatzform)

**2 d** Er behauptet dort, dass … • Dieser Äußerung muss widersprochen werden. • Am kritikwürdigsten erscheint mir zunächst, dass … • Gegen seine Meinung sprechen insbesondere folgende Gründe: … • … führen zudem an, dass … • Im Gegensatz dazu … • Gegen diese Ansicht sprechen nicht nur …, sondern auch … • Auch das Problem, dass … • Das Allerwichtigste scheint mir zu sein, dass … • Außerdem ist m. E. besonders zu bedenken, dass … • Mein persönliches Fazit lautet: …

**2 e  Standpunkte darstellen und begründen:** Meine Ansicht dazu ist folgende: … • Meine Bewertung / Mein (persönliches) Fazit sieht wie folgt aus: … • Ich beurteile … positiv / negativ, (insbesondere) weil … • Für / Gegen sprechen insbesondere folgende Gründe: … • Ich vertrete da einen dezidierten Standpunkt, denn … • Meines Erachtens sollte man besonders bedenken, dass … • Dafür / Dagegen spricht vor allem, dass … • Angeblich ist …, aber … • **Hauptpunkte hervorheben:** Das Allerwichtigste ist … • Das überzeugendste Argument ist, dass … • Das Hauptargument ist … • Am stichhaltigsten finde ich: … • Besonders wichtig dabei ist, dass …

## 1D  Gemeinsam allein?

**1 a** 2. allein • 3. Angst • 4. telefonieren • 5. wünscht • 6. Beziehungen • 7. Kritik • 8. gleichzeitig • 9. konzentrieren • 10. Anfang • 11. Nutzung / Modifikation

**1 b** 1. berechtigt • 2. stimme • zu • 3. überzeugen • 4. Ansicht / Auffassung • 5. Erachtens • unrecht • 6. Auffassung / Ansicht • 7. andererseits • 8. Argument • 9. Bedenkt • 10. Einwand • 11. Erfahrungen • 12. gemacht • 13. entspricht

## 1E Wenn der Schwarm finanziert …

**1** 1. f • 2. r • 3. f • 4. r • 5. r • 6. f

**2 a** 2. Anwesenden • 3. Originellste • 4. Gekommenen • 5. Interessantes • Passendes • 6. Homogenes • Heterogenes

**2 b** 1. Partizipien • a. Personen • b. Interessantes • Passendes • 2. -endungen • nichts • etwas

**2 c** 2. die Zufälligkeit • der Zufall • 3. die Flüssigkeit • 4. die Neuheit • die Neuigkeit • 5. die Schwäche • 6. die Schönheit • der / die Schöne • 7. die Kleinigkeit • der / die Kleine • 8. die Klugheit • 9. die Gesundheit • 10. die Schüchternheit • 11. die Offenheit • 12. die Trockenheit • 13. die Hilflosigkeit • 14. die Hoffnungslosigkeit • 15. die Ernsthaftigkeit • 16. die Schwatzhaftigkeit • außerdem lassen sich von Adjektiven abstrakte Begriffe mit dem Artikel „das" bilden, z. B. das Neue, das Schöne

**2 d** 1. zufällig • der Zufall• 2. -heit • Neuigkeit • 3. -heit • Trockenheit • Schüchternheit • 4. -igkeit • 5. -e • der • die • das

## 1F Für immer im Netz

**1** 2. Roman • 3. Episoden • 4. Poetikdozenturen • 5. Preisen • 6. Essays • 7. Rezensionen • 8. Bühnenautor • 9. Schriftsteller

## Aussprache

**1 a** Pausen in Satz 5a: „Kann ich mit dem Mann sprechen, | der behauptet, | Ralf Tanner zu sein?" • Pausen in Satz 3b: „Der Chef ist längst zu Hause, | wenn Sie bitte gehen würden." • Pausen in Satz 6b: „Der Mann, | der behauptet, Ralf Tanner zu sein, | sind Sie."

**1 b Melodie steigt an nach Satz:** 5a • 6a • **Melodie fällt ab nach Satz:** 1a • 1b • 2a • 2b • 3a • 3b • 4a • 4b • 5b • 6b • **Melodie bleibt gleich bei Pausen in den Sätzen:** 3b • 5a • 6b

**1 c 1. Aussagesatz, Satz:** 2a • 2b • 3a • 3b • 4a • 4b • 5b • 6b • Melodie fällt ab • **2. W-Frage, Satz:** 1b • Melodie fällt ab • **3. Ja / Nein-Frage, Satz:** 5a • Melodie steigt an • **4. Nachfrage, Satz:** 6a • Melodie steigt an

## Lektion 2 – 2A Generationen

**1** 1. b • 2. a • 3. b • 4. b • 5. a • 6. b • 7. b • 8. a • 9. b • 10. a

**2 a** mehr Erfahrung • besserer Umgang mit Problemen • unkompliziertere Einreise- und Visumsbestimmungen • unterliegen nicht den strengen Regeln und Schutzkriterien für jugendliche Au-pairs • preiswerter

**2 b** die Sprachfamilie • der Sprachkurs • die Spracherfahrung • die Gastfamilie • die Kinderbetreuung • die Lebenserfahrung • die Sehenswürdigkeit • die Sehhilfe • die Hausaufgabenhilfe • die Hausaufgabenbetreuung

**2 c** *Mögliche Lösung:* Maria, eine kinderliebe 50-Jährige mit spanischer Muttersprache, suchte die Möglichkeit noch einmal ein neues Land kennenzulernen. Vor allem die deutsche Sprache und Kultur interessierten sie sehr. Daher wollte sie gern als Au-pair in einer deutschsprachigen Familie arbeiten, um nebenher auch noch einen Sprachkurs zu besuchen. Mit all der Lebenserfahrung, die sie in den Jahren sammeln konnte, war sie für die Familie, bei der sie eine Stelle als Au-pair fand, mehr als eine Hausaufgabenhilfe für die Kinder. Auch wenn sie manchmal eine Sehhilfe brauchte, so bereicherte sie die Eltern und Kinder mit ihren Kenntnissen der romanischen Sprachfamilie und auch dem Wissen, das sie zu vielen Sehenswürdigkeiten besaß, zu denen sie führen.

## 2B Jugendliche heute

**1** 2. der Exzess • 3. zerrütten • 4. die Brut • 5. die Tendenz • 6. der Pragmatismus

**2 a** *Mögliche Lösung:* Moderator nimmt seine Rolle recht gut wahr. Er hält sich auf angemessene Weise zurück und unterbricht die Gesprächsteilnehmenden nur ab und zu. Er vergibt oft das Rederecht, lässt aber auch Unterbrechungen zu. So bleibt die Talkshow lebhaft und der Austausch zwischen den Gesprächsteilnehmern wird nicht unterbrochen.

**2 b** 2. j • Alex unterbricht Lisa • 3. j • Lisa unterbricht Alex • 4. n • Moderator übergibt Herrn Dirschel das Wort • 5. j • Frau Büren unterbricht Herrn Dirschel • 6. n • Moderator übergibt Frau Warig das Wort • 7. n • Frau Büren lässt Frau Warig aussprechen und Frau Warig lässt Frau Büren aussprechen • 8. n • Moderator übergibt Herrn Dirschel das Wort • 9. n • Moderator übergibt Lisa und Alex das Wort

**2 c** *Mögliche Lösung:* Frau Büren unterbricht die anderen Talkshow-Teilnehmer recht häufig. Hier könnte der Moderator ab und zu eingreifen, die Unterbrechung abwehren und das Wort an den jeweiligen Talkshow-Teilnehmer zurückgeben. Im Gegenzug könnte er Frau Büren an passender Stelle das Rederecht erteilen und sie so gezielt in die Diskussion einbinden.

**3 a** 2. D • 3. H • 4. G • 5. B • 6. I • 7. F • 8. E • 9. A

**3 b** *Mögliche Lösungen:* 2. Die Jugendlichen machen was sie wollen – ohne Rücksicht auf Verluste. • 3. Die Eltern scheinen oft hinter dem Mond zu leben und gar nicht mitzubekommen, was die Kinder alles machen. • 4. Die Pubertät führt meist aber nicht zu solchen Konflikten, wie landläufig dargestellt. • 5. In der Ausbildung muss man die Zähne zusammenbeißen. • 6. Man muss lernen, an einer Sache dran zu bleiben. • 7. Man muss weiter in den Ausbildungsbetrieb kommen, auch wenn einem alles stinkt. • 8. Fleiß und Leistung stehen bei den Jugendlichen wieder hoch im Kurs. • 9. Die Jugendlichen möchten nicht, dass die Erwachsenen mit dem Finger auf sie zeigen.

**4** 1. b • 2. a • 3. b • 4. b • 5. a • 6. b • 7. b • 8. a

**5 b** *Mögliche Lösung:* Konflikte zwischen Jugendlichen und Älteren hat es immer gegeben und wird es auch in Zukunft weiterhin geben. Dies ist also ein Thema, mit dem wir uns auseinandersetzen müssen. Außerdem betrifft es uns alle und dies sowohl aus der Perspektive des Jugendlichen als auch später aus Sicht der älteren Person. Um tief gehende Konflikte zu vermeiden, erscheint es mir besonders wichtig, offen und ehrlich über bestehende Probleme zu kommunizieren. Dabei ist es – das möchte ich besonders betonen – von entscheidender Bedeutung, sich selbst die involvierten Gefühle und Fakten, die zu dem Problem geführt haben, gut und umfassend zu erklären, denn die andere Person kann unsere Gedanken nicht lesen. Ebenfalls wichtig ist, dass die Personen versuchen, sich ineinander hineinzuversetzen und den Standpunkt des Gegenübers nachzuvollziehen. Dies möchte ich wie folgt verdeutlichen: Wenn Kindern ihren Eltern z. B. erzählen, warum sie deren Verhalten nicht gerecht finden, ist es unerlässlich, dass die Eltern versuchen, den Standpunkt des Kindes zu verstehen, und sich daran erinnern, wie es ihnen früher selbst ging, und den Einwand ihres Sprösslings nicht von Vornherein als „pubertär" oder unberechtigt abtun. Aber auch die Kinder müssen ihren Eltern gegenüber Verständnis zeigen. Abschließend lässt sich sagen, dass ein respektvoller und der Situation angemessener Umgang miteinander wesentlich dazu beiträgt, dass es zu weniger Konflikten zwischen Jung und Alt kommt.

**6 b** 1. adaptiv • 2. hedonistisch • 3. pragmatisch • 4. konservativ • 5. sozioökologisch • 6. materialistisch • 7. experimentell • 8. prekär • 9. expeditiv

## 2C Demografischer Wandel

**1 Vergleich:** Vergleicht man die Entwicklung im Zeitraum …, so erkennt man, dass … • Im Vergleich dazu sieht die Entwicklung in meinem Heimatland folgendermaßen aus: … • **Beschreibung der Entwicklung:** Betrachtet man die Entwicklung in …, dann … • Die Entwicklung von … bis … macht deutlich, dass … • **Gründe:** Ein Grund hierfür ist … • Ursachen dieser Entwicklung sind … • **Folgen:** Diese Entwicklung wird möglicherweise dazu führen, dass … • Die / Eine Konsequenz wird sein, dass … • … wird zu … führen • **Argumente / Beispiele:** Als Beleg lässt sich anführen, dass … • Dafür spricht, dass … • Hierfür lassen sich folgende Beispiele anführen / nennen: …

**2** ↑: die Zunahme • die Verdopplung • die Verdreifachung • das Wachstum • die Ausweitung • die Vergrößerung • →: die Änderung • die Veränderung • die Stagnation • ↓: das Sinken • die Abnahme • der Rückgang • die Halbierung • der Abfall • die Verminderung • die Schrumpfung • die Verringerung • die Verkleinerung • **keine gebräuchlichen Nomen für:** größer werden • nicht ändern • nicht verändern • gleich bleiben • unverändert bleiben • kleiner werden

**3 a** 2. abnehmen • 3. prognostiziert • 4. innerhalb von • 5. Prognosen • Annahmen • 6. ansteigen • 7. voraussichtlich

**3 b** *Mögliche Lösungen:* 2. seit 1950 deutlicher Rückgang des Anteils junger Menschen unter 20 • 3. bis 2060 stetige Verringerung dieses Anteils auf 16 % • 4. starke Abnahme der Geburtenhäufigkeit • 5. in diesem Jahr geringer Anstieg der Geburtenzahl • 6. bis 2060 gleichmäßige Schrumpfung der Bevölkerung auf ca. 70 Millionen • 7. enormer Anstieg der Lebenserwartung • 8. drastische Vergrößerung der Gruppe der über 80-Jährigen • 9. weiterhin leichte Veränderung der Bevölkerungspyramide nach 2060

**4** 2. Die Menschen werden von gigantischen Computersystemen überwacht werden. • 3. Man wird rund um die Uhr beobachtet werden. • 4. Wasser wird ein Luxusgut sein. • 5. Man wird kein Obst essen können. • 6. Viele werden in unterirdischen Arbeitslagern eingesperrt sein. • 7. Wir werden nur noch lesen dürfen, was Computer verfassen. • 8. Eigene Texte werden nicht mehr frei im Web verbreitet werden können.

**5 a** *Mögliche Lösungen:* 2. Man wird mehr Ganztagsschulen eingerichtet haben. • 3. Man wird die Umweltzerstörung nicht gestoppt haben. • 4. In der Zukunft werden alternative Energiequellen entwickelt worden sein. • 5. Die Gesundheitsversorgung wird nicht verbessert worden sein. • 6. Man wird die Steuern nicht gesenkt haben.

**5 b** 2. Man hat mehr Ganztagsschulen eingerichtet. • 3. Man hat die Umweltzerstörung nicht gestoppt. • 4. In der Zukunft sind alternative Energiequellen entwickelt worden. • 5. Die Gesundheitsversorgung ist nicht verbessert worden. • 6. Man hat die Steuern nicht gesenkt.

**6 a** *Mögliche Lösungen:* 2. Man wird wahrscheinlich auf den Komfort von heute verzichten müssen. • 3. Bis dahin werden sich die Umweltprobleme vermutlich verstärkt haben. • 4. Dann wird das Autofahren höchstwahrscheinlich noch teurer werden. • 5. Wegen des Geburtenrückgangs werden vermutlich in naher Zukunft Schulen schließen müssen. • 6. Bis 2060 werden wahrscheinlich mehr Altersheime gebaut worden sein. • 7. In den nächsten Jahrzehnten werden vermutlich viele neue Ideen entwickelt werden. • 8. Jung und Alt werden wahrscheinlich neue Formen des Zusammenlebens ausprobieren können. • 9. Die meisten aktuellen Probleme werden vermutlich gelöst worden sein, aber neue werden entstehen.

**7** *Mögliche Lösung zu Szenario B:* Die demografische Entwicklung in Deutschland von 1910 bis 2060 lässt sich wie folgt beschreiben: 1910 gab es etwa dreimal so viele junge wie alte Menschen und die breite Masse der Bevölkerung war im erwerbsfähigen Alter. Heute hingegen gibt es schon mehr alte Menschen als junge und 2060 wird es mehr als doppelt so viele ältere wie junge Menschen geben. Besonders auffällig ist, dass die 70- bis 80-Jährigen dann den größten Bevölkerungsanteil ausmachen werden. Als Gründe hierfür können einerseits die sich stetig verbessernde medizinische Versorgung und damit einhergehend die steigende Lebenserwartung genannt werden und andererseits die Tatsache, dass sich immer mehr Menschen dazu entschließen, allein zu leben, Paare sich gegen ein Kind entscheiden oder nur ein Kind bekommen. Dies bedeutet für die Gesellschaft, dass sie sich auf diese Gegebenheiten einlassen und den neuen Anforderungen mit entspre-

chenden Entwicklungen begegnen muss. So muss sich beispielsweise der Wohnungsbau auf die Bedürfnisse älterer Menschen einstellen und der Arbeitsmarkt muss sich darauf einrichten, dass die Arbeitnehmer immer älter und damit weniger belastbar sein werden. Die Situation in meiner Heimat ist ähnlich. Zwar gibt es hier noch mehr junge Menschen als in Deutschland, aber die Entwicklung ist vergleichbar. Dies ist besonders schwierig, weil es bei uns kein so funktionierendes Rentensystem wie in Deutschland gibt, denn bei uns ist es üblich, dass die Kinder ihre Eltern im Alter versorgen. Da es aber immer weniger Kinder gibt, funktioniert dieses Versorgungssystem nicht mehr. Einer der zentralen Aufgaben wird es daher sein, ein Rentensystem einzurichten. Grundsätzlich kann man sagen, dass die demografische Entwicklung die Welt massiv und in noch nicht vorhersehbarer Weise verändern wird, da es sich um eine globale Entwicklung handelt.

## 2 D Immer älter und was dann?

**1** 2. aufgestiegen / geworden • 3. Einwohner • 4. Anfang • 5. Bevölkerung • 6. gerecht • 7. verändern • 8. Berufsleben • 9. Entwicklung • 10. umgestaltet / verändert • 11. Strukturwandel

**2 a** 2. Es ist unerlässlich, in allen Stadtteilen Seniorenzentren einzurichten. • 3. Es wäre natürlich denkbar, Kindertagesstätten in Seniorentagesstätten umzubauen. • 4. Die Anwohner fordern, Geschäfte im Stadtzentrum anzusiedeln. • 5. Es ist günstig, in einer Stadt die Interessen aller Einwohner zu beachten.

**2 b** Akkusativ-

**2 c** 2. Die Bereitstellung weiterer bezahlbarer Pflegeplätze ist heute schon notwendig. • 3. In ländlich geprägten Regionen befürchtet man den Verlust einer großen Anzahl jüngerer Bewohner. • 4. Die Schaffung einer besseren innerstädtischen Infrastruktur für die Mobilität aller Bevölkerungsgruppen ist beabsichtigt. • 5. Viele Senioren planen den Kauf einer altersgerechten Wohnung.

**3** 2. besser • Für die kommenden Jahre erhoffen sie sich eine bessere politische Vertretung. • 3. sie, konkret • Ihre Interessenvertreter fordern ihre konkrete Einbindung in die Zukunftsplanung. • 4. dringend • Viele von ihnen bezweifeln die dringende Notwendigkeit einer neuen Seniorenpartei. • 5. stärker • Die Parteien haben eine stärkere Berücksichtigung des demografischen Wandels zugesagt.

**4 a** 1. Ärger über + A • 2. Bitte um + A • 3. Hilfe bei + D • 4. Hoffnung auf + A • 5. Interesse an + D • 6. Wunsch nach + D • **übrig bleiben:** mit • vor

**4 b** Ärger über den Platzmangel in Hörsälen • Hoffnung auf bessere Chancen auf dem Arbeitsmarkt • Wunsch nach genaueren Informationen über den Arbeitsmarkt • Bitte um mehr Hilfe bei der Studienplanung

**5** 2. davon • Die meisten sind von zahlreichen Veränderungen in unserer Gesellschaft überzeugt. • 3. dazu • Alle sind zur aktiven Mitwirkung an den Umgestaltungsprozessen aufgefordert. • 4. darum • Die Politiker bitten die Bürger um ein stärkeres Engagement für ihre Interessen. • 5. dazu • Viele junge Leute sind schon jetzt zur Diskussion über die künftigen Probleme bereit. • 6. darauf • Die Wirtschaft richtet sich schon heute auf einen Wandel der Gesellschaft ein.

**6 a** 2. Umformulierung möglich: Die Regierung fordert die Unternehmen auf, flexiblere Arbeitszeitmodelle für ältere Mitarbeiter einzuführen. • 3. Umformulierung möglich: Die Regierung fordert zudem, auch flexible Arbeitsortmodelle zu installieren. • 4. Umformulierung nicht möglich • 5. Umformulierung möglich: Die Wirtschaft wünscht sich von der Regierung, passende Verrentungsmodelle zu entwickeln. • 6. Umformulierung möglich: Die Wirtschaft bittet die Regierung, ihre Vorschläge aufzugreifen. • 7. Umformulierung nicht möglich • 8. Umformulierung möglich: Die Mitarbeiter verlangen, ihre Bedürfnisse stärker zu berücksichtigen. • **Regeln:** 2. Sätze: 2, 5 • 3. Satz: 6 • 4. Sätze: 3 • 8

**6 b** 2. Viele Unternehmen planen daher, junge Arbeitskräfte gezielt auszubilden. (Regel 1) • 3. Die Arbeitskräfte fordern, die Vereinbarkeit von Arbeit und Familie sicherzustellen. (Tipp) • 4. Die Gewerkschaften verlangen, die Kinderbetreuung zu verbessern. (Tipp) • 5. Die Arbeitnehmer erwarten von den Gewerkschaften, für ihre Bedürfnisse einzutreten. (Regel 3) • 6. Die Arbeitgeber hoffen, dass es in Zukunft in den Firmen keine Generationskonflikte geben wird. (es trifft keine Regel aus 6a zu, daher nur „dass-Satz" möglich)

### 2E  Neues Miteinander

**1** 2. eine Idee für ein Geschäft / eine Geschäftsgründung • 3. der Drang zu neuen Taten • 4. ein Schatz / Fundus an Erfahrungen • 5. die Kontakte, die man mit Geschäftskunden bzw. von der Arbeit hat • 6. ein Haus, in dem mehrere Generationen gemeinsam leben • 7. der Beginn der Rente • 8. ein Rat / eine Organisation, der / die Flüchtlingen hilft • 9. ein Unterricht, der hilft und fördert • 10. das Angebot an Wohnungen

**2 a** 1. in Sydney / Australien lebt • sie kann jetzt niemanden bekochen / sie kann sich um niemanden mehr kümmern • den Wohnungsschlüssel vergessen • mitgenommen / mit in die Wohnung genommen • Einkaufen anstrengend • 2. seine Familie weit weg wohnt / er so eine Ersatzfamilie hat • sich gegenseitig hilft • 3. in guten Händen ist • bei den Hausaufgaben hilft • die Familie nur ein Einkommen hat • bügelt Helge die Hemden • schreibt Briefe für Valerie • 4. beruflichen • sie viel zu tun haben • 5. man muss sich nicht ständig treffen / es gibt zu viele Aktivitäten • haben sie und ihr Mann mehr Zeit für sich

**2 b** 2. ganz schön <u>fertig</u> sein • 3. ein <u>Häufchen</u> Elend sein • 4. ratz, <u>fatz</u> • 5. in guten <u>Händen</u> sein • 6. ein kleiner <u>Plausch</u> • 7. aus <u>dem Haus</u> sein

**3** 1 Alt • 2. Tiefs • 3. dünn • 4. Klein • 5. Reich • 6. gleich

### 2F  Alt oder jung sein – wie ist das?

**1** 1. F • 2. D • 3. E • 4. C • 5. A • 6. B

**2** 1. Gott • Leben • verdient • 2. Zukünftige • Vergangene • 3. jung • alt • alt • 4. Zukunft • Vergangenheit • 5. alt • lange • erkennen • kurz

### Aussprache

**1 a** 2. Unglück • treffen • 3. gefährlich • Zukunft

**1 c** 1. Gott • Leben • verdient • 2. Zukünftige • Vergangene • 3. jung • alt • alt • 4. Jugend • Zukunft • Alters • Vergangenheit • 5. alt • lange • erkennen • kurz

### Lektion 3 – 3A  Sagen und Meinen

**1 a** 2. Kontext • 3. Beziehung • 4. Erfahrungen • 5. Äußerung • 6. Sender • 7. Empfänger • 8. reden • 9. Zungen • 10. Gesprächs • 11. Botschaften • 12. Aussage • 13. verstehen

**1 b** 1. Sachinformation • 2. Selbstoffenbarung • 3. Beziehungshinweis • 4. Appell

**2 a** 1. b • 2. c • 3. b • 4. a • 5. c • 6. c • 7. b

### 3B  Nur nicht zu direkt …!

**1 a** 1. für den Sportteil, für politische Kommentare und für die Kolumne „Streiflicht", außerdem für Artikel auf Seite Drei • 2. Streiflicht: Kolumne, die seit 1946 täglich auf Seite 1 links oben erscheint und fast immer 72 Zeilen lang ist • Seite Drei: Seite für Hintergrundartikel und Reportagen • 3. ist freiberuflicher Kolumnist und Schriftsteller

**2** *Mögliche Lösungen:* 2. Er: Bring die Christbaumkugel endlich in den Keller. / Würdest du bitte die Christbaumkugel in den Keller bringen? • 3. Sie: Sei bitte so freundlich und häng das Regal auf. / Bitte häng das Regal auf. 4. Er: Kannst du bitte zuerst die Löcher bohren? / Bohr zuerst die Löcher. • 5. Sie: Gieß doch endlich mal die Blumen! / Könntest du bitte die Blumen gießen? • 6. Er: Kauf dafür bitte eine neue Gießkanne. / Du solltest dafür eine neue Gießkanne kaufen.

**3 a** *Mögliche Lösungen:* 2. Ralf: Ich schaff' das allein aber nicht. Kannst du mir dabei helfen? • 3. Mia: Gut, aber sichte vorher schon mal die Akten. • 4. Ralf: Kannst du mich unterstützen und ein zusätzliches Regal beantragen? • 5. Mia: O.k., fang aber schon mal damit an, Akten auszu-

sortieren. • 6. Ralf: Kannst du auch den Kollegen Bescheid geben?

**3 b** 2. u • 3. n • 4. i • 5. u • 6. n • 7. n • 8. s

### 3C  Mit anderen Worten

**1 a** 2. um • 3. über • 4. mit • 5. auf • 6. aus • 7. an • 8. im • 9. auf • 10. auf • 11. In • 12. über • 13. zu • 14. zu • 15. aus • 16. am • 17. mit • 18. vor

**2 a** 2. Passiv: Diese Frage ist auch von Herrn Reinhardt untersucht worden. • 3. Passiv: Im Fernsehen ist über die Untersuchung berichtet worden. • 4. Aktiv: Frauen bevorzugen kürzere Sätze. • 5. Passiv: Rückversichernde Sprachmittel werden mehr von Frauen verwendet. • 6. Aktiv: Männer bevorzugen eher einen sachorientierten Stil.

**2 b** 2. Die Erwähnung der „Veranstalter" ist ist nicht relevant, weil diese Aufgabenverteilung logisch und allgemein bekannt ist. • 3. Die Erwähnung der „Polizei" ist nicht relevant, weil es normalerweise immer die Polizei ist, die etwas absperrt. • 4. Die Erwähnung der „Veranstalter" ist nicht relevant, weil nur diese die Maßnahme in Satz 3 anfordern können. • 5. Die Erwähnung von „allen" ist sinnvoll, weil man sonst annehmen könnte, dass nur von einigen über die Maßnahme diskutiert wurde. • 6. Die Erwähnung der „Aktionsgruppe" ist sinnvoll, weil man sonst nicht weiß, wer protestiert.

**3 a** 1. b • 2. b • Begründung: Die Sätze in b sind im Passiv ohne Agens formuliert, daher klingt die Variante b in beiden Fällen härter.

**3 b** 2. Darüber wurde viel diskutiert. • 3. Es wurde sogar erwogen, das Verbot wieder aufzuheben. • 4. Diesem Vorschlag wurde aber nicht zugestimmt. • 5. Also musste weiter vor der Tür geraucht werden. • 6. Dabei wurde viel geredet.

**3 c** 2. Die Forschungsarbeit wird vorzeitig abgeschlossen werden. • 3. Trotzdem sollen die Ergebnisse erst zum geplanten Termin vorgestellt werden. • 4. Jetzt wird die Präsentation der Ergebnisse vorbereitet. • 5. Gestern wurden die Einladungen verschickt. • 6. Es wurde schon viel geschafft.

**3 d** 2. Jetzt wird Tacheles geredet! • 3. Nun wird Schluss gemacht! • 4. Nachher wird alles aufgeräumt! • 5. Hier wird gefälligst gehorcht! • 6. Dort wird nicht rumgelaufen.

**4** *Mögliche Lösungen:* 1. Es scheint so, dass bestimmte Ausdrucksweisen eher einem weiblichen oder einem männlichen Gesprächsstil zugeordnet werden können. 2. Die Frage ist, ob die Ursachen für dieses Phänomen bisher schon gut geklärt werden konnten. / Es scheint so, dass die Ursachen für dieses Phänomen bisher schon gut geklärt werden konnten. • 3. Die Frage ist, ob nicht trotzdem noch mehr Forschung betrieben werden sollte. / Man hat sich gefragt, warum nicht trotzdem noch mehr Forschung betrieben wird. • 4. Es ist doch klar, dass die Geldgeber erst davon überzeugt werden müssen, dass weitere Studien sinnvoll sind. / Ich bin der Ansicht, dass die Geldgeber erst davon überzeugt werden müssen, dass weitere Studien sinnvoll sind. • 5. Ich bin der Ansicht, dass die Gründe für die unterschiedliche Sprachverwendung auf jeden Fall weiter untersucht werden sollten. / Es ist doch klar, dass die Gründe für die unterschiedliche Sprachverwendung auf jeden Fall weiter untersucht werden sollten.

**5 a** 2. In Bezug auf … vertrete ich den Standpunkt, dass … • 3. Nach meinem Dafürhalten / Meinem Dafürhalten nach ist die Situation wie folgt: … • 4. Aus meiner Sicht würde ich sagen, dass … • 5. Ich bin der festen Überzeugung, dass … • 6. Meine persönliche Einstellung dazu ist folgende: …

**5 b A. Argumente einsetzen:** 2. Standpunkt • **B. Einstellung begründen:** 3. Standpunkt • 4. darin • 5. Natur • 6. daran • 7. darin • **C. Argumente ablehnen:** 8. Dem • 9. sondern • 10. nachvollziehen • **D. Einwände geltend machen:** 11. klingt • 12. frage • 13. könnte • 14. teilweise

### 3D  Was ist tabu?

**1 a** 2. verbrennen • 3. verletzen • 4. verwenden • 5. bewältigen • 6. wahrgenommen • 7. auftreten • 8. sensibilisieren • 9. versetzen • einzuüben • 10. überwinden • verständigen

**1 b** 2. Körperfunktion • Er / Sie ist dick. • 3. Tod • Er / Sie ist gestorben. • 4. Sexualität • Sie haben eine Affäre. • 5. Sucht • Er / Sie ist betrunken. • 6. Kriminalität • Er / Sie hat ein Verbrechen begangen. • 7. geistiger Zustand • Er / Sie ist verrückt.

**1 c Situation 2:** Geld • **Situation 3:** politische Einstellung • **Situation 4:** Krankheit / Tod

**1 d Situation 1:** Sätze: 1, 6, 8 • **Situation 2:** Sätze: 2, 5, 9 • **Situation 3:** Sätze: 4, 7, 11 • **Situation 4:** Sätze: 3, 10, 12

**1 e** 2. Du arbeitest ja lange, hoffentlich bezahlen sie dich auch entsprechend gut. • 3. Wenn eine Person stirbt, können wir nichts dagegen tun. • 4. Eine politische Veränderung wäre gut. • 5. Wenn etwas schief geht, musst du dafür gerade stehen. Hoffentlich stimmt dafür auch dein Gehalt. • 6. Man sieht dir dein Alter an. • 7. Das Bündnis 90 / Die Grünen vertreten meine eigenen Ansichten politisch sehr gut. • 8. Wir werden alle älter. • 9. Bezahlen Sie dir genug für deinen Einsatz? • 10. Es wäre zwar sehr schade, wenn die Nachbarin stirbt, aber sie hat auch lange und gut gelebt. • 11. Wer politisch an der Macht ist, ist eigentlich egal. • 12. Ein natürlicher Tod wäre schön.

**1 f andeuten:** Sätze: 1, 4, 7 • **umschreiben:** Sätze: 2, 5, 6, 9, 11 • **beschönigen:** Sätze: 3, 8, 10, 12

**2** 2. g • 3. g • 4. n • 5. g • 6. n • 7. g • 8. g • 9. n • 10. g

**3 a** 2. nicht unerheblich • Sie unterstützt ihn erheblich. • 3. kein Unbekannter • Er ist ziemlich bekannt in der Branche. • 4. keine schlechte • Und sie ist eine recht gute Geschäftspartnerin. • 5. kein Neuling • Denn sie ist in dem Bereich sehr erfahren. • 6. nicht unbedeutend • Ihr Gewinn ist sehr hoch. • 7. nicht schlecht • Ihre Zusammenarbeit ist ziemlich gut. • 8. nicht unwohl • Und beide fühlen sich ganz wohl dabei.

**3 b** 2. Und er hat nicht wenig geschimpft. • 3. Es war kein einfacher Konflikt. • 4. Ihr Gespräch war dann aber doch nicht unharmonisch. • 5. Denn sie arbeiten letztlich nicht ungern zusammen. • 6. Und sie sind wirklich kein schlechtes Team.

## 3 E  Lügen, die niemanden betrügen?

**1 Einleitung:** Klärung des Begriffs • **Hauptteil 1:** Thesen der Gegenposition • **Hauptteil 2:** Thesen der eigenen Position • Widerlegung der Argumente der Gegenposition • **Hauptteil 3:** Vergleich der Pro- und Contra-Argumente • Überleitung zur eigenen Meinung • **Schluss:** Darlegung der eigenen Meinung • Lösungsvorschlag • Prognose

**2 positiv: Wortwahl:** 6 • **Satzbau:** 5 • **Aufbau:** 10, 11, 14, 19 • **Inhalt:** 2, 7, 18, 20 • **negativ: Wortwahl:** 3, 9, 16 • **Satzbau:** 8, 15 • **Aufbau:** 4, 13, 21 • **Inhalt:** 12, 17

**3 a / b Text A ist schlechter, da:** Spezialterminologie nicht erläutert • keine Zwischenüberschriften • kein logischer Aufbau bzw. roter Faden • Hauptaspekte sind nicht hervorgehoben • **Text B ist besser, da:** verschiedene Ausdrucksvarianten • variabler Satzbau • logischer Aufbau • einleuchtende Übergänge • roter Faden • Zwischenüberschriften • gute Beispiele • anschauliche Darstellung

## 3 F  Worauf spielen Sie an?

**1** 2. Bei ihm geht es immer hier rein, da raus. • 3. Sie will mir ein X für ein U vormachen. • 4. Er nimmt kein Blatt vor den Mund. • 5. Sie stellt die Ohren auf Durchzug. • 6. Er hält immer mit seiner Meinung hinter dem Berg. • 7. Sie lügt das Blaue vom Himmel herunter. • 8. Er ist mir über den Mund gefahren. • 9. Sie redet immer um den heißen Brei herum.

**2 a** 2. Warum sich vorbereiten, wenn's auch ohne geht? • 3. Er wollte wohl unsere Intelligenz testen. • 4. Kleiner ging's wohl nicht mehr! • 5. Durch bessere Betonung hätte der Vortrag ja interessant werden können. • 6. Man gönnt sich ja sonst nichts!

**3 a** 2. a • 3. b • 4. a • 5. b • 6. a • 7. b • 8. a • 9. a • 10. b • 11. a

**3 b** 2. D • 3. B • 4. L • 5. J • 6. H • 7. K • 8. G • 9. E • 10. A • 11. F • 12. I

**3 c** *Mögliche Lösungen:* 2. Worauf willst du eigentlich hinaus? • 3. Soll das vielleicht heißen, ich verdiene viel mehr als du? • 4. Bedeutet das

etwa, dass dir die Idee nicht gefällt? • 5. Sag bloß, du hast keine Zeit? • 6. Im Klartext heißt das wohl: Du kommst nicht mit?

**4 Situation 1:** Es gibt Schlimmeres. • Das ist doch kein Weltuntergang! • Ist doch halb so wild! • So ist das Leben! • Beim nächsten Mal wird es wieder besser. • Eine Zwei unter lauter Einsern ist doch auch ganz schön. • Ja, ja, es gibt keine Gerechtigkeit in der Welt!

**Situation 2:** Nimm's doch mit Humor! • Ich versteh' dich, aber nimm's doch nicht persönlich. • Das ist wohl eher als Scherz gemeint. • Die Geschmäcker sind halt verschieden. • Einem geschenkten Gaul schaut man nicht ins Maul. • Was für eine gelungene Überraschung! • Echt geschmackvoll! • Was für ein Kunstwerk, reif fürs Museum.

## Aussprache

**1 Betonte Partikeln:** 3. Eigentlich • 6. nur • 7. ruhig • 9. ohnehin • 11. einfach

## Lektion 4 – 4 A  Suchen, finden, tun

**1 a** *Mögliche Lösungen:* An erster Stelle stehen Teamarbeit und gute Atmosphäre, direkt danach folgen Sinn und Erfüllung. • Als Drittes ist ein sicherer Arbeitsplatz wichtig. • 77 % wünschen sich Abwechslung. • Während für 70 % das Geld von Bedeutung ist, stehen bei 72 % Lernen und Weiterbildung im Vordergrund. • Annähernd gleichstark vertreten sind die Aspekte Selbstständigkeit und flache Hierarchien. • Über zwei Drittel, nämlich 64 %, legen Wert darauf, dass es flexible Arbeitszeiten und -orte gibt. • Umgang mit Menschen wird ebenfalls von 64 % genannt. • Fast zwei Drittel möchten Kreativität, Selbstverwirklichung und Verantwortung. • Für 51 % steht die Karriere im Vordergrund. • Freizeit, Urlaub, wenig Stress wird nur von 45 % genannt. • An letzter Stelle steht ein internationales Arbeitsumfeld. • Anhand der Grafik lässt sich zeigen, dass das Geld nicht das wichtigste im Job ist.

**2 a** 2. anpassen an + A • 3. werben für + A • 4. geeignet sein für + A • 5. sich abheben von + D • 6. nachdenken über + A • 7. sich bewerben auf + A / für + A / um + A / bei + D • 8. sich einlassen auf + A • 9. arbeiten für + A / über + A / an + D / bei + D

**2 b** *Mögliche Lösungen:* 2. Herr Döring muss seine Bewerbungsunterlagen besser an die Anforderungen der Unternehmen anpassen. • 3. Er muss mehr für sich selbst werben. • 4. Herr Döring muss zeigen, warum er besonders gut für eine Stelle geeignet ist. • 5. Es ist wichtig, dass man sich von den anderen Bewerbern abhebt. • 6. Dazu muss Herr Döring gut über seine Stärken und Schwächen nachdenken. • 7. Er hat sich schon auf viele Stellen beworben. • 8. Herrn Döring fällt es schwer, sich auf die Ratschläge der Beraterin einzulassen. • 9. Um eine Arbeit zu finden, muss Herr Döring noch an seinen Bewerbungsunterlagen arbeiten.

**3 c** 2. a • 3. b • 4. a • 5. b • 6. a • 7. b

**3 d** A: 2a, 4a • B: 3b, 6a • C: 5b • D: 7b

## 4 B  Stelle gesucht

**1** 2. die Voraussetzung, -en • 3. einschlägige • 4. der Spezialist, -en • 5. der Engpass, ¨e • 6. diskret • 7. loyal • 8. versiert

**2 a irrelevante / falsche Kriterien:** 2 • 4 • 5 • 8

**2 b** 2. H • 3. B • 4. I • 5. J • 6. A • 7. E • 8. C • 9. D • 10. F

**2 c** 1. 1 (Angestrebte Position oder Aufgabenbereich) oder 4 (Branchen- und Spezialkenntnisse) • 2. 8 (wichtige pers. Daten) • 3. evtl. 4 (Branchen und Spezialkenntnisse – falls nicht schon als Erstes) • 4. 9. Sprachen, EDV-Programme ) • 5. 1 (Angestrebte Position oder Aufgabenbereich – falls nicht schon als Erstes) • 6. 10 (evtl. Angabe einer räumlichen Einschränkung) • 7. 5 (schulische oder berufliche Abschlüsse) • 8. 6 (Dauer der Berufspraxis in welchem Einsatzgebiet ) • 9. 7 (Soft Skills) • 10. 2 (möglicher Eintrittstermin) • 11. 3 (Kontakt)

*Mögliche Anzeige:* **IKT-Fachmann**
Spezialist für „Blended Learning" (36 J.), Programmiersprachen, Englisch verhandlungssicher, sucht entsprechende Stelle in Niedersach-

sen, gern auch im Bildungsbereich. Ausbildung: 1. und 2. Staatsexamen, Bachelor of Science in Informatik (Fernstudium). Berufserfahrung: 5 Jahre Lehrer für Physik und Informatik am Gymnasium. Flexibel, teamorientiert, kreativ und durchsetzungsfähig. Frühestmöglicher Eintrittstermin: 1. August. Zuschriften erbeten unter Chiffre NP 10457.

## 4 C Kompetenzen

**1 a** 2. 2. Teil: für Qualifikationen von Arbeitnehmern • 3. Schlüsselqualifikationen • 4. fachliche Eignung = Grundvoraussetzung, bedarf keiner bes. Erwähnung • 5. Schlüsselqualifikationen bzw. „Soft Skills" → wichtig, um in globalisierter Welt zu bestehen • 6. (hier keine weiteren Informationen) • 7. für Vortrag ½ Std. • 8. einige organisatorische Dinge • 9. Flur Cafeteria – Arbeitsgruppen, dort eintragen • 10. entsprechende Räume

**1 b** Im zweiten Teil werde ich erläutern, welche Folgen dies für die Qualifikationen von Arbeitnehmern hat. Ich werde mich dabei hauptsächlich auf die Schlüsselqualifikationen beziehen, weil ich davon ausgehe, dass die fachliche Eignung Grundvoraussetzung ist und keiner besonderen Erwähnung bedarf. Ich werde die Schlüsselqualifikationen bzw. „Soft Skills" genauer beleuchten, die wichtig sind, um in der globalisierten Welt zu bestehen. Ich werde dies mit einigen Beispielen untermauern. Für meinen Vortrag ist eine halbe Stunde vorgesehen. Bevor ich nun mit meinem Vortrag beginne, noch kurz einige organisatorische Dinge. Auf dem Flur zur Cafeteria finden Sie die Aushänge mit den vorgesehenen Arbeitsgruppen. Bitte tragen Sie sich dort ein. Finden Sie sich bitte pünktlich um 16 Uhr in den entsprechenden Räumen ein.

**3 a** 2. Produktzyklus • 3. Dienstleistung**s**branche • 4. Erwerb**s**tätige • 5. Beschäftigung**s**fähigkeit

**3 b** die Arbeit**s**fähigkeit • die Durchsetzung**s**fähigkeit • die Entscheidung**s**fähigkeit • die Entscheidung**s**kompetenz • die Fachkompetenz • die Handlung**s**fähigkeit • Handlung**s**kompetenz • die Kritikfähigkeit • die Leistung**s**fähigkeit • die Methodenkompetenz • die Präsentation**s**technik • das Projektmanagement • die Recherchetechnik • die Selbstkompetenz • das Selbstmanagement • die Sozialkompetenz • die Teamfähigkeit • das Teammanagement • die Überzeugung**s**fähigkeit • das Zeitmanagement

**4 a** 2. der Experte, -n • 3. der Zyklus, Zyklen • 4. die Kultur, -en • 5. die Sensibilität • 6. der Rekorder, - • 7. das Management, -s *(Pl. selten)* • 8. die Kompetenz, -en • 9. das Interesse, -n • 10. das Element, -e • 11. die Technik, -en • 12. die Reflexion, -on • 13. das Publikum • 14. die Strategie, -n • 15. das Marketing • 16. die Branche, -n • 17. die Toleranz, -en • 18. die Kritik, -en

**4 b** **der:** -e • -er • -us • **das:** -e • -ing • -ment • -um • **die:** -e • -anz • -enz • -ie • -ik • -ion • -(a)tion • -ität • -ur

**4 c** 2. der Aspekt, -e • 3. das Thema, Themen • 4. das Produkt, -e • 5. das Konzept, -e • 6. der Kontakt, -e • 7. das Profil, -e • 8. das Projekt, -e • 9. der Konflikt, -e • 10. die Struktur, -en • 11. die Disziplin, -en • 12. der Stress *(hat keinen Plural)* • 13. das Gen, -e • 14. das Team, -s • 15. das Talent, -e

**5 a** 1. qualifiziert • 2. – • 3. zyklisch • 4. kulturell • 5. sensibel • 6. – • 7. gemanaged • 8. kompetent • 9. interessant / interessiert • 10. elementar • 11. technisch • 12. reflektiert • 13. publik • 14. strategisch • 15. – • 16. – • 17. tolerant • 18. kritisch

**5 b** 2. die Modifikation, -en • 3. die Methodik, -en / Methode, -n • 4. das Optimum, Optima • 5. die Flexibilität • 6. die Eleganz • 7. die Normalität • 8. die Struktur, -en • 9. die Originalität, -en *(Pl. selten)* • 10. die Kreativität • 11. die Tendenz, -en • 12. die Frequenz, -en

**5 c** **-anz:** feminin • **-ant** • **-enz:** feminin • -ent, -iell • **-ität:** feminin • -al, -el, -ell, -iv • **-(a)tion:** feminin • -iziert • **-ik:** feminin: • -isch • **-um:** neutral: -al („-al" häufiger zu „-ität") • **-ur:** feminin • -ell („-ell" häufiger zu „-ität")

**6** 1. Thema und Titel • 2. die wichtigsten Inhaltspunkte • 3. in eigenen Worten • eigene Interpretation • 4. keine Umgangssprache • 5. im Präsens • 6. indirekter Rede

**7** 1. … <u>mich</u> kurz <u>vorstellen</u>. • 2. Ich <u>interessiere ich mich</u> vor allem <u>für</u> diese Stelle. • 3. Ich glaube, dass ich für diese Stelle <u>besonders geeignet</u> bin, weil … • 4. Ich könnte mir gut <u>vorstellen</u>, … • 5. Ich bin besonders <u>erfahren</u> im … • 6. Ich <u>habe viel Erfahrung</u> im … • 7. Arbeit mit dem Computer <u>fällt mir leicht</u>. • 8. <u>Abschließend</u> möchte ich noch <u>hervorheben</u>, dass …

## 4 D Vorstellungsgespräch – aber wie?

**1 b** 90 %: Auffassungsgabe • 80 %: Einstellung zum Beruf • 75 %: Erscheinungsbild • 70 %: berufliche Ziele • 60 %: Ausdrucksvermögen • 55 %: Auftreten

**2 a** 2. Das ist für mich selbstverständlich. • 3. Das kann ich Ihnen genau sagen. • 4. Ja, das könnte ich mir gut vorstellen. • 5. Ja, wirklich sehr gut.

**2 b** 2. Regelmäßige Besprechungen sind mir ein besonderes Anliegen, damit die Transparenz in der Abteilung gewährleistet ist. • 3. Konstruktive Kritik ist für mich sehr wichtig. • 4. Ein kooperatives Arbeitsklima ist für mich von besonderer Bedeutung. • 5. Teamarbeit hat für mich einen hohen Stellenwert.

**3 a** 2. Das ist eine interessante Frage. • 3. Darüber muss ich mir noch Gedanken machen. • 4. Wenn ich darüber nachdenke, dann …

**3 b** 2. Wo ich am erfolgreichsten war? • 3. Ob ich Arbeit mit nach Hause nehme? • 4. Wie ich mir meine Vergütung vorgestellt habe?

**3 c** direkte W-Frage: Stimme geht am Satzende nach unten • Spiegelfrage: Stimme geht am Satzende nach oben.

**4** 2. Hier ist die Liste mit den Kandidaten, die zur Vorstellungsrunde eingeladen werden müssen. / die zur Vorstellungsrunde einzuladen sind, Frau Roth. • 3. Hier habe ich noch die Fragebögen, die ergänzt werden müssen. / die zu ergänzen sind. • 4. Das sind die Bescheinigungen, die vervielfältigt werden müssen. / die zu vervielfältigen sind. • 5. Auf meinem Schreibtisch links liegen die Antragsformulare, die ausgefüllt werden müssen. / die auszufüllen sind. • 6. Darunter liegt die Aufstellung der Materialien, die bestellt werden müssen. / die zu bestellen sind. • 7. Bitte legen Sie mir die Mappe mit den Briefen, die unterschrieben werden müssen. / die zu unterschreiben sind, ins Auto. • 8. Aber Herr Schreiner! Diese Menge an Aufgaben kann nicht bewältigt werden. / ist nicht zu bewältigen. / lässt sich nicht bewältigen. / ist nicht bewältigbar. Die KITA schließt um 17.30 Uhr!

**5** 2. noch mehrfach durchzuspielende Situationen • 3. schnellstens zu recherchierende Hintergrundinformationen • 4. auswendig zu lernende Daten • 5. zusammenzustellende Unterlagen • 6. noch einmal zu durchdenkende Fragen • 7. unbedingt zu vermeidende Fehler

**6** 2. eine Reihe von nicht vorherzusehenden Reaktionen • 3. viele nicht nachzuvollziehende Nachfragen • 4. eine kaum zu überbietende Unverschämtheit • 5. ein leicht zu verwirrender Kandidat • 6. aggressive, nicht zu tolerierende Reaktionen • 7. kaum zu verstehende Antworten • 8. ein nicht zu empfehlender Kandidat

## 4 E Endlich eine Stelle!

**1** 1. j • 2. n • 3. j • 4. n • 5. ? • 6. n • 7. j • 8. n • 9. j • 10. ?

**2 a** 2. Die von Frau Álvarez ausgefüllten Formulare hatte ihr die Firma zuvor zugesandt. • 3. Das zwischen den Vertragsparteien ausgehandelte Gehalt ist relativ hoch. • 4. Der das Gespräch leitende Abteilungsleiter wurde später vom Personalchef kritisiert.

**2 b** 1. passivische Bedeutung / abgeschlossene Handlung • 2. aktivische Bedeutung / Gleichzeitigkeit von „Gespräch" und „leiten"

**2 c** 2. Über die betriebsübliche Arbeitszeit hinausgehende Arbeitsleistungen werden erwartet und sind in der in Paragraph 2 vereinbarten Vergütung enthalten. • 3. Die durch Dienstreisen entstandenen Überstunden werden nicht extra vergütet. • 4. Den Angestellten ist eine den Interessen des Unternehmens entgegenstehende Tätigkeit untersagt. • 5. Nur rechtzeitig beantragter und vom Vorgesetzten schriftlich genehmigter Urlaub darf angetreten werden.

**3 a a. Grundausstattung:** 2. Laptop • 3. Visitenkarten • 4. Smartphone, Laptop • bei Herrn Jünger, UG, Raum 37 • 5. Visitenkarten • in 1–2 Tagen • **b. Passwort:** 1. dient Zugang zu Intranet usw. • 2. IT-Abteilung, 3. Stock • **c. Arbeitszeit:** 1. über 10 Überstunden pro Monat: Ausgleich durch Freizeit • 2. Formular für Überstunden im Intranet ausfüllen, an Personalabteilung • 3. keine Zeiterfassung • **d. Kantine und Mittagspause:** 1. im Dachgeschoss • 2. ganzen Tag geöffnet, Mittagessen von 12.00 bis 14.00 Uhr • 3. 30 Minuten Mittagspause • **e. Traineeprogramm:** 1. Einführungsphase: drei Zweierteams von Trainees • gemeinsame Workshops zum Erfahrungsaustausch und Aufbau Netzwerk • 2. Qualifizierungsphase: Beschäftigungsdauer in jeweiliger Abteilung abhängig von Projekt • 3. Auslandsaufenthalt: wo: abhängig von Projekten im Ausland • wahrscheinlich Wahl zwischen 2 Ländern • 4. Spezialisierungsphase: Trainees können Abteilung mitbestimmen • 5. Festanstellung: möglich • 6. Bewertungsverfahren: kontinuierlich und auf Basis der Arbeit in jeder Abteilung

**3 b** *Mögliche Lösung:* Liebe Marta, das Gespräch mit dem Personalchef war sehr interessant. Ich habe viele Informationen über unsere Zeit als Trainees dort bekommen und dachte, ich teile dir mit, was wir besprochen haben. Zunächst ging es um die Grundausstattung. Wir erhalten jeder ein Smartphone, einen Laptop und Visitenkarten. Die technischen Geräte können wir uns bei Herrn Jünger im Untergeschoss, Raum 37 abholen und die Visitenkarten bekommen wir in ein bis zwei Tagen. Außerdem brauchen wir ein Passwort, z. B. für den Zugang zum Intranet usw. Das können wir uns in der IT-Abteilung im dritten Stock abholen. Nun zur Arbeitszeit: Viel steht ja schon im Vertrag, aber Herr Heitmann hat sie mir trotzdem noch einmal erläutert. Wenn wir über zehn Überstunden im Monat machen, können wir diese durch Freizeit ausgleichen. Dazu müssen wird ein Formular ausfüllen, das wir im Intranet finden, und es dann an die Personalabteilung schicken. Generell gibt es keine Zeiterfassung, es wir auf Vertrauensbasis gearbeitet. Die Kantine befindet sich im Dachgeschoss und ist den ganzen Tag geöffnet, Mittagessen gibt es aber nur von 12.00 bis 14.00 Uhr. Wir haben eine halbe Stunde Mittagspause. Jetzt noch zum Traineeprogramm selbst: Wir sind drei Zweierteams von Trainees. In der Einführungsphase gibt es gemeinsame Workshops mit den anderen Trainees zum Erfahrungsaustausch und zum Aufbau eines Netzwerks. Die Zeit, die wir in der Qualifizierungsphase in den einzelnen Abteilungen verbringen, ist abhängig von der jeweiligen Projektarbeit dort. Der angekündigte Auslandsaufenthalt wird ebenfalls auf der Basis der jeweiligen Projektlage im Ausland entschieden. Wahrscheinlich werden wir die Wahl zwischen zwei Ländern haben. Bei der Auswahl der Abteilung für die Spezialisierungsphase dürfen wir selbst auch Wünsche äußern. Oh, und noch eine gute Nachricht: Eine Festanstellung ist möglich. Die Entscheidung darüber hängt von der Bewertung unserer Arbeit in den einzelnen Abteilungen ab, die kontinuierlich erfolgt. Ich hoffe, du bist bald wieder gesund. Liebe Grüße, Ana-María

## 4 F Eine heiße Mitarbeiterversammlung

**1** *Mögliche Lösung:* **Mail:** Liebe Kolleginnen und Kollegen, mit dieser Mail möchte ich Ihnen allen mitteilen, dass unsere Sitzung wegen Terminschwierigkeiten der Geschäftsführung auf Montag, den 12.05., verschoben wurde. Sie wird von 14.00 bis 16.30 Uhr im Sitzungssaal stattfinden. Im Anhang finden Sie eine ausführliche Tagesordnung für die Sitzung. Ich möchte Sie hiermit bitten, Themen für den TOP „Sonstiges" per Mail anzumelden. Viele Grüße … • **Tagesordnung:** 2. Überstunden: nur noch „abfeiern" • 3. Frühstückspause entfällt ab 1. Mai • 4. einwöchige Fortbildung pro Jahr Pflicht • 5. neue Vergütungsregel: 20 % nach Leistung • 6. Verbot privater Mails

**2 a** 2. auf • 3. zum • 4. unter • 5. vom • 6. zu • auf • 7. zu • 8. bei • für • 9. zu • 10. für • 11. auf • 12. für • 13. zum • 14. mit

**2 b 1. Begrüßung:** Satz: 1 • **2. Vorstellung der zu diskutierenden Themen:** Satz: 14 • **3. Stellungnahme:** Satz: 6, 9 • **4. Lenkung des Ge-**sprächsablaufs: Satz: 2, 5 • **5. Nachfrage:** Satz: 4, 10 • **6. Einbringen neuer Aspekte / Übergang zur nächsten Teilfrage:** Satz: 7, 11, 13 • **7. Hinweis auf die Zeit:** Satz: 3 • **8. Diskussionsergebnis:** Satz: 12 • **9. Verabschiedung:** Satz: 8

**2 c** *Mögliche Lösungen:* **1. Begrüßung:** Liebe Kolleginnen, liebe Kollegen, ich freue mich Sie hier heute alle begrüßen zu dürfen. • **2. Vorstellung der zu diskutierenden Themen:** Wir werden uns heute mit einigen heiklen Fragen auseinandersetzen: … • **3. Stellungnahme:** Teilen Sie diese Ansicht? • **4. Lenkung des Gesprächsablaufs:** Das sollten wir vielleicht lieber später noch einmal aufgreifen. • **5. Nachfrage:** Sie meinen also …? • **6. Einbringen neuer Aspekte / Übergang zur nächsten Teilfrage:** Dies leitet (direkt) über zu der Frage, wie … • **7. Hinweis auf die Zeit:** Die Zeit drängt. Bitte nur noch je eine Wortmeldung. Wer möchte beginnen? • **8. Diskussionsergebnis:** Das Fazit der Diskussion lautet also: … • **9. Verabschiedung:** Hiermit ist unsere Sitzung beendet. Vielen Dank für die vielen konstruktiven Ideen.

### Aussprache

**1 a** 2. einhaken • 3. Zwischenfrage • 4. Vorredner • anschließen • 5. Lösungsvorschlag • annehmen • 6. Kompromissvorschlag

### Lektion 5 – 5A Neue Welten

**1 a** 2. Aspirin • 3. der Computer • 4. der Röntgenstrahl • 5. das Papiertaschentuch / das Tempo • 6. der Buchdruck

**1 b** 2. Diese Erfindung dient der Linderung von Schmerzen. • 3. Diese Erfindung dient der Erweiterung der eigenen Denkleistung. • 4. Diese Erfindung dient zur Durchleuchtung des Körperinneren. • 5. Diese Erfindung dient der Erhaltung der Hygiene. • 6. Diese Erfindung dient der Vereinfachung der Buchherstellung.

**2** 2. c • 3. a • 4. d • 5. c • 6. d • 7. a • 8. c • 9. b • 10. a • 11. c

### 5B Technische (und andere) Umbrüche

**1 a Rohstoff:** Eisen • Kohle • **Produkte:** Textilien • Genussmittel • Konsumgut • **Werkzeug / Maschine:** Dampfmaschine • Spinnmaschine • **Branche:** Handwerk • Landwirtschaft • Maschinenbau • Stahlindustrie • **wirtschaftliche Faktoren:** Zölle • Wettbewerb

**1 b** 1. b • 2. a • 3. a • 4. b • 5. b • 6. a • 7. b • 8. b • 9. a • 10. b

**1 c** 1. ? • 2. j • 3. j • 4. n • 5. ? • 6. j • 7. n • 8. n

**2 a** 2. verdeutlicht • 3. erlaubt • 4. belegen • 5. hervorheben • 6. charakterisieren

**2 b** 2. Durch die Daten lässt sich folgende Entwicklung zeigen: … *(Hier nur Passivsatzform, denn die Passivform klingt hier stilistisch nicht gut.)* • 3. Man kann festhalten, dass … • 4. Fachleute vertreten auch die These, dass … • 5. Dazu kann eine Gegenthese aufgestellt werden, nämlich: … / Dazu lässt sich eine Gegenthese aufstellen, nämlich … • 6. Wir müssen dabei berücksichtigen, dass … • 7. Abschließend möchte ich festhalten, dass … • 8. Anhand des folgenden Beispiels kann die Situation veranschaulicht werden: … / Anhand des folgenden Beispiels lässt sich die Situation veranschaulichen: …

### 5C Technik im Alltag

**1** 1. b • 2. a • 3. c • 4. a • 5. c • 6. b • 7. b • 8. c • 9. b

**2 a** 1. Telefongesellschaft „Teleregio gut und nah" • 2. automatische Anrufannahme • 3. Kunde soll Nummer des Anschlusses nennen • 4. Bearbeitungsstelle für technische Störungen

**2 b** 3. 3 • 3. 20 • 4. 21 • 5. 12 • 6. 13 • 7. 14

**2 c** 1. Auftragsänderungen • technische Störungen • Kundenkonto • 2. Anleitung • Verkabelung • 3. Benutzeroberfläche • eingeben • 4. zugreifen • Rechner • 5. angezeigt • Kundenberater

**3 a Deklination wie beim bestimmten Artikel:** manches neue • alle befragten • keine überflüssigen • irgendwelche neuen • jeder kaufbereite • manche technischen • **Deklination wie beim unbestimmten Artikel:** manch ein verunsicherter • **Deklination wie beim Nullartikel:**

mehrere technische • vieler technikunkundiger • viele vorhandene

**3 b** 2. manch nützliche Geräte • 3. Manch alleinlebender Senior • manche alleinlebende Seniorin 4. Mancher unruhige Demenzpatient • 5. manch nutzerfreundliches Spracherkennungssystem • bei manchem typischen Alltagsproblem • 6. mancher technikorientierten Senioren • 7. Manche großartigen Visionen • manch intensiver Entwicklungsarbeit

**3 c** Nom. M.: mancher junge • manch junger • **Nom. / Akk. N.:** manch junges • **Nom. / Akk. F.:** manche junge • **Nom. / Akk. Pl.:** manche jungen • manch junge • **Dat. M. / N.:** manchem jungen • **Dat. / Gen F.:** manch junger • **Gen. Pl.:** mancher jungen

**3 d** Regel 1: richtig • **Regel 2:** falsch • Korrektur: Die Adjektivdeklination nach „mach-" ist wie nach dem bestimmten Artikel. • **Regel 3:** richtig

**4 a** 2. solche • 3. solche • 4. solches • 5. solch • 6. solch ein • 7. solcher • 8. als solches

**4 b** 1. unbestimmten • 2. bestimmten • 3. Nullartikel • 4. Nullartikel

**5 a** 2. Jeder • 3. keiner • 4. jedem / allen • 5. Jedem • 6 keinem • 7. Mancher

**5 b** B. 4 • C. 2 • D. 6 • E. 1 • F. 5 • G. 7

## 5 D  Roboterwelten

**1** 2. Massenanwendung • 3. Fokus • 4. kommt zum Einsatz • 5. modelliert • 6. anwendungsorientiert

**2** 2. enormen Entwicklungskosten • 3. europäischen Firmen • 4. investieren viel in • 5. zum privaten Wachpersonal wird • 6. lernfähig ist • 7. im Zusammenspiel zu verstehen

**3 b** A: in chronologischer Reihenfolge • **B:** vergleichend • **C:** kausal • **D:** vom Allgemeinen zum Konkreten • **E:** vom Konkreten zum Allgemeinen

**3 c** Gliederung A ist besser, weil sie vom Konkreten zum Allgemeinen geht und die Chronologie beachtet (heute, in Zukunft) und mit der persönlichen Meinung des Referenten abschließt.

**3 d** 2. Um auf Ihre Frage zurückzukommen: … • 3. Ich bin dieser Meinung, weil … • 4. Danke für Ihre Anmerkung. • 5. Das ist ein guter Hinweis. • 6. Wie ich bereits erörtert habe, … • 7. Um das zu beantworten, muss ich etwas ausführlicher werden. • 8. Das sehe ich im Prinzip genauso wie Sie, aber …

## 5 E  Neue Medizin – neuer Mensch?

**1 a** Wissenschaft: Forscher • Labor • Retorte • **Organe:** Haut • Leber • Niere • **Bestandteile des Körpers:** Herz-Kreislaufsystem • Muskel • Zelle • **Krankheiten:** Infarkt • Parkinson • **Versprechungen:** Gesundheit • Heilung • Rettung

**1 b** 1. Leberzellen bauen Alkohol ab. • Blutkörperchen transportieren Sauerstoff. • 2. Stammzellen haben keine festgelegte Funktion. • 3. Ein Erwachsener hat etwa 20 verschiedene Stammzellentypen. • 4. Stammzellen werden für Reparaturen gebraucht. • 5. Die Stammzellen von Embryonen können im Labor gehalten werden und aus ihnen kann noch jede der rund 210 Zellarten eines Menschen werden. • 6. Die Erforschung embryonaler Stammzellen kann hilfreich beim Kampf gegen Krankheiten sein, aber die Frage ist, ob sie zu Forschungszwecken genutzt werden dürfen, weil hierbei nicht der Schutz des Embryos berücksichtigt wird. • 7. Internationale Regelungsmodelle zur Stammzellenforschung können sich von nationalen unterscheiden. Der europäische Gerichtshof hat die Patentierung von embryonalen Stammzellen verboten, aber nicht ihre Gewinnung. • 8. Aktuelle Forschungsergebnisse zeigen, dass Hautzellen in Stammzellen „zurückprogrammiert" werden können.

**1 c** 2. Stammzellen sind für die Sicherung des Nachschubs dieser Zellen da. / für die Nachschubsicherung dieser Zellen da. • 3. Diskutiert wird die Frage nach dem ausreichenden Schutz menschlicher Embryonen. • 4. Ist es gestattet, Embryonen einzusetzen, um Stammzellen zu gewinnen? • 5. Die einen sagen, der Embryo sei genauso schutzwürdig wie der bereits geborene Mensch. • 6. Die anderen schließen es mo-

ralisch nicht aus, mit Embryonen zu forschen. / dass mit Embryonen geforscht wird. / dass man mit Embryonen forscht.

**1 d** 1. eine Funktion haben • 2. einen Weg bieten • einen Weg finden • 3. Arbeit bieten • Arbeit finden • Arbeit haben • Arbeit verrichten • 4. einen Ausweg bieten • einen Ausweg finden • einen Ausweg haben • 5. den Bedarf decken • den Bedarf haben • 6. im Mittelpunkt stehen

**2 a** 2. Diese: die spezialisierten Zellen • 3. ihre: spezialisierte Zellen • 4. solche: wie in Abschnitt 1 beschrieben • 5. dafür: den Nachschub dieser Zellen zu sichern • 6. denen: Stammzellen • 7. Letztere: Erwachsene • 8. sie: etwa zwanzig verschiedene Stammzellentypen • 9. von ihnen: embryonale Stammzellen • 10. das: sich auf einen Zelltyp spezialisieren • 11. ihr: embryonale Stammzellen • 12. das: der Einsatz embryonaler Stammzellen ist in der Praxis noch recht begrenzt • 13. es: das Thema „Stammzellenforschung" • 14. denn: die Frage, inwieweit menschliche Embryonen geschützt sind • 15. diesen: vorher beschriebenen Konflikt, ob menschliche Embryonen schützenwert sind oder nicht • 16. solcher: embryonaler Stammzellen

**2 b** Text A: aber • hier • nämlich • Diesem • Denn • wenn • diese • daher • diesen • **Text B:** denn • auf diese Weise • Damit • diese • außerdem • Sie • also

**2 d** *Mögliche Lösung:* Die Forschung mit embryonalen Stammzellen ist <u>grundsätzlich</u> von zentraler Bedeutung. Denn die Heilung bisher unheilbarer Krankheiten ist ein bedeutendes Ziel. <u>Zwar</u> kann man einwenden, dass humane Embryonen das Potential haben, Menschen zu werden und somit wie diese zu schützen sind. <u>Aber</u> gleichzeitig gilt es zu bedenken, dass man mit Hilfe solcher Embryonen Menschen von schrecklichen Krankheiten heilen kann. <u>Außerdem</u> gelten bei der Embryonenforschung moralische Standards, z. B. dürfen nur Embryonen verwendet werden, die sich noch nicht in der Gebärmutter eingenistet haben. Es ist <u>folglich</u> nicht zu vertreten, dass man den Schutz des menschlichen Embryos über die Rettung Hunderttausender stellt.

## 5 F  Ideen für die Zukunft

**1** 1. c • 2. b • 3. a • 4. c • 5. a • 6. c • 7. b • 8. a • 9. d • 10. c

**2** 2. Man könnte einen Flugapparat bauen, mit dem Menschen mit eigener Muskelkraft fliegen können. • 3. Man sollte einen Herd mit eingebauten Thermostaten entwickeln, damit dieser die Hitzezufuhr selbst regulieren und so nichts anbrennen kann. • 4. Von Vorteil wäre es, wenn man Zahnbürsten mit integrierter Leuchte herstellen würde, damit man die Backenzähne und den Zustand des Zahnfleischs besser kontrollieren kann. • 5. Bei der Konstruktion sollte man berücksichtigen, dass der Staubsauger die Saugleistung selbstständig mehr nach rechts oder links lenkt, damit der Schmutz in den Ecken gut beseitigt werden kann. • 6. Eine gute Idee wäre es, einen Kaminofen zu erfinden, der über eine Zeitschaltuhr das Holz im Ofen selbstständig entzündet, damit das Feuer schon brennt, wenn man nach Hause kommt.

## Aussprache

**1 a / b** 2. Man könnte euer Gerät noch <u>verbessern</u>, | indem man es per <u>Computer</u> steuert. • 3. Warum habt ihr denn das <u>Modell</u> | <u>so</u> aufgebaut? • 4. Könnte man <u>hier</u> nicht | stattdessen einen <u>Schalter</u> anbringen? • 5. Wie wäre es, | wenn du statt <u>Papier</u> | eine <u>Folie</u> nehmen würdest? • 6. Bei der <u>Konstruktion</u> | solltest du noch die <u>Unterseite</u> berücksichtigen. • 7. <u>Einfacher</u> herzustellen wäre es, | wenn man alle Teile <u>verlöten</u> würde. • 8. Eure Erfindung wäre bestimmt <u>bequemer</u> zu benutzen, | wenn sie <u>größer</u> wäre. • 9. Von <u>Vorteil</u> wäre | ein kleiner integrierter <u>Motor</u>.

## Lektion 6 – 6 A  Von innen und außen – Deutschland im Blick

**1** 2a. auf Platz • 2b. liegen • 3a. liegen • 3b. im Ranking ganz weit vorn • 4a. spielt • 4b. eine entscheidende Rolle • 5a. ist • 5b. nicht ver-

treten • 6a. sind • 6b. wichtige Entscheidungskriterien • 7. eine unter-
geordnete Rolle spielt

**2 a** 2. Anne Cameron • 3. Clotaire Rapaille • 4. Henning Mankell

**2 b** 1. a • 2. b • 3. a • 4. a • 5. b • 6. a • 7. b • 8. b

## 6 B Klein, aber fein

**1** 2. Patent • 3. Investitionsgut • 4. Dienstleistung • 5. Wettbewer-
ber • 6. industrieller Sektor • 7. Mittelstand • 8. Niederlassung • 9. bör-
senorientiert

**2** 2. Spezialisierung • 3. Unternehmen / Firmen • 4. entwickelte / aus-
gereifte • 5. beruht / basiert • 6. Beispiel / Beleg / Zeichen • 7. erhalten •
8. Rolle • 9. Veränderungen / Anpassungen • 10. anzupassen • 11. Erfolg

**3** 2. Auch wenn • 3. respektive / beziehungsweise • 4. Wie auch immer • **übrig bleibt:** ohne dass

**4 a** 2. vorausgesetzt, dass • 3. nur …, wenn • 4. solange • 5. Sofern •
6. es sei denn, …

**4 b** 1. Sätze: 1, 2, 3, 4, 5 • 2. Satz: 6

**4 c** 2. in Frage stellen • 3. verringert sich • 4. austauschbar werden •
5. sparen an • 6. beibehalten

**4 d** 2. Die Hochschulen können den Unternehmen auch in Zukunft
gute Absolventen und Forschungsergebnisse liefern, es sei denn,
dass ihre finanzielle Ausstattung in Frage gestellt wird / ist. • 3. Die
„Hidden Champions" können ihre herausragende Position nur sichern,
sofern sich die Zahl der topausgebildeten Facharbeiter nicht verringert. • 4. Sie können neue Märkte erobern, es sei denn, ihre Produktideen werden austauschbar. • 5. Vorausgesetzt, sie sparen nicht an
Forschung und Entwicklung, haben die „verborgenen Meister" gute
Chancen, weiterhin zu den Markführern zu gehören. • 6. Solange sie
ihre Kraft zur Innovation beibehalten, werden die „Hidden Champions"
ihren Mitbewerbern auch weiterhin eine Nasenlänge voraus sein.

**5 a** 2. Holen Sie hin und wieder auch den Rat von Dritten ein, außer
sie treffen Routineentscheidungen. • 3. Achten Sie darauf, bei der
Verfolgung Ihrer Ziele das richtige Maß zu finden, außer sie wollen
riskieren, als „kleiner Diktator" angesehen zu werden. • 4. Prüfen Sie,
wo Sie Verantwortung auf Ihre Mitarbeiter übertragen können, außer
die Situation verlangt von Ihnen ein klares Führungsverhalten.

**5 b** 1. Zögern Sie nicht, Entscheidungen auch einmal ohne das OK von
oben zu treffen, es sei denn, dass sie alle Zeit der Welt haben. • 2. Holen Sie hin und wieder auch den Rat von Dritten ein, es sei denn, dass
sie Routineentscheidungen treffen. • 3. Achten Sie darauf, bei der Verfolgung Ihrer Ziele das richtige Maß zu finden, es sei denn, dass sie riskieren wollen, als „kleiner Diktator" angesehen zu werden. • 4. Prüfen
Sie, wo Sie Verantwortung auf Ihre Mitarbeiter übertragen können, es
sei denn, dass die Situation von Ihnen ein klares Führungsverhalten
verlangt.

**6 a** 1. a • 2. b

**6 b** 2. Je nachdem, welche Artikel eine Firma anbietet, verkauft sie
mehr im Inland oder im Ausland. • 3. Welches Produkt die Firma
„Denk" auch immer entwickelt, die Firma „Copy" bringt sofort ein vergleichbares Produkt auf den Markt. • 4. Wo auch immer sich der junge
Ingenieur bewirbt, er wird jedes Mal zu einem Vorstellungsgespräch
eingeladen. • 5. Je nachdem, wie das Vorstellungsgespräch verläuft,
signalisiert er Interesse an der Stelle oder nicht.

**7 a** 1. einschränkende • 2. obwohl

**7 b** 2. Sie agieren weltweit wie Großunternehmen, nur dass sie zum
Mittelstand gehören. • 3. Noch haben sie viel Erfolg auf ihren Märkten,
nur dass es dort verstärkt Konkurrenz gibt. • 4. Die „Hidden Champions" stehen immer noch gut da, auch wenn die Globalisierung schon
zu vielen Veränderungen geführt hat. / wenn die Globalisierung auch
schon zu vielen Veränderungen geführt hat. • 5. Die Firma Wanzl hat
nur 3.700 Mitarbeiter, auch wenn sie überall auf der Welt präsent
ist. / wenn sie auch überall auf der Welt präsent ist.

## 6 C Fremdbilder

**1** 1. b • 2. b • 3. a • 4. a • 5. b • 6. a • 7. b • 8. a

**2** 1. V • 2. S • 3. S • 4. V • 5. V • 6. S • 7. V

**3 a** 3. viertel → Viertel • 4. umgedreht → umgekehrt • 5. zu (der) →
vor (der) / (der jeweils anderen Bevölkerung) gegenüber • 6. belegt →
begrenzt • 7. ein Neuntel in Österreich → ein Neuntel, in Österreich •
8. ✓ • 9. dass → das • 10. Allgemein → allgemein • 11. empfunden-
er → empfunder • 12. fast → kaum • 13. Deutsche → Deutschen •
14. Sie → sie • 15. die Bereitschaft sich → die Bereitschaft, sich •
16. mit → bei • 17. Teils → Sowohl • 18. würden → wären • 19. seinen →
ihren • 20. aufsteigenden → steigenden / ansteigenden

**3 b** 2. im eigenen Land: D: 25 % / Ö: 26 % • im Nachbarland: D: 11 % / Ö:
12 % • 3. Deutsche: 45 % • Österreicher: 27 %

**3 c** 2. Je nach Blickwinkel wird der demografische Wandel als Problem wahrgenommen oder vernachlässigt. • 3. Je nach Nationalität der
Teilnehmer wird das deutsche Bildungssystem unterschiedlich gut bewertet.

**3 d** *Mögliche Lösungen:* …, dass es die schöne Landschaft ist, die
Österreich zu einem attraktiven Urlaubsziel macht. Sowohl Deutsche
als auch Österreicher empfinden Österreich als ein schönes Urlaubsland. Nicht nur die Österreicher, sondern auch die Deutschen schätzen
die österreichische Küche. Beide sind der Meinung, dass Deutschland
eine starke Industrie und Wirtschaft hat. Die Deutschen und die Österreicher vertreten jeweils die Ansicht, dass ihr Land stärker überaltert
ist als das des Nachbarn.

**4 a** 2. Kollegen • 3. Teilnehmer • 4. Kunden • 5. Besucher • 6. Einwohner • 7. Mitglieder • 8. Gäste • 9. Zuschauer

**4 b** 2. Obwohl in meiner deutschen Firma das Arbeitsklima ausgezeichnet ist, bleiben die Kollegen auch nach Jahren persönlich auf
Distanz. • 3. Ein Mitglied aus meinem Sportverein hier in Deutschland
erklärt seinen Kindern abends wie Solarzellen funktionieren, statt ihnen Märchen vorzulesen. • 4. Während in Deutschland sich die Kunden
im Geschäft das Restgeld bis auf den letzten Cent zurückgeben lassen,
sind bei uns kleine Münzen praktisch nicht im Umlauf.

## 6 D Selbstbild

**1** 2. F • 3. D • 4. A • 5. G • 6. B • 7. C

**2 a** 1. b • 2. b • 3. c • 4. c • 5. a • 6. b

**3 a / 4 b** Art und Weise: Präposition: durch • Nebensatzkonnektor:
dadurch, dass …, indem • **Bedingung:** Präposition: bei, mit • Nebensatzkonnektor: wenn, falls, sofern • **Grund:** Präposition: aufgrund,
aus • Nebensatzkonnektor: da, weil • **Gegengrund:** Präposition: ungeachtet, trotz • Nebensatzkonnektor: obwohl, obgleich • **Gegensatz:** Präposition: entgegen • Nebensatzkonnektor: während • **Folge:**
Präposition: infolge • Nebensatzkonnektor: sodass, so / derartig …,
dass • **Zeit:** Präposition: bei, nach • Nebensatzkonnektor: als, nachdem • **Ziel, Zweck:** Präposition: zu • Nebensatzkonnektor: um … zu,
damit

**3 b** 2. Wenn man die Einstellungen von Land- und Stadtbewohnern
vergleicht, zeigt sich … • 3. Da das Angebot an Einkaufsmöglichkeiten
und medizinischer Betreuung sinkt, kommt es an vielen Orten zu … •
4. und nur in die Stadt kamen, um dort zu arbeiten • 5. …, ziehen
nun immer mehr in die Städte, obwohl dort die Mieten höher sind.
6. Dadurch, dass zahlreiche Ruheständler in die urbanen Zentren zu-
rückkehren, verschärft sich … • 7. Während man annehmen könnte,
dass es die Ärmsten sind, die …, ist es vielmehr die untere Mittelschicht … • 8. Die Denkweise innerhalb der deutschen Bevölkerung
hat sich so / derartig verändert, dass die Autoren damit rechnen, dass
… • 9. Als die letzten Wahlen stattfanden, war …

**4 a** 2. Trotz der guten Wirtschaftslage … • 3. Bei näherer Betrachtung
der Situation … • 4. Aufgrund der zunehmenden Zukunftsangst •
5. Zur Überwindung des stereotypen Selbstbildes … • 6. Nach gründ-
licher Beschäftigung mit der Studie … • 7. Aus / Aufgrund eigener

Anschauung … • 8. Entgegen der Ansicht vieler … • 9. Infolge der negativen Einschätzung der Lage …

**5** 2. Durch die Einrichtung eines speziellen Internetportals namens „Swissworld" erreicht z. B. die staatliche Außenwerbung der Schweiz mittlerweile jährlich über drei Millionen Interessierte. • 3. Aufgrund der starken Nachfrage besonders nach Lehrmaterialien hat das zuständige Bildungsministerium Unterrichtsreihen für verschiedene Altersstufen entwickelt. • 4. Zur Entwicklung eines differenzierteren Bildes der Schweiz knüpfen diese an das vorhandene Allgemeinwissen der Schüler an. • 5. Aus Furcht im Wettstreit um die beste Auslandspräsenz den Anschluss zu verlieren, sind mittlerweile auch die anderen deutschsprachigen Länder dem Schweizer Vorbild gefolgt. • 6. Infolge der steigenden Anfragen bei den großen Werbeagenturen haben diese bereits eigene Spezialistenteams für „Nation Branding" gebildet. • 7. Der Erfolg solcher Kampagnen nimmt mit der / im Fall der Bereitschaft der Bevölkerung, das geschaffene Image mitzutragen, noch weiter zu. • 8. Doch nach der Kritik an einer Vermischung von ökonomischen Interessen mit „neuem" Nationalbewusstsein ist bei den Initiatoren der Kampagne eine gewisse Ernüchterung eingetreten.

### 6E Multikulturelles Deutschland

**1** 2. Arbeitskraft • 3. Gastarbeiter • 4. Einwanderungsland • 5. Zuwanderungsland • 6. Einwanderungswelle • 7. Migrationsbewegung • 8. Mehrheitsgesellschaft • 9. Nachbarstaat • 10. Stammbevölkerung • 11. Saisonarbeit • 12. Wanderungsbewegung

**2** 1. Bei „klassischen" Einwanderungsländern, wie beispielsweise die USA und Kanada, gehen die Personen davon aus, permanent dort zu leben und nicht in ihr Heimatland zurückzukehren. • 2. aktuelle Zuwanderung: vorherrschende Jugendarbeitslosigkeit in Südeuropa • Gastarbeiter: hoher Arbeitskräftebedarf in Deutschland • 3. Aufgrund der reichlich vorhandenen Steinkohle entwickelte sich das Ruhrgebiet im 19. Jahrhundert zum Motor der Industrialisierung. Daher war der Bedarf an Bergleuten schön bald so groß, dass die Grubenbesitzer Agenten in die angrenzenden Staaten schickten, um neue Arbeitskräfte anzuwerben. Da dieser Mangel auch in den 1870er-Jahren noch fortbestand, zogen die Werber noch weiter, bis in die Ostgebiete des Deutschen Reiches hinein. Dort war die Lage teilweise sehr schwierig und so kamen bis 1880 circa 30.000 Zuwanderer in das Ruhrgebiet. Unter ihnen waren tausende polnischsprachige Bergleute. • 4. Mittelalter: Angehörige jüdischen Glaubens bekamen von deutschen Herrschern individuelle Schutzrechte und durften sich niederlassen. • Toleranzedikt 1685: Aufnahme aus Frankreich vertriebener Hugenotten in Preußen • 1732: Aufnahme aus Salzburg vertriebener Protestanten in Preußen

### 6F Deutsche Einheit und Vielfalt

**1** 2. umstritten • 3. zusammen • 4. bestimmt

### Aussprache

**1a** 1. a • 2. a • 3. b • 4. a • 5. b
**1c** 2. a • 3. b • 4. b • 5. a

# Arbeitsbuchteil – Transkriptionen

Im Folgenden finden Sie die Transkriptionen der Hörtexte im Arbeitsbuchteil, die dort nicht abgedruckt sind.

## Lektion 3

🔊 5 *Sprecherin:* 1. Was für ein gelungener Vortrag!
🔊 6 *Sprecher:* 2. Warum sich vorbereiten, wenn's auch ohne geht?
🔊 7 *Sprecherin:* 3. Er wollte wohl unsere Intelligenz testen.
🔊 8 *Sprecher:* 4. Kleiner ging's wohl nicht mehr!
🔊 9 *Sprecherin:* 5. Durch bessere Betonung hätte der Vortrag ja interessant werden können.
🔊 10 *Sprecher:* 6. Man gönnt sich ja sonst nichts!

## Lektion 4

🔊 21 *Referent:* Im ersten Teil meines Vortrags zum Thema „Schlüsselqualifikationen" möchte ich kurz auf einige grundlegende Veränderungen in der Lebens- und Arbeitswelt eingehen und auf die Konsequenzen, die sich daraus für unterschiedliche Akteure ergeben.
Im zweiten Teil werde ich erläutern, welche Folgen dies für die Qualifikationen von Arbeitnehmern hat. Ich werde mich dabei hauptsächlich auf die sogenannten Schlüsselqualifikationen beziehen, weil ich davon ausgehe, dass die fachliche Eignung Grundvoraussetzung ist und keiner besonderen Erwähnung bedarf. Dabei werde ich diejenigen Schlüsselqualifikationen bzw. die „Soft Skills" genauer beleuchten, die ganz besonders wichtig sind, um in der globalisierten Welt zu bestehen, und werde dies mit einigen Beispielen untermauern.
Für meinen Vortrag ist ja etwa eine halbe Stunde vorgesehen, sodass danach noch eine Viertelstunde Zeit ist, um offene Fragen zu klären und zu diskutieren.
Bevor ich nun mit meinem Vortrag beginne, noch kurz einige organisatorische Dinge: Gegen 15.30 Uhr ist eine Kaffeepause von einer halben Stunde vorgesehen. Auf dem Flur zur Cafeteria finden Sie die Aushänge mit den vorgesehenen Arbeitsgruppen. Bitte tragen Sie sich dort ein. Und wenn ich noch um etwas bitten darf: Finden Sie sich bitte pünktlich um 16.00 Uhr in den entsprechenden Räumen ein. Vielen Dank!

🔊 22 1. *Mann:* Wo möchten Sie in fünf Jahren stehen?
*Frau:* Wo ich in fünf Jahren stehen möchte?
2. *Mann:* Wo waren Sie am erfolgreichsten?
*Frau:* Wo ich am erfolgreichsten war?
3. *Mann:* Nehmen Sie Arbeit mit nach Hause?
*Frau:* Ob ich Arbeit mit nach Hause nehme?
4. *Mann:* Wie haben Sie sich Ihre Vergütung vorgestellt?
*Frau:* Wie ich mir meine Vergütung vorgestellt habe?

## Lektion 5

🔊 24 *Ansage:* Guten Tag, Sie haben den Kundenservice der Telefongesellschaft „Teleregio gut und nah" gewählt. Sie sind mit der automatischen Anrufannahme verbunden. Dieser Anruf ist für Sie aus dem Teleregio-Netz kostenfrei. Zuerst brauchen wir die Nummer Ihres Anschlusses. Bitte sprechen Sie langsam und deutlich.
*Kunde:* 0090876.
*Ansage:* Um Aufträge oder Auftragsänderungen durchzugeben, wählen Sie bitte die 1. Um technische Störungen Ihres Anschlusses zu beheben, wählen Sie die 2. Um zu Ihrem Kundenkonto zu gelangen, wählen Sie die 3.
Sie werden mit der Bearbeitungsstelle für technische Störungen verbunden.

● 25 Guten Tag, Sie sind mit der Störungsannahmestelle von Teleregio verbunden. Falls bei Ihnen eine Störung entstanden sein sollte, so bitten wir um Entschuldigung. Wir bemühen uns, das Problem schnell zu beheben. Wenn das Problem den Festnetzanschluss betrifft, wählen Sie bitte die 20. Für Mobilfunk wählen Sie die 21, für Internetanschluss die 22.

Bitte überprüfen Sie zuerst die Verkabelung Ihres Internetanschlusses. Für eine detaillierte Anleitung zur Überprüfung wählen Sie bitte die 10. Falls Sie die Verkabelung bereits überprüft haben und die Störung weiterbesteht, wählen Sie bitte die 11.

Die Störung besteht weiter. Starten Sie bitte Ihren Computer. Folgen Sie nun den Schritten zur Überprüfung des Anschlusses. Um den Zugriff Ihres Teleregio-Modems zu überprüfen, wählen Sie bitte die 12. Falls Sie dies bereits getan haben, können Sie sofort zu Schritt 2 übergehen. Wählen Sie dafür die 13.

● 26 Um das Modem zu überprüfen, öffnen Sie bitte in einem ersten Schritt die Benutzeroberfläche Ihres Modems, indem Sie in die Adresszeile Ihres Browsers „Tele.fix" eingeben. Anschließend gelangen Sie in die Übersichtsseite des Hauptmenüs.

Falls Sie problemlos auf Ihr Modem zugreifen konnten, liegt kein Problem mit der Hardware und der Verbindung zwischen Modem und Rechner vor und Sie können sofort mit Schritt 2 fortfahren. Wählen Sie dafür die 13.

Sollten Sie nicht auf das Modem zugreifen können, stellen Sie bitte sicher, dass Ihr Modem mit Strom versorgt und mit dem Rechner über LAN oder WLAN verbunden ist.

Prüfen Sie nun den Zugriff auf das Internet. Geben Sie in die Adresszeile Ihres Browsers www.teleregio.gut-und-nah.de ein.

● 27 Wird die Seite angezeigt, funktioniert Ihr DSL-Anschluss und Sie können surfen? Oder wird die Seite immer noch nicht oder nicht richtig angezeigt? In diesem Fall steht einer unserer Kundenberater gern persönlich zu Ihrer Verfügung. Lassen Sie für die Fernprüfung bitte Router, Modem und PC im Betriebsmodus. Um mit dem Kundendienst verbunden zu werden, wählen Sie bitte die 14.

Im Moment sind alle unsere Beratungsplätze besetzt. Bitte warten Sie, Sie werden mit dem nächsten freien Berater verbunden. Im Moment sind …

● 28 1. *Ansage:* Um Aufträge oder Auftragsänderungen durchzugeben, wählen Sie bitte die 1. Um technische Störungen Ihres Anschlusses zu beheben, wählen Sie die 2. Um zu Ihrem Kundenkonto zu gelangen, wählen Sie die 3.

● 29 2. *Ansage:* Bitte überprüfen Sie zuerst die Verkabelung Ihres Internetanschlusses. Für eine detaillierte Anleitung zur Überprüfung wählen Sie bitte die 10. Falls Sie die Verkabelung bereits überprüft haben und die Störung weiterbesteht, wählen Sie bitte die 11.

● 30 3. *Ansage:* Um das Modem zu überprüfen, öffnen Sie bitte in einem ersten Schritt die Benutzeroberfläche Ihres Modems, indem Sie in die Adresszeile Ihres Browsers „Tele.fix" eingeben.

● 31 4. *Ansage:* Sollten Sie nicht auf das Modem zugreifen können, stellen Sie bitte sicher, dass Ihr Modem mit Strom versorgt und mit dem Rechner über LAN oder WLAN verbunden ist.

● 32 5. *Ansage:* Oder wird die Seite immer noch nicht oder nicht richtig angezeigt? In diesem Fall steht einer unserer Kundenberater gern persönlich zu Ihrer Verfügung.

## Lektion 6

● 36 1. *Frau 1:* Willst du wirklich nicht mehr fliegen? Hast du immer noch so Angst davor?
*Frau 2:* Oh, und wie!

● 37 2. *Frau 1:* Weißt du übrigens, dass Peter und Anja keine Nacht mehr schlafen – wegen des neuen Flugplatzes ganz in der Nähe.

*Frau 2:* Oh, die Armen!

● 38 3. *Frau 1:* Peter hat schon eine Bürgerinitiative gegründet.
*Frau 2:* Oh, typisch Peter. Aktiv wie immer!

● 39 4. *Frau 1:* Anja sagt, dass sie schon 2.000 Leute zusammen haben.
*Frau 2:* Oh! Niemals! Das glaube ich nicht.

● 40 5. *Frau 1:* Und stell dir vor, sie wollen ganz aufs Fliegen verzichten!
*Frau 2:* Oho! Da bin ich aber platt!
*Frau 1:* Tja, das Glück liegt im Verzicht!

# Quellen